JN048961

岩波講座　世界歴史　9

# ヨーロッパと西アジアの変容

一一〜一五世紀

岩波講座

# 世界歴史

# 09

## ヨーロッパと西アジアの変容

一一～一五世紀

【編集委員】
荒川正晴
大黒俊二
小川幸司
木畑洋一
冨谷至
中野聡
永原陽子
林佳世子
弘末雅士
安村直己
吉澤誠一郎

岩波書店

第9巻【責任編集】
大黒俊二
林佳世子

# 目次

展望｜*Perspective*



問題群｜*Inquiry*

焦点 | *Focus*

コラム｜Column

# 展　望 | *Perspective*

展望 | *Perspective*

# 中世ヨーロッパ・西アジアの国家形成と文化変容

大黒俊二
林　佳世子

本巻「ヨーロッパと西アジアの変容」は時代的には一一世紀から一五世紀まで、領域的にはヨーロッパと西アジアを対象とする。本巻が論じる時代・地域は前回(第二期)の『岩波講座 世界歴史』では「ヨーロッパの成長」と「イスラーム世界の発展」という別の巻に分かれていた。今回、従来は別々に論じられていた領域を一体として扱うことにどのような意味があるのだろうか。その意味を探るところから本巻のねらいを明らかにしていこう。

ヨーロッパと西アジア――この二つが異なる大きなまとまりであることは現代人にとっては常識的な理解といってよいだろう。両者は気候風土、宗教、言語系統が異なり、宗教に由来する生活習慣に違いもある。つまり両者を互いに他者とみなし異なる文化圏として扱うことは一般的である。しかしつねにそうであったわけではない。ローマ帝国の最盛期、のちにヨーロッパ、西アジアと呼ばれる地域は一つに統一されていた。この時期パレスチナで生まれたキリスト教はギリシア、イタリア、ガリアへと広まってローマの国家宗教となり、北アフリカ出身のアウグスティヌス抜きにキリスト教神学は考えられず、都市ローマの生存はエジプトから運ばれる小麦に依存していた。そうした統一はやがて四世紀の帝国の東西分裂、七世紀のイスラム教の拡大を経て崩れて行くとともに東西の違いが目立ち始め、カール大帝の皇帝戴冠によってのちにヨーロッパ、西アジアと呼ばれる地域がおもむろに姿を現してくる。その姿が明瞭となり、現代にまで続く二つの領域がはっきり識別しうるものとなるのが本巻の扱う時代である。こうして異文化また他者としてのヨーロッパと西アジアが成立した。それならば両者を別に扱うことにも理がありそうだがなぜそうしないのか。

その理由は両者がつねに境を接していたという単純な事実である。その境はこの時期ほぼ地中海を東西に走る線として存在し、揺れ動いているが消滅したことはなく、こうして両者の違いを際立たせ、ときにぼやけさせる。この境を越えて十字軍や巡礼はイェルサレムに向かい、イタリア商人は東西を行き来し、イベリア半島ではイスラム教徒支配地が北上したあと南下し、オスマン朝はバルカン半島から中欧へと深く入り込んだ。またヴァイキングは北欧からロシア平原を経てビザンツ(東ローマ)帝国に達し、戦闘員や交易者として活躍した。そしてこのような動きのなかで両世界の人々は対立と共存と交流を繰り返してきた。こうした動き自体は古くから知られてきた事実である。しかし知られているということはそれらを見る目が同じだということではない。境を見る目は今日の世界では変わりつつあり、本巻が扱う時代についてもそれは例外ではない。それでは見る目の変化とはどのようなものなのか。

## 一、トランスカルチュラルな絡み合い

そうした境を見る新しい視点の一つとして、ここでは近年ドイツで展開されてきた「トランスカルチュラルな絡み合い」(transkulturelle Verflechtung, transcultural entanglement)という視点に注目してみたい(Welsch 1994; Christ et al. 2016; Drews and Scholl 2016)。ポストコロニアルの潮流に由来するこの見方は、従来の異文化関係論がいずれも(広義の)「文化」を堅固な統一体、あたかも島のように独立した実体とみなし、異文化関係はそうした「島」と「島」——たとえばキリスト教圏とイスラム教圏、ドイツとフランス——の対立・交流・影響関係とみる姿勢に対する反省から出発している。異文化関係を記述する従来の概念、たとえば多文化主義、アカルチュレーションなどはいずれも関係する各

各の文化を均質で閉じたものと前提したうえで相互関係を論じる点で批判の対象となる。これに対し「トランスカルチュラルな絡み合い」では、文化はゆるやかな統一体として存在しながら流動と変成を繰り返し、そうした動きはとくに他文化との境において顕著な姿を示すとみる。境界域において両文化は絡み合いもつれ合う複雑な様相を呈すると同時に、この絡み合いによって当の文化自体も変貌していき、新たな統合に向かうこともあれば解体することもある。絡み合い、統合と解体を繰り返すこの領域においては「厳密に異質のものも厳密に固有のものも存在しない」(Welsch 1994: 11)。これを言い換えれば境界域はハイブリッド化の場であり、さらに文化はそもそもハイブリッドとしてしか存在しえないということになる。

「トランスカルチュラルな絡み合い」のもう一つの特徴は目的論ないし直線的発展を排する点である。生々流転する文化は今日の目から見てある方向に向かって発展していくのではなく、生々流転そのものが歴史であり流転のさまそれ自体を注視すべきだという主張である。これは現在の問題の淵源を過去に探り、あるいは歴史をもとにアイデンティティを構築する作業――これらは目的論的思考の典型である――が、往々にして過去の理解を歪めてきたという反省にもとづいており、過去はまずそれ自体として時代の相のもとにみるべきだ、というそれ自体はまっとうな主張である。しかしこの見方を突き詰めていくとある困難に逢着することになるが、この点は後述する。

こうしてまとめてみると「トランスカルチュラルな絡み合い」はポストコロニアルの延長上の抽象的な議論のようにみえるが、これに注目するのはそれが本巻の扱う地域・時代に関する無数の個別研究のなかから熟成してきた考え方であるからである。この時代・地域を総体として観察しようとする視点は、従来からたとえばF・ブローデル(ブローデル 二〇〇四)やD・アブラフィア(アブラフィア 二〇二一)の地中海世界論、J・アブー=ルゴドの「一三世紀の世界システム」(アブー=ルゴド 二〇〇一)、C・ホームズ(Holmes and Standen 2018; ホームズ 二〇二〇)の「グローバル中世」のように少なくないが、それらはこの時代・地域をみるにはあるいは大きすぎあるいは焦点がずれ、不用意に依拠すると「プロクルテスの寝台」となりかねない。それに対しほぼ一一世紀から一五世紀のヨーロッパと西アジアを対象とし、個別研究に支えられ、実証と理論が適度のバランスを保っている「トランスカルチュラルな絡み合い」は、いわば間尺に合った指針として本巻を導く一つの灯火となりうると思われるのである。

しかし「トランスカルチュラルな絡み合い」を当面の指針とするにしてもいくつか心がけたい点がある。第一は、こうした「絡み合い」はヨーロッパと西アジアの間で生じるだけでなく、それぞれの世界の内部でも生じている点に注目することである。本巻収録論文でいえば黒田祐我論文がヨーロッパと西アジア間の絡み合いを論じているのに対し、辻明日香論文はエジプトにおけるコプト社会とイスラム支配者との、佐々木博光論文はドイツにおけるユダヤ人共同体と周辺キリスト教世界との、藤井真生論文はチェコ人とドイツ人との関係を扱っている。これらはまたマイノリティとマジョリティの関係とも言い換えることができる。マイノリティ–マジョリティ関係は対立・抑圧・共存・融合などの言葉で語られがちだが、「絡み合い」の視点を導入することで新たな視界を開きうると思われ、辻、佐々木、藤井論文はそれぞれの仕方でその可能性を示している。

他方、目的論の排除という議論に対しては慎重に接したい。「絡み合い」論が目的論に対して批判的なのは、この時代・地域がたとえば固有のアイデンティティをもつ「ヨーロッパ」の形成期(ル＝ゴフ 二〇〇三、バートレット 二〇一四)として、あるいはイギリス、フランスなどの国民国家の萌芽期として捉えられ、そうしたヨーロッパ史や各国史が結局は前記の「島」としての文化論に帰着してしまいかねないからである。このような批判は流動と変成を重視する「絡み合い」論の立場からは当然であるし、また今なお根強い国民国家史観からの脱却のためにも必要であろう。しかしこの姿勢を突き詰めていけば歴史的変化に一切の方向性を認めないことになり、それでは歴史的認識そのものが不可能になってしまうだろう。現代から振り返って過去に意味づけをしようとする歴史研究には現在の地点からのなんらかの目的論が含まれるのは避けがたい。ここでは「絡み合い」論の主張する目的論批判を、従来の目的論が含む問題点をあぶりだす視点として、また「絡み合い」論と目的論を相互に排し合うものというより緊張関係にあるものとして捉え、この緊張関係が対象を見る目を鋭くし、あるいは柔軟にしてくれることを期待したい。

ヨーロッパと西アジアを一体として扱う理由、またその視点については以上のとおりである。さて『世界歴史』各巻の「展望」では対象とする時代の通史を叙述することになっている。以下の「展望」では一一世紀から一五世紀のヨーロッパと西アジアにおける歴史的変遷を、国家を中心に概観していくことにする。通史という性格上、国家を単位とし政治史を中心とした編年叙述という伝統的な様式によらざるをえないが、そのなかに可能な範囲で前記の「絡み合い」の視点や新しい研究動向を織り込んでいくことにしたい。「問題群」にはこうした伝統的国家史を見直す論文をおき、「焦点」にはジェンダー、マイノリティ、グローバル・ヒストリーなどの視点から本巻の時代・地域に迫る論文を配した。「絡み合い」の視点はこれら「問題群」や「焦点」の諸論文でさまざまに深められることになるだろう。

## 二、ドイツ――帝国と王国

まずヨーロッパ、そのなかのドイツから始めよう。

本巻の対象とする時代の起点である紀元一〇〇〇年ごろドイツの王位にあったのはオットー三世(独王九八三―一〇〇二年、皇帝九九六―一〇〇二年)である。オットーはカロリング帝国の分割から生まれた東フランク王国(その領域がほぼドイツに相当する)の王であると同時に、同じくカロリング帝国分割に由来するイタリア王国(地域的には北イタリア)の王でもあった。その後一一世紀初頭にはこれに南東フランスのブルグントが加わり、ドイツ・イタリア・ブルグントが一人の王のもとに統治されることになった。この三国を合わせた領域がのちに神聖ローマ帝国と呼ばれることになる国家の枠組みとなる。

しかしドイツ王には皇帝というもう一つの顔があった。九六二年のオットー一世(大帝)(独王九三六―九七三年、皇帝九六二―九七三年)の皇帝戴冠に始まる皇帝という地位は、当時の観念ではローマ帝国に由来する普遍的国家の長として王の上位にある支配者をさす一方、カール大帝に始まるキリスト教的君主、教会の保護者という一面を有していた。ドイツの王はイタリア・ブルグントの王であり、同時に理念的にはこの三国をも超える普遍的国家の支配者でもあるということになる。このように一一世紀初めに明確化したドイツ(国王)と帝国(皇帝)という二重性が以後のドイツ史を規定していく一つの要因となる。

この二重性が最初に鋭い形をとって現れるのが「叙任権闘争」と呼ばれる皇帝と教皇の抗争である。ハインリヒ二世(独王一〇〇二―二四年、皇帝一〇一四―二四年)以降三代の皇帝は、前世紀以来始まっていた修道院改革の理念に共感して教会人事に積極的に介入し、教皇を廃位するとともに帝国内の司教叙任にも関与した。司教叙任への関与は司教を中心に帝国支配者としての権力基盤を固めようとする世俗支配者の行動(帝国教会政策)であったが、それは同時にキリスト教的君主にして教会の保護者たる皇帝の使命感によるものでもあり、そこでは聖なる権威と俗なる権力は混然一体であった。しかし皇帝主導の教会改革は、やがて皇帝の介入こそが教会の自由を脅かす元凶にほかならないという教会側の反発を呼び起こし、ここに教会の自由をめぐる皇帝と教皇の対立すなわち叙任権闘争が始まる。叙任権闘争は皇帝を破門する教皇グレゴリウス七世(在位一〇七三―八五年)と教皇廃位を宣言するハインリヒ四世(独王一〇五四―一一〇六年、皇帝一〇八四―一一〇六年)の対立で頂点に達し、いわゆる「カノッサの屈辱」(一〇七七年)において皇帝はいったん教皇に屈することになる。

その後両者の攻防は一進一退を繰り返したのち、最終的には次の皇帝ハインリヒ五世のもとで妥協的解決が成立する。一一二二年のヴォルムス協約である。この協約によって、従来は未分離であった司教叙任権と世俗的支配権は分離され、前者を教皇の、後者を皇帝の権利とすることで双方の妥協が成立した。俗権から解放され教会の自由を得た教皇は、この後教皇を頂点とした教階制(ヒエラルヒー)を築いて霊的支配体制を確立していくことになる。

一一世紀初頭以来一世紀にわたるこうした長期の過程は「グレゴリウス改革」と呼ばれるが、この過程には皇帝対教皇という対立軸と並んでもう一つ、ドイツ国内での国王対諸侯という対立軸が絡んでおり、それが争いの構図を複雑なものとしていた。当時のドイツではカロリング期以来の有力な諸侯が並立し、皇帝=国王も支配の実態においてはそうした諸侯に比してとくに優越する地位にあったわけではない。帝国教会政策は皇帝=国王がその地位を利用して支配権を拡大しようとする試みの一つであった。叙任権闘争期、諸侯はあるときは国王を支持し、別のときには教皇側に与して国王の行動を掣肘(せいちゅう)し抗争の行方を左右した。そもそもハインリヒ四世のカノッサ行き自体、諸侯に見放された彼がとった窮余の策であった。

こうしてグレゴリウス改革においては、皇帝と教皇という対立軸に国王と諸侯というもう一つの対立軸が重なっていた。この二重の対立軸が次に顕著に現れるのがフリードリヒ一世(バルバロッサ)(独王一一五二―九〇年、皇帝一一五五―九〇年)の治世においてである。バルバロッサは三つの問題、すなわち有力諸侯との関係、教皇との関係、イタリア諸都市との関係に対処しなければならなかった。第一の有力諸侯との関係においては、ドイツ内で勢力を拡大し諸侯やバルバロッサにとって脅威となりつつあったハインリヒ獅子公の勢力を諸侯の協力を得てそぎ、最終的に彼をイングランドに追いやった。この過程において彼はつねに諸侯の勢力バランスに留意しみずからヘゲモニーを追求することはなく、帝国という大枠の維持に努めた。他方、第二の教皇との関係においては、バルバロッサは皇帝=国王の選出に教皇の介入を認めない立場を鮮明にし、これに反対する教皇に対し独自の教皇を立てて、ここに一八年におよぶ教会分裂(シスマ)が始まる。教皇側はイタリア諸都市と組んで対抗するが最終的にはヴェネツィアの和(一一七七年)によって皇帝との妥協的解決にいたった。

バルバロッサはまた歴代皇帝のなかでも帝国理念の実現にこだわった点で際立っている。前記のような皇帝権の教皇権からの自立の主張はその一面であるが、他の一面はイタリア支配の実質化でありそのためのイタリア遠征であった。というのも、北イタリアはオットー一世以来「イタリア王国」として帝国の一部であったものの、一一世紀以降コムーネ(自治都市)の成長によって皇帝の支配は名目化していたからである。バルバロッサのイタリア遠征は六回、イタリア滞在は通算一三年におよび、これは歴代皇帝のなかでもっとも多い。戦いの舞台は早期にコムーネが叢生したロンバルディアであった。諸都市はミラノを盟主とする軍事同盟(ロンバルディア同盟)を結成し教皇とも組んで皇帝に対抗し、一一七六年レニャーノで皇帝軍に勝利したあと、諸都市と皇帝は一一八三年コンスタンツの和によって争いに終止符を打った。この和において皇帝は諸都市に皇帝の上級支配権を認めさせて面目を保ったものの、都市の自治を実質的に認め今後のコムーネ発展に道を開くことになった。

こうした動きのなかでドイツ国内では帝国諸侯という特権的身分が成立してくる。バルバロッサが細心の注意を払って進めた諸侯間の均衡維持は有力諸侯の再編成をともない、新たに編成された有力諸侯は封を介して国王のみに服す一方、領内での裁判権支配を認められて自立性を高め、統一身分を構成するようになったのである。こうして出現した帝国諸侯は以後皇帝とともにドイツ政治史の主役となっていく。

次の一三世紀になると帝国の形に一つの変化が生じる。南イタリアとシチリアが帝国の領土となるのである。ノルマン・シチリア王国であったこの地域は、婚姻と相続によって一二世紀末以降ドイツの支配者に帰属するようになるが、その過程を完成させたのがフリードリヒ二世(シチリア王一一九七—一二五〇年、独王一二一二—五〇年、皇帝一二二〇—五〇年)であった。しかし彼がシチリア王位に就くことは、中部イタリアに教皇領を築いていた教皇にとって大いなる脅威となった。というのも南イタリアが皇帝のものとなれば、教皇領は帝国に南北から挟撃される形になるからである。また北イタリア諸都市も、バルバロッサ以来再び支配を実現すべく攻め込んできたフリードリヒに対して(第二次)ロンバルディア同盟を結成して抗戦した。こうしてイタリア半島内では皇帝、教皇、北イタリア都市を巻き込んだ三つ巴の闘争が展開されることになる。イタリアでの闘争に忙殺されている間フリードリヒはドイツを留守にせざるをえず、ドイツでは統治を委ねていた息子ハインリヒのもとで諸侯の自立化が進展し、従来からの皇帝と諸侯の勢力バランスは後者に傾いていった。この点はフリードリヒ自身が南イタリアに築き上げた官僚制的中央集権国家といちじるしい対照をなしている。

イタリア半島内の三つ巴の闘争は一二五〇年フリードリヒの死によって明確な決着をみることなく終わり、あとにはシチリア王国とドイツの双方に政治的混乱が残された。シチリア王国では教皇が引き入れたフランス王弟シャルル・ダンジューがこの王国を奪い取り、その結果帝国は再びドイツ、北イタリア、ブルグントの連合体という形に戻った。他方ドイツ内部でもフリードリヒという支配者を失ったあと有力諸侯の勢力が増し、彼らが次々に外国人を国王に選出したものの、選ばれた国王はほとんどドイツに来ることなく事実上国王不在の事態が生じた。いわゆる大空位時代である。この時期に国王対諸侯という従来の二元性が、後者に重心を移した形でいっそう明らかになってくる。すなわち帝国諸侯のなかでも有力な七名が選挙侯として事実上国王を選出する資格を独占するようになるのである。一〇世紀以来、ドイツでは国王は有力諸侯の選挙により選ばれるのが慣例であったが、七選挙侯の事実上の成立によってこれがほぼ確定することになった。こうした選挙王政は有力諸侯に囲まれ王権が弱体であったドイツの特徴であり、中世ドイツでは英仏のように広大な王領を基盤にした世襲王朝が真の意味で成立することはなかった。

大空位時代のあと一四世紀中頃にかけては、諸侯の利害によって次々に異なる家門から国王が選出される「跳躍選挙」の時代がしばらく続く。跳躍選挙時代の末期、国王ルートヴィヒ四世(独王・皇帝一三一四—四七年)は、国王選出になおも介入しようとする教皇に抗して、国王は選挙侯による選出で確定し教皇の認可を要しないという立場を明確にし、選挙侯の地位をドイツ内部だけでなく外部に対しても鮮明にした。このような一連のプロセスは、一四世紀半ばに即位したカール四世(独王一三四六―七八年、皇帝一三五五―七八年)の発布した「金印勅書」(一三五六年)において完成する。この勅書では七選挙侯の独占的選挙権が改めて確認される一方、選挙における多数決原理が明言され、さらに選挙侯(のちには帝国諸侯)に高級裁判権をはじめとする諸特権が認められて、諸侯は主権をもつ領邦国家への道を歩み始める。

一四世紀は都市が国王や諸侯とならんでドイツ政治のもう一つの主体として立ち現れる時代である。すでに一三世紀以来商工業の発展によって政治的・軍事的実力を高めていた都市は、諸侯の支配を脱して帝国直属身分を獲得し、帝国都市と呼ばれる有力都市群を生み出していた。これらの都市は帝国に直属するとはいえ、帝国に対してはわずかな義務と負担を負うのみで事実上独立の政治主体として行動した。一四世紀以降、都市はあるときは諸侯と連合して地域の平和と安全に努める一方、都市同盟を形成して領邦国家化を進める諸侯と対立した。こうした第三の政治主体としての都市の地位は、最終的には一五世紀末帝国議会における制度化によって法的承認を得ることになる。

他方一四世紀なかばまで皇帝と対立してドイツ政治を揺さぶってきた教皇との関係は、この世紀後半以降大きな変化を蒙った。当時の教会は教皇庁のアヴィニョン移転、その後の教会分裂(シスマ)という混迷のなかにあったが、その教会を立て直すイニシアティヴをとったのは、教会関係者ではなく皇帝ジギスムント(独王一四一一―三七年、皇帝一四三三―三七年)であった。ジギスムントは一四一四年帝国領内のコンスタンツに公会議を招集し、この公会議は教会分裂に終止符を打つとともに、異端の嫌疑をかけられていたフスを異端と断定して火刑に処した。その結果コンスタンツ公会議はこの後長く尾を引く二つの争点をもたらした。一つは公会議の決定は教皇のそれに優越するという公会議主義の潮流であり、もう一つはフスの故地ボヘミアにおいてフスの教えを信奉する人々(フス派)の抵抗運動である。前者は活動の舞台が次第にドイツから離れていったのに対し、ボヘミアという帝国の枢要地域で生じたフス派の運動は、皇帝の目には異端として、また帝国の統一を脅かす存在として無視しえぬものであった。皇帝は十字軍を派遣してフス派の鎮圧に努めたが戦いは長期化し、一四三六年ようやく穏健フス派との間で和解が成立した。

コンスタンツ公会議に始まる教会改革、対フス派闘争とともに一五世紀ドイツの政治課題となったのは国内の平和再建であった。当時のドイツでは諸侯・中小貴族・都市の間でフェーデ(私戦、自力救済)が横行し歯止めがきかなくなっていた。そのため諸侯も皇帝も「改革」の名のもとにフェーデを禁止する「ラントフリーデ」(地域平和)を繰り返し決議した。ラントフリーデは国内平和確立のためだけでなく、当時南方から迫りつつあったオスマン朝への対抗のためにも必要と認識されていたのである。とはいえ繰り返されたラントフリーデとそれにともなう帝国改革の試みは、皇帝・諸侯・都市の利害対立からいずれも実を結ばなかった。

この状態を収束して帝国を再編成する出発点となったのが、一四九五年、皇帝マクシミリアン一世(独王一四八六―一五一九年、皇帝一四九三―一五一九年)の招集したヴォルムス帝国議会である。この議会では永久ラントフリーデ令を発布してフェーデを全面的に禁止するとともに、フェーデに代わる紛争解決の場として帝国最高法院を設置し、また平和維持のための地域組織(クライス)を定めた。従来有力諸侯と皇帝の協議の場として不定期に開かれてきた会議も、参加身分・構成・開催頻度を明確に定めて帝国議会として制度化された。こうした一連の改革の結果、皇帝と帝国は分離され、諸侯と皇帝が共同して帝国を支える体制が整えられた。ヴォルムス帝国議会の決定がその後の政治過程でそのまま維持されたわけではなく幾度も改編を経験することになるが、近世ドイツ国制の基本線はここに定められた。その意味で一五世紀最末期に開かれたこの会議はドイツの中世と近世を分かつ分水嶺であったということができる。

一一世紀から一五世紀までのドイツ史を教科書的に叙述すれば以上のようになる。ここではこうした通史的叙述の再考を促す一つの論点として「ドイツ」にふれておきたい。以上の叙述では慣例にならって「ドイツ」という語をとくに断りもなく用いてきたが、こうした用法には問題がある。というのも、三佐川亮宏『ドイツ史の始まり――中世ローマ帝国とドイツ人のエトノス生成』(三佐川 二〇一三)および同著者の『世界歴史』第八巻収録論文(三佐川 二〇二二)によれば、「ドイツ」は一〇世紀から一二世紀にかけて長期の複雑な過程を経て成立してきたものだからである。当初言語呼称として出現した「ドイツ」はやがてイタリア側からアルプス以北の民をさす呼称に発展し、これを後者が自称として受け入れ、さらにローマ帝国の観念がこれに合体して中世のドイツ民族が出来上がった。それゆえ彼らは「ドイツ人」を自称して民族的アイデンティティを示すものの、その王は「ローマ人の王」であり国家は「ローマ帝国」であった。そうした民族は「ローマ帝国を担うドイツ人」と呼ぶのがふさわしいと三佐川はいう。これは、一九世紀以来ドイツ国民国家が中世に探し求めてきた始原のドイツ民族とは似ても似つかぬ特殊中世的な「民族」の姿である。

このように民族の探求を国民国家の起源探しという枠から切り離し、民族を当該時代のなかで複雑な生成過程と流動性を示すものとしてみる立場は一般に「エトノス(民族)生成論」と呼ばれている。エトノス生成論は目的論(到達点としての国民国家)にとらわれず、諸文化が融合するハイブリッド性に注目する点で冒頭でふれた「絡み合い」論に通じるものといえる。

本巻収録の藤井真生論文もそうしたエトノス生成論の一つである。藤井論文は、神聖ローマ帝国東部のボヘミア王国では、チェコ人が帝国のマジョリティをなすドイツ人との交流や対立をとおして幾度も民族意識を変化させていくさまを描いている。そのように変化する民族意識のどれ一つとして近代のチェコ・ネイションに直接つながるものはなく、従来チェコ人初の民族意識の発露とみなされてきたフス派の運動ですら民族意識とは無関係であったと指摘している。またここには、神聖ローマ帝国内でドイツ人が独自のエトノス生成を進めつつあったころ、同じ帝国内でそのドイツが別のエトノス生成を促していたという構図も見えてくる。神聖ローマ帝国におけるドイツ人とチェコ人の例は、エトノス生成における連鎖現象を見せてくれる点でも興味深いものである。

## 三、フランス――王権の拡大

紀元一〇〇〇年ごろフランスの王位にあったのはカペー家二代目のロベール二世(在位九九六―一〇三一年)である。ロベール二世はカロリング帝国の分割から生まれた西フランク王国(その領域がほぼフランスに相当する)の王であり、その意味で同時期の東フランク(ドイツ)王オットー三世とは同じカロリング帝国から生まれた兄弟ともいえる関係にあった。とはいえ両者は紀元一〇〇〇年の時点でもまたその後に歩んだ道でも大きく異なっていた。第一に、カロリング帝国に由来する皇帝位とその理念はドイツ王に受け継がれ、フランスの君主はつねに王であって皇帝位を帯びることはなかった。第二に、オットー三世はドイツ北東部ザクセンの有力諸侯であるのに対し、カペー家が支配を及ぼしうる範囲はパリ周辺に限られ、カペー家の王は同時代の他の諸侯に比すべくもない弱小王権であった。しかし第三に、この弱小王権は五世紀後にはほぼフランス全土を支配下におさめる強力な王権に成長するが、これに対し五世紀後のドイツは神聖ローマ帝国という大枠を保ちながら諸侯と都市のモザイクに分裂してしまった。それゆえ王権による国家形成という点に注目すれば五世紀の間にドイツとフランスは対照的な道筋をたどったことになる。そこで以下では王権の拡大を一つの導きの糸として当該期のフランス史を追っていくことにしよう。

一一世紀初頭のフランス王権は前記のとおり他の諸侯に比して弱体であったが、しかし弱体なのはみずからの支配地(王領)内部においても同様であった。というのも、この世紀の初めごろ王領内では城を拠点とする小領主が雨後の筍のごとく成長し、王権に属する諸権利を簒奪して自立的な支配権を築き始めたからである。城の塔から見渡せる程度の小領域の支配者となった彼ら城主は、農民をバン権――「罰し命ずる」権利という意味で「罰令権」と訳される――によって支配したため「バン領主」とも呼ばれる。城主＝バン領主は王権を蚕食し農民を支配し相互に争い合ったが、このような事態は王領内だけでなく同時代の伯や公といった諸侯領内部でも進行していた。カロリング時代の地方代官に由来する公や伯は王とともに公的秩序の担い手であったから、城主＝バン領主の叢生とは諸侯や王の支配地が底辺にいたるまで細分化され公権力が微小の私権に分裂したことを意味する。研究者は一一世紀におけるこの新たな事態の出現を「紀元千年の変革」、「封建革命」などと呼んでいる。

こうして一一世紀が下に向けての権力の細分化であったとすれば、一二世紀はこれとは逆に上からの権力再編が進んでいった。一一世紀以来各地に蟠踞（ばんきょ）していた城主は王や諸侯によって服属せしめられ、あるいは貧窮化して独立を失い次第に王や諸侯の支配下に組み入れられていく。その結果、城主の土地は封土として、城主は臣下として王や諸侯という上級領主の支配下に入り、さらに王権はこうした封土と封臣による上下関係を諸侯との間でも築き上げた。こうして王―諸侯―城主が封建関係によって結びつくピラミッド型の権力構造すなわち封建王政が成立する。ピラミッドの頂点には最高封主としての王が位置し、その下では王の封臣である諸侯が城主層を従えて広域支配圏を形成した。一一世紀が「城主の世紀」であったとすれば、諸侯が広域支配を実現した一二世紀は「諸侯の世紀」であった。

しかし当時の諸侯は封建関係とともに血縁と婚姻という別の原理によっても動かされていた。血縁にもとづく相続によってある伯が別の公領を獲得し、妻を介して別の王国が転がり込んでくることは珍しくなかった。そして相続と婚姻と封建関係がからんで領土の帰属が不透明な場合は有力者の選挙で、それでも埒が明かないときは実力で決着がつけられた。その典型が一二世紀のアンジュー伯である。一二世紀初頭フランス西部の一画を領する諸侯であったアンジュー伯は、一一四四年以降血縁と結婚と武力によってノルマンディ公領、アキテーヌ公領、ブルターニュ公領を次々に獲得し、わずか二〇年の間にフランス西半分を支配下におさめる大諸侯に成長した。それだけでなく当時のアンジュー家当主アンリは血縁によりイングランド王位まで手中に収めた（英王ヘンリ二世、在位一一五四―八九年）。このようにして一二世紀後半英仏海峡の両側にまたがって成立したアンジュー家の支配地は研究者によって「アンジュー帝国」とも呼ばれている。当時アンジュー帝国に比すべくもない狭小な支配地しかもたなかったフランス王にとってこの帝国の出現は重大な脅威となったが、他方でイングランド王はフランスではフランス王の封建的臣下であるという矛盾した関係にあった。そこでフランス王にとってはこの矛盾した関係をフランスに有利な方向で解決することが課題となった。

この課題に取り組んだのがフィリップ二世(在位一一八〇—一二二三年)である。彼はイングランド王家の内紛へ介入し、封主の立場でイングランド王ジョンを裁き、さらに武力に訴えて一三世紀初頭ノルマンディを初めとして大陸領を次々に取り戻したあと、一二一四年ブーヴィーヌの戦いでイングランド・神聖ローマ帝国連合軍を破って決定的な優位に立った。英仏の対立はその後も続くが、最終的に一二五九年のパリ条約においてイングランド王は大陸領大半の権利を放棄し、南西部ギュイエンヌのみフランス王の封臣として保持することになった。こうして一代で王領を飛躍的に拡大したことで「拡大者」を意味する「オーギュスト」の別名を奉られた彼は、パリに新城壁を建設して都市整備に努め、それとともに以前の王よりもシテ島の王宮に滞在することが多くなった。こうして一三世紀のパリは王の居住、市域の拡大と整備、パリ大学という知の拠点によって王国の首都にふさわしい存在に変貌する。フィリップ二世以降の王はそれ以前の王とは違って実力の上で他の諸侯に優越し、王固有の使命を自覚して積極的に行動し始めたことからフランス史上「目覚めた王権」と称されている。

この「目覚めた王権」という表現の裏にはそれまでの王権は「まどろんでいた」という含みがある。しかしこの王権は「まどろみ」弱体であったとしても、ユーグ・カペー以来フィリップ二世までの二〇〇年間その存続が危うくなるような事態にはいたらなかった。その理由は第一に、直系男子による継承が途切れることなく続いたという生物学的な事実によるものであり、第二に、ユーグ・カペーからフィリップ二世までの王は、生前に長子を共同王として即位させ自身の没後の王位継承が円滑に進むように取り計らっていたためである。しかし第三に、カペー諸王は神秘のアウラに身を包んで王権のカリスマ性を顕示するすべにたけていた点に注目しておきたい。その顕著な例が新王の即位式すなわち「成聖式(じょうせい)」である。新しく即位する王はランスのカテドラルにおいて、メロヴィング朝クローヴィス王の洗礼という故事にならって聖霊が持ち来ったとされる香油を大司教の手で塗られ、この行為によって聖なる性格を帯びることになった。聖なる存在となった王は聖人のごとく奇蹟を起こす。新王は成聖式を経ると瘰癧(るいれき)患者の患部に手を触れることによって治癒をもたらす「奇蹟を行う王」となるのである。

このような王の聖性をもっともよく体現するのがルイ九世(在位一二二六―七〇年)である。歴代カペー王のなかでもことに信仰心の篤かった彼は二度の十字軍を敢行し、キリスト教的な道徳改革や貧民救済、禁欲的な生活態度のためにすでに生前から聖人とみなされるような人物であったが、他面でその篤信は南仏の異端カタリ派の弾圧やユダヤ人迫害といった影の部分をともなうものでもあった。しかしこの「聖なる王」は現実政治においては有能な君主であった。前述したようにブーヴィーヌの戦い以後もくすぶり続けていたイングランド大陸領問題を、英王との関係を修復して一二五九年パリ条約によって解決したのは彼である。また彼はカタリ派に対する十字軍に介入して南仏の王領化を促進し、司法改革では拷問、神判、私戦を禁止して「正義の王」の姿勢を貫こうとした。これらが「聖なる王」のイメージと合わさって没後列聖運動が展開され、一二九七年彼は正式に聖人として認定された。こうしてルイ九世は名実ともに聖王ルイとなった。

ところでルイの列聖を最終的に認可したのは教皇ボニファティウス八世(在位一二九四―一三〇三年)であった。彼が列聖を承認したのは彼自身ルイの聖性を確信していたという理由だけでなく、ときのフランス王フィリップ四世(在位一二八五―一三一四年)との良好な関係を保とうとしていたためでもある。もともとフランス王は一三世紀末にいたるまでおおむね教皇とは良好な関係を保ち、神聖ローマ皇帝やイングランド王のように深刻な対立に陥ることはなかった。ところがこの関係はルイの列聖直後から急変する。きっかけはフィリップが戦費調達のため王国内の教会に課税しようとしたことであった。これを教皇の至上権侵害とみなすボニファティウスと、教会も王国内では王の命に従うべきであるとするフィリップとの間で対立が激化した末、一三〇三年ローマ近郊アナーニにおいてボニファティウスが仏王の役人に逮捕されるという事態にいたった。ボニファティウスはその後まもなく没するが、以後の教皇は王国内の課税を認めボニファティウスのフィリップ非難を撤回してこの争いはフィリップの勝利に終わった。

この対立は教会税を争点とする教皇と仏王の権力闘争であったが、同時にそれは教皇権と王権のいずれが優越するかというイデオロギー闘争でもあった。この闘争のなかでフランス王権は王国内では教会の保護者にして支配者という立場を鮮明にしてのちのガリカニスム(フランス教会自立主義)への道を開く一方、王は王国内では教皇にも皇帝にも従属しない最高権力者であるというイデオロギーを理論化した。この理論化に貢献したのがレジストと呼ばれる法律家たちである。大学で法学を修めた彼らはローマ法にもとづいて王権の絶対性を理論化して教皇に対抗するとともにボニファティウス逮捕を実行し、また同時期に生じたテンプル騎士団廃止と三部会創設という二つの出来事をも主導した。専門官僚たる彼らが王とともに構成する国王評議会が当時の王国統治の中心機関であった。さらにフィリップ四世治下では会計検査院や三部会が成立し、これに一三世紀以来のパリ高等法院、尚書局、バイイやセネシャルといった地方行政官を加えてフランス王は彼の治世、封建王政における最高封主にとどまらず組織と専門官僚によって王国という領域を統治する君主の一面をもち始めた。そのことは言い換えればフランス王国の封建国家から官僚制・集権国家に向けての歩みの始まりであった。

しかしフィリップ四世の没後、フランス王権は混迷の時期を迎える。彼以後四代の王はいずれも短命で男子後継者を残さず、三〇〇年以上直系男子で続いてきた「カペー家の奇蹟」は一三二八年シャルル四世の死で途絶えた。血統による後継者が不明瞭なかで諸侯たちはフィリップ四世の甥にあたるフィリップ・ド・ヴァロワを次王に選び、同年彼がヴァロワ朝初代フィリップ六世(在位一三二八―五〇年)として即位した。

このフィリップ六世には王位継承をめぐってイングランドのエドワード三世という有力な対抗馬がおり、このことが英仏の一〇〇年におよぶ戦争――百年戦争――の一因となったと一般にはいわれている。しかし両者の対立の根は深く、それをみるためには一二五九年のパリ条約にまで遡らなければならない。前述のとおりこの条約でイングランド王は南西部ギュイエンヌをフランス王の封臣として保持することが約された。すなわちギュイエンヌというフランスの一部は仏王から英王にあたえられた封土であり英王はこの地に関しては仏王の封臣であることが確認されたのである。以後、このギュイエンヌを仏王から独立させて直接支配下におこうとする英側と、封主としてギュイエンヌと英王を支配下にとどめおこうとする仏王とのせめぎ合いが断続的に続く。このせめぎ合いのなかで一三世紀末、妥協策として仏王フィリップ四世の娘イザベルと英王太子(のちのエドワード二世)との結婚が成立した。この結婚から生まれたのがのちのエドワード三世であり、それゆえ彼は仏王の血を引くとしてフランス王位継承権を主張したのである。その意味で王位継承問題はギュイエンヌをめぐる英仏の構造的対立から派生した問題であり、開戦にいたる真の争点は煎じつめればギュイエンヌは英のものか仏のものか、英王は仏王の臣下か否かであった。もっとも王位継承問題は後述するように後日別の形で再燃する。

この構造的対立はフィリップ六世登位後いくつかの事件を経てエスカレートし、一三三七年仏王がギュイエンヌの没収を宣言するにおよんで両者は全面対決に入る。初戦は戦法でまさる英側の優位で進んだ。フランスはクレシー(一三四六年)とポワティエ(一三五六年)の二度の会戦で大敗を喫しただけでなく、パリにおけるエティエンヌ・マルセルの改革運動に悩まされ、あまつさえ国王が英側の捕虜となるにおよんで、一三六〇年ブレティニー・カレー条約において英側に大幅な譲歩を余儀なくされた。この条約において仏側がフランスのほぼ西半分を英側に譲渡するのと引き換えに、英側は王位継承の主張を取り下げた。ところがこの条約は英仏いずれによっても遵守されず、勝敗が決しないまま一三九六年に休戦が成立する。

こうした状況が変化するのがシャルル六世(在位一三八〇—一四二二年)時代である。この王は即位後まもなく精神異常をきたして国政運営が不可能になった。代わって王国の舵取りを担ったのは王族として封土をあたえられた有力諸侯(親王)たちであったが、この親王たちの間で権力闘争が生じ、一五世紀初頭王国は諸侯がオルレアン派(アルマニャック派)とブルゴーニュ派という二派に分かれて争い合い、その争いにさらに英王が介入するという内戦の場となった。この混乱状態は一四二〇年のトロワ条約によって一つの解決がもたらされる。この条約において英王ヘンリ五世と仏王シャルル六世の娘との結婚が取り決められ、シャルル六世の死後はヘンリ五世とその子孫がフランス王位を継ぐことが取り決められた。すなわち将来フランスの王位はイングランドに移り、仏王を兼ねる英王が英仏連合王国の君主となるとされたのである。

この英仏連合王国は、一四二二年に仏王シャルル六世と英王ヘンリ五世がともに没し、後者を継いだ幼王ヘンリ六世がトロワ条約にしたがって仏王位を継承するにいたって現実のものとなった。これに対抗してフランス王太子シャルルも国王即位を宣言してシャルル七世(在位一四二二—六一年)を名乗り、こうして以後はヘンリ六世を戴く英側とシャルル七世率いる仏側の戦闘が展開される。戦局は当初英側優位に進んだが、形勢を逆転させたのが「神の声」により救国の使命を確信したジャンヌ・ダルク(一四一二—三一年)であった。ジャンヌが主導したオルレアン解放を転機として勢力を盛り返した仏軍は英軍を北に追い詰めていき、その途上で彼女はシャルル七世を説いてランスで成聖式を挙げさせた。その後彼女は英側主導の異端裁判で処刑されてしまうが、仏側の優位は、それまでイングランド寄りであったブルゴーニュ公がフランス側に就いた(一四三五年、アラスの和)ことによってさらに促進された。英仏対立は一四五三年英側の拠点ボルドーの陥落によって幕を閉じ、これによってノルマンディの港町カレーを除く全土がフランス王の制圧下に入った。英仏対立はこの後も時折ぶりかえすものの、これをもって百年戦争は事実上終了した。

百年戦争の終結によってイングランドは大陸領を失い島国としての性格を明確にする一方、フランスはノルマン征服以来四〇〇年続いた英支配地を奪還してフランス王国としてのまとまりを取り戻した。しかしこの王国はいまだ十分な意味で「王の国」ではなかった。というのは国内では親王を中心とする半独立的な諸侯の割拠が続いていたからである。シャルル七世を継いだルイ一一世(在位一四六一―八三年)はこれら諸侯に対し謀略を駆使し、また直系相続人の不在を理由にその領土を王領化していった。わけても百年戦争期、次々に諸領を併合して王国内に独立国家を形成する勢いを見せていたブルゴーニュ公は最大の脅威であったが、ルイは同時代人から「蜘蛛のごとき」と評された老猾(ろうかい)な戦術でブルゴーニュ公シャルル(突進公)を自滅に追い込み、その所領の多くを王領に加えた。その後シャルル八世(在位一四八三―九八年)は婚姻によりブルターニュ公領を併合して、一五世紀末にはフランスの地は大半が王領化され、フランス王国は文字どおり「王の国」となった。この「王の国」を基礎に次の世紀以降フランスは絶対王政への道を歩み始める。

一一世紀から一五世紀にかけてのフランス史は、この節の最初で述べたように王権の拡大というストーリーに沿って語られるのがつねである。それは、「まどろむ王権」から「目覚めた王権」へ、諸侯の割拠から「王の国」へ、途中アンジュー帝国や百年戦争によって歩みが滞ることはあっても最終的にはフランス王国という統一体にいたるストーリーである。

これに対し近年では王権の伸長というメインストーリーを見直す視点として諸侯への関心が高まっている。佐藤猛(佐藤 二〇一二)は百年戦争期の(親王)諸侯と王権の関係を解き明かすところから、諸侯は弱体化した王権を支えるとともにその地位を利用して自領の拡大・強化を図り、したがって両者は利用し合い補い合う関係にあったとしている。上田耕造(上田 二〇一四)も同様の議論をブルボン公という一つの諸侯に即してさらに深めている。百年戦争期の諸侯は独立権力でもなく王権の簒奪者でもなく王権と深く結びついた存在だったのである。

ところで佐藤、上田ともに当時(一四―一五世紀)の諸侯支配地を「諸侯領」ではなく「諸侯国家」と呼んでいる。

諸侯支配地を「国家」と呼ぶのは、このころ行政・司法・財政などの面で「国家的」と呼びうるような機構が諸侯領内で形成されてきたためである。こうして自立国家への潜勢力をもった諸侯国家も、前述のとおり結局は一五世紀後半王国に併合されてしまうが、その過程で特異な展開を見せたのがブルゴーニュ公国である。河原温(河原 二〇一〇)は近年の研究によりつつ、一四世紀後半以降次々に領土を併合して急成長したこのモザイク国家を、歴代ブルゴーニュ公は統合し国家機構を整えさらには王位獲得をもめざして「新たな「国家」をフランス王国と神聖ローマ帝国の狭間に打ち立てようとしていた」という。その試みはシャルル突進公の戦死によって挫折したとはいえ、河原の表現にはこの偶発事がなければ「新たな「国家」」は現実のものになったかもしれないという示唆がある。近年の研究が「ブルゴーニュ公国」よりも「ブルゴーニュ国家」という表現を好んで用いているのもその現れであろう。

かつて堀米庸三はこのブルゴーニュという国を「封建制から絶対制にうつる過渡期の矛盾から生まれた産物」であり「しょせんひとつのエピソードにすぎない」と評した(堀米 一九六七:六三、六六頁)。封建制から絶対制へという発展段階論からすれば「ひとつのエピソードにすぎない」この国はいずれは克服される運命にあるものとされていたのである——もっとも、堀米はそれゆえにこそ「中世の秋」に姿を現したこの国はある文化の末期に特有の爛熟した美を生み出しえたのだ、と主張したのであるが。これに対し、発展段階論からも審美的評価からも距離をおく近年の研究(西洋中世学会 二〇一六、藤井 二〇一六、金尾 二〇一七)は、この国が有した別の可能性を見出しつつあるように思われる。

## 四、イギリス——複合国家から島国へ

前節「三、フランス」でみたように、本巻が扱う時期のイギリス史はフランス史と深く絡み合っており、ノルマン

征服から百年戦争期にかけて大陸領を含むイギリスは大きく形を変え伸び縮みした。アメーバのように伸縮するこの国の形は今日私たちが「イギリス」という言葉で思い浮かべるものとはかけ離れているが、やがて百年戦争によって大陸領を喪失した結果、一五世紀末には今日「イギリス」と呼ばれている島国の形に近づいてくる。すなわちイギリスは五世紀の間に海峡をまたぐ複合国家から島国へという変化を経験した。この変化を念頭におきながら五世紀にわたるその歴史をたどっていくことにしよう。なお以下では「イングランド」を「イングランド王国」に限定して使用し、それ以外は「イギリス」の語を用いることにする。

一〇世紀後半統一王国を形成したアングロ゠サクソン人の国イングランドは、一一世紀初頭デーン人(ヴァイキング)の来襲により一時期デーン王朝のもとにおかれる。その後エドワード証聖王のもとでアングロ゠サクソン王朝が復活していたが、彼の没後王位を継いだハロルドと王位継承権を主張するノルマンディ公ギヨームとの対立が深まった。ギヨームは一〇六六年秋、大軍を率いて海峡を渡りヘイスティングズの野でハロルドを打ち破り、同年クリスマスにイングランド王ウィリアム一世(征服王)(在位一〇六六―八七年)として戴冠した。このノルマン征服によってイングランドはノルマン王朝の支配下におかれるとともに、英仏海峡の両側にまたがる国家という今後五世紀にわたって続くイギリスの原型が出現した。

ノルマン征服はその後の二〇年でイングランド社会を大きく変えた。第一に、ウィリアム一世は従来のアングロ゠サクソン貴族から土地を奪って広大な領土を王領として自身の権力基盤にするとともに、他の土地をノルマンディから渡来した有力者に封土として配分し、その見返りに軍役奉仕を義務づけた。封土授与と軍役奉仕が一体となった封建制はイングランドでは征服王のもとで成立した。さらに王は、王から直接封土を得た有力者(諸侯)だけでなく後者の家臣(陪臣)からも忠誠を求め、イングランドの封建制は王の威令が末端の陪臣にまでおよぶ集権的封建王政となった。第二に、こうした支配層のアングロ゠サクソン人からノルマン人への入れ替えは教会人事にもおよび、カンタベリ大司教はじめ司教・修道院長も王の主導でノルマン人に取って代えられた。第三に、征服王はイングランド全域にわたる大規模な土地調査を実施してその結果を一〇八六年『ドゥームズデイ・ブック』という土地台帳にまとめた。この台帳は土地所有を明確にして課税と軍役奉仕の基礎とするとともに、征服後混乱した土地所有関係を明確化して紛争を防止するのが目的であった。

こうして征服後のイングランドでは短期間に支配層の入れ替えが生じた結果、この国は少数派のフランス語話者ノルマン人が多数派の英語話者アングロ＝サクソン人を支配する社会に変貌した。支配層のフランス語化とともに、一一世紀初頭すでに洗練された書き言葉の域に達していた英語は衰退して公的生活から姿を消してしまった。英語が公的生活において復活するのは一四世紀後半のことであり、そのとき語彙の半分はすでにフランス語由来のものとなっていた。言語に象徴される英仏の並存と混合は文学や建築にもおよび、アングロ＝ノルマン文化と呼ばれる独自のハイブリッド文化が開花した。

ウィリアム一世の没後ノルマンディとイングランドは彼の長男と次男がそれぞれ支配する国に分かれたあと、一二世紀初めに末子ヘンリのもとで再統合される。ヘンリ一世(在位一一〇〇―三五年)として王位に就いた彼は、以前のノルマン諸王と同じく海峡を往復しながら統治したが、本拠は大陸にありイングランドはいわば属領の地位にあった。イングランドを不在にすることの多い王を支えるべく王の家政組織から独立した統治機構が整備されてくる。司法・行政を司る行政長官、彼の下で財政を管理する財務府、王領地の視察と裁判を行う巡回裁判などである。征服後半世紀を経てなおノルマンディに重心のある統治形態が、イングランドにおける官僚制的統治機構の早熟な発展を促したのである。ヘンリ一世没後、甥のスティーヴンと娘のマティルダが王位継承をめぐって争い合い、前者がクーデタによって王位を奪取した。そのため以後イングランドは両者の長期にわたる内戦の場となったがスティーヴン治世末期に和解が成立する。この和解にもとづいて一一五四年、マティルダの嫡子たるアンジュー家のアンリがヘンリ二世としてイングランド王位を継承した。

ヘンリ二世の登極によってノルマン朝からアンジュー朝(これ以後は「プランタジネット朝」ともいう)へと王朝が交代しただけでなく、「三、フランス」で述べたとおりイギリスの大陸領は大きく拡大してフランスの西半を含むアンジュー帝国を形成した。とはいえこの「帝国」は統一された国家というより言語も慣習も貨幣も異なる地域の集合体であり、それらをアンジュー家の当主がゆるやかにつなぎ留めていたにすぎない。このヘテロな地域連合体のなかでイングランドが独自に国家機構を整えてくる。ヘンリ二世はスティーヴン時代に混乱した秩序を立て直すために、祖父ヘンリ一世時代に原型の出来上がっていた制度を再建しそれに新しい制度を接ぎ木していった。行政長官や財務府といった従来からの制度を本格的に機能させるとともに、巡回裁判をとおして国王裁判が地域の領主裁判に優越する体制を作り上げていった。巡回裁判の活動は狭義の裁判にとどまらず行・財政の各方面におよび、巡回地において国王の裁判官と地域住民が活動をともにする経験を重ねることによって、次第に地域慣習法を超えた王国共通の法――コモン・ロー――が形成されてくる。ヘンリ二世期はイギリス独自の法体系たるコモン・ローの揺籃期でありコモン・ローによる法的共同体の成立期であった。

これらの改革によって一二世紀後半イングランドはヘンリ二世のもとで一つの法的共同体にまとまりつつあったのに対し、大陸領では逆の事態が進行しアンジュー帝国は次第に解体に向かいつつあった。ヘンリは大陸領をいくつかに分けて王子たちに統治させたが彼らは従順な息子とはいえず、父王に反抗し相互に争い合い、その争いは仏王フィリップ二世によって領土奪還のために巧みに利用された。一一八九年、ヘンリの三男リチャードとフィリップは同盟してヘンリを打ち破り、ヘンリはその後まもなく没した。そしてリチャードがリチャード一世(在位一一八九―九九年)としてイングランド王位に就いた。しかし治世一〇年のうち彼のイングランド滞在はわずか半年にすぎず、大半は十字軍、神聖ローマ皇帝による捕囚、大陸での対仏戦に費やされ、イングランドの統治は行政長官に任せきりであった。

さらに十字軍遠征費、解放のための身代金、対仏戦の戦費は膨大な出費をイングランドに強いたが、イングランドは有能な行政長官の働きによってよくこれに応えた。対仏戦ではリチャードは領土を奪還したとはいえ、これらの出費を賄うための苛斂誅求(かれんちゅうきゅう)は負の遺産として残り次のジョン王の代に国制改革の原因の一つとなる。

ジョン王(在位一一九九―一二一六年)の時代、仏王フィリップ二世がイギリス大陸領の大半を奪い返した結果、ジョンの手に残されたのは南西部のギュイエンヌのみとなった。ジョンは失われた領土を再征服すべく大陸遠征を繰り返し、遠征費捻出のためリチャード一世期同様、重税を課し封建的特権を乱用したが、こうした苛斂誅求にブーヴィーヌでの敗戦が重なると一二一五年諸侯たちの不満が一挙に噴出した。同年六月反乱諸侯たちは「諸侯の要求条項」と呼ばれる文書を王に突き付けて承認を迫った。これがイギリス史上名高い「マグナ・カルタ」(大憲章)である。ジョンはこれをいったんは受け入れたものの拒否したため、王と諸侯は内戦に突入するがジョンはその最中に病没する。その後この憲章は次王ヘンリ三世(在位一二一六―七二年)のもとで修正を経たうえで王と諸侯双方に受け入れられた。

マグナ・カルタにおいては、第一に封建的諸慣行を明文化して王による恣意的な利用を防ぎ、第二にこうした権利保護を諸侯だけでなく「王国の全自由人」にまで拡大し、第三にヘンリ二世代に築き上げられた司法制度を再建して適切に運用することが定められた。その結果としてマグナ・カルタは前世紀以来のコモン・ロー形成をさらに促進しただけでなく、王と臣民がともに遵守すべき法の性格を明確にして法治主義の原則を掲げ、これによって一つの法と一人の王の支配下にある王国共同体という国の形が明らかになってきた。その国の形はこれを地理的に見れば大陸に一部領土を残すとはいえすでに島国といってよく、イングランドはもはやアンジュー帝国の属領ではなくそれ自体が本領となった。

ジョンを継いだヘンリ三世の時代、諸侯の不満から反乱へというジョンの時代と似たようなプロセスが再現され、イングランドは再度の国制改革を経験することになる。諸侯の不満は二つあった。一つは、ヘンリが失われた大陸領の奪還を意図して繰り返した遠征が不首尾に終わっただけでなく、その戦費負担が諸侯に重くのしかかっていたことである。もう一つ、ヘンリ治下で行政機構再編が進むなかで国王評議会が形成されるが、そこでは王と王に近い人物によって重要な国事が諸侯の意見を徴することなく決定されるようになっていたという事情があった。こうした諸侯の不満は一二五八年、フリードリヒ二世没後シチリア王国の奪回をめざす教皇がヘンリに巨額の財政援助を求め、ヘンリがその負担を臣民に要求したことで反乱へと発展する。諸侯会議（パーラメント）に結集した諸侯たちは独自の改革プログラムを作成して国制改革を試みるが、諸侯内の分裂と国王側の巻き返しによって改革は挫折した。指導者の名にちなんで「シモン・ド・モンフォールの乱」と呼ばれるこの改革運動は、挫折したとはいえ諸侯とそれ以下の広範な社会層が王とともに国政に参与する志向を含んでいた点で、王の専横を防ぎ諸侯の権利を擁護するにとどまったマグナ・カルタの改革を超えるものであった。改革運動の末期一二六五年に開催された会議（パーラメント）には諸侯のほかに州代表や都市代表も招集されて彼ら中・下層民も改革の一翼を担った。こうしてこの会議（パーラメント）は幅広い社会層が初めて国政運営に参与する機会をもったことからイギリス議会（パーラメント）の萌芽ともされている。

ヘンリ三世末年から事実上国政を主導していた王子エドワードは、一二七二年即位してエドワード一世(在位一二七二―一三〇七年)となると、前代の内乱で混乱した秩序を回復して王権の強化に努めるとともに、父王時代の経験から課税をめぐっては会議（パーラメント）の同意を尊重しこれとはほぼ良好な関係を保った。しかし一二八〇年代以降、たび重なる対外戦が巨額の戦費をイングランドに強いるようになると再び両者の対立は激化する。今回はとくに聖職者への課税の是非が争点となり同時期のフランスと同じ構図の聖俗対立が生じた。この対立は聖職者側の譲歩で終結するが、聖職者から諸侯や一般担税者にまで広がった反税闘争のなかで王国の「共同の利益」とはなにかを問い、課税はそれに資するかぎりで同意可能という議論が浮上した。しかしこの論にもとづいて議会（パーラメント）が課税同意権を独占するまでにはなお半世紀を要した。

次のエドワード二世代（在位一三〇七—二七年）、会議は課税を討議する場というより国王の寵臣政治の弊害をただす場となった。寵臣政治とは王が自分の身に近しい者に土地や爵位をあたえて彼らを意のままに操ることで政治を行う手法をさす。すでに前王の代に始まっていたこの慣習はエドワード二世のもとで肥大化し、そうして取り立てられた者が増長し王や会議をさしおいて国政を壟断するようになった。これに反発した諸侯は一三一一年の会議で「改革勅令」を公布して王に寵臣政治の是正を求め、王も受け入れたもののその後またしても寵臣政治の再来を許してしまう。この問題を最終的に解決したのは諸侯や会議ではなく王妃イザベルであった。イザベルとその愛人は一三二七年、当時滞在中のフランスからイングランドに攻め入り王を捕らえて廃位に追い込んだ。王はその後イザベルの命で殺害され、同年長子エドワードがエドワード三世（在位一三二七—七七年）として即位した。

こうしてエドワード三世は王位に就いたものの政治の実権はクーデタを敢行したイザベルとその愛人の手に握られていた。即位三年後エドワードは諸侯の力を借りてイザベルらを排除し親政を開始する。エドワードの治世は百年戦争初期に相当し大陸での戦いで英側が勝利を重ねた時期であったが、その代償は巨額の戦費としてイングランドにはね返ってきた。この戦費負担をめぐる王と臣民のせめぎ合いのなかで従来の会議は徐々に性格を変え、一三四一年のそれを画期として「議会」と呼ぶにふさわしい存在に変容する。この変容には議会貴族の成立と庶民の成長という二つの側面があった。議会貴族とは、従来の貴族（諸侯）が所領や軍事力の優越によっていわば自然に周囲から貴族とみなされていたのに対し、議会に席を占める権利によって貴族身分を有するようになった者たちをさす。議会貴族には従来の貴族とともに王から爵位を授与されて新しく議会貴族となった者も少なからずいた。他方、すでに前世紀以来折にふれ会議に参加することのあった州代表と都市代表はエドワード治世に合同して庶民の代表となり、独自の会議を構成して貴族の会議と並び立つようになる。エドワード期にはこれら二つの会議——のちの庶民院、貴族院——が議会を構成し王とともに国政を動かすようになった。その現れが議会の排他的課税同意権確立（一四世紀半ば)であり、二つの会議が連携して国制改革を推進した「善良議会」(一三七六年)である。

エドワード三世を継いだリチャード二世(在位一三七七―九九年)は治世初期の一三八一年、新税導入への不満に端を発する大規模な反乱に直面する。指導者の名から「ワット・タイラーの乱」と呼ばれるこの反乱は農奴制廃止を掲げ幅広い社会層を巻き込む運動となったが、指導者の死とともに急速に瓦解した。この乱を乗り切った後のリチャードの治世は、奇妙にも二代前のエドワード二世のそれを思わせる経過をたどった。すなわちリチャードの寵臣政治、それに対する諸侯・議会の反発と改革、国王側の巻き返し、そして最終的には諸侯・議会による国王の廃位という経過である。ただ今回は、対立する両派の間に立って両派を牽制し情勢を左右する国内最大の諸侯ランカスター公ジョン・オブ・ゴーントがいた点が違っていた。ジョンは一三九九年に没するが、その勢威を引き継いだ長子ヘンリが同年リチャードを廃位に追い込んで王位を獲得し、ヘンリ四世(在位一三九九―一四一三年)としてランカスター朝の開祖となった。それとともにヘンリ二世以来二五〇年続いたアンジュー朝は終焉をむかえた。

一五世紀前半ランカスター朝三代の治世は百年戦争後半にあたり、大陸におけるイギリスの優位がジャンヌ・ダルクとアラスの和を境に劣勢に転じ、最後は撤退によってこの国の島国化が完了する時期に相当する。その間国内では俸禄配分の弊害が次第に顕著となり、ヘンリ六世代(在位一四二二―六一年、七〇―七一年)にこの問題をめぐる国王と諸侯・庶民(コモンズ)の対立が激化してくる。俸禄配分とは、王が臣下に土地・年金・官職などの俸禄をあたえ、その見返りに王への奉仕を求める慣行である。俸禄配分は恩恵授与の見返りに奉仕を求める点で封建関係に似ているが、軍役奉仕は求められず金銭や収入源のやりとりが中心となるため「疑似封建制」とも呼ばれる。諸侯はあたえられた俸禄で私兵を養い「私党(アフィニティ)」と呼ばれる集団を形成して勢力拡大の手段とした。前世紀に始まっていたこの慣行はヘンリ六世代、彼が思慮を欠く俸禄配分を行った結果のし上がった人物が国政を一手に握ったうえ、俸禄から排除された諸侯の不満を買い、また王の財産を王国の共有財産とみなす庶民(コモンズ)からも批判を浴びた。これに加えて百年戦争末期の大陸での敗退が続くと王とその取り巻きに対する追及が激しくなり、王はついに一四五三年精神に異常をきたしてしまう。政務を執れなくなった王に代わって国政を代行し勢力を拡大してきたのがヨーク公リチャードであった。ここからランカスター家とヨーク家の三〇年におよぶ闘争すなわち「バラ戦争」が始まる。

しかし両家の対立はもっと根深いところにあった。両家はともに系譜をたどればエドワード三世に遡り、その血筋からリチャードは王が精神異常をきたした時点では次期王位にもっとも近い立場にあったが、このような血筋にもかかわらず彼は従来ランカスター政権から疎外されてきた。それゆえ王の病はヨーク家が勢力を盛り返す好機となったのである。一四五五年セント・オールバンズの戦いに始まる両家の争いはその後数度の会戦を重ね、その過程でリチャードは陣没した。しかし後を継いだエドワードがランカスター側の失策をついてロンドンに入城し、一四六一年諸侯の推戴によりエドワード四世(在位一四六一—七〇年、七〇—八三年)として即位し、ここにヨーク朝が始まった(バラ戦争第一期)。

とはいえ即位後のエドワードの統治は安定したものではなかった。というのはそれまで一貫してヨーク側を支えてきた北部の大諸侯ネヴィル家との関係が結婚問題と外交方針をきっかけに悪化し、同家当主リチャードが当時大陸に亡命していたヘンリ六世王妃と組んでエドワードに反旗を翻したからである。その結果一四七〇年から翌年にかけて一時ヘンリ六世の復位が実現する。しかしその後エドワードの反撃が成功し、リチャードは戦死、ヘンリ六世は殺害されてエドワードの支配が戻った(バラ戦争第二期)。

エドワード四世の二度目の治世は比較的安定していたが、彼が一四八三年に四〇歳で早逝すると情勢は急変した。王位は当時一二歳の彼の長子エドワード(五世)に移ったが、エドワード四世の弟リチャードは彼を監禁・殺害し、さらに政敵を次々に抹殺して強引な手法で王位に就いた(リチャード三世、在位一四八三—八五年)。こうした彼の恐怖政治は諸侯の強い反発を呼び、武装蜂起した彼らはランカスター派のヘンリ・テューダーを指導者に立ててリチャードに対抗した。ヘンリは一四八五年ボズワースの戦いでリチャードを破り、ヘンリ七世(在位一四八五―一五〇九年)として王位に就きテューダー朝を開始した。それとともに三〇年にわたってイギリスを混乱に陥れた内乱は終結した(バラ戦争第三期)。

こうしてイギリスは一五世紀後半、百年戦争の終結によって大陸領への配慮から解放されてコンパクトな島国となり、バラ戦争の内乱を克服して国内の安定を取り戻した。この安定した状況のもとで次の世紀以降イギリスもまた絶対王政への道を歩み始める。

以上の通史からもわかるように一一世紀から一五世紀までの五世紀間、イギリスは英仏海峡の両側に領土を有する複合国家であり、双方の地で展開された歴史についてはこれまで多くのことが語られてきた。しかしその間にある海がこの国の歴史にいかなる意味をもったのか、という問いはほとんど発せられることがなかった。本巻収録の鶴島博和論文はまさにこの点を問うている。鶴島によれば一一世紀以降の王権は当時組織化されてきた海民を統制下におき、これを海軍として利用する海の領主としての一面を有していた。鰊漁を生業とする海民はこの魚の季節的回遊を追って移動するため、鰊の暦が成立し鰊の大市が各地で開かれた。王は海民のこうした動きを熟知したうえで彼らを海浜防衛や戦闘に動員したのである。鶴島が『バイユーの綴織(タペストリ)を読む――中世のイングランドと環海峡世界』(鶴島 二〇一五)で解明したように、一〇六六年ヘイスティングズで対決したハロルドとギヨームはともに海の領主でもあり、ギヨームが戦いの直前九月二七日という日を選んで海を渡ったのは鰊の暦を知悉(ちしつ)したうえでの決断であった。ヘイスティングズの戦いは陸の戦いだが、その背後には海の領主同士の戦いという一面があったことはこれまでほとんど知られてこなかった。ここには生業から王権を、海から政治史をとらえ直す新たな視点が提示されており、それはまた日本中世における海民の重要性を説き続けた網野善彦の議論にも通じるものといえよう。

このように海は領有され支配の対象となり国家と結びつくが、しかし領海のかなたは無主の場であり国家を超えグローバルな展開の舞台となる。本巻の小澤実論文は北欧という「辺境」をいわば中心において中世のグローバル・ヒストリーを試みている。一一世紀までヴァイキングの活動はユーラシア西部にグローバルに展開していたが、この「ヴァイキングの秩序」は一一世紀初頭解体し、北欧はキリスト教化と国家形成を経てヨーロッパの一部となる。ヨーロッパ化した北欧の民は北の海の希少なリソースをヨーロッパに提供し、十字軍で各地に遠征して再度のグローバル化に乗り出した。しかしこの二度目のグローバル化は宗教、経済、軍事いずれの面でもヨーロッパにしっかりつなぎ留められたものであった。中世末期、アイスランド・サガに記されたかつてのヴァイキングの記憶は、すでにヨーロッパ文化の型によって鋳直されたものとなっていた。グローバル化からヨーロッパ化へ、そのうえでの再度のグローバル化へという「辺境」北欧の歩みは、国家を枠とした歴史を見直すいくつもの手がかりをあたえてくれるだろう。

## 五、スペイン――レコンキスタとキリスト教諸国

一一世紀から一五世紀にかけてのイベリア半島の歴史を俯瞰すれば、この五世紀をとおして二つの基本線を見分けることができる。一つはキリスト教徒の支配圏とイスラム教徒の支配圏の関係である。一一世紀初頭、半島の北三分の一を占めていたキリスト教徒支配圏は、この五世紀間に一進一退を繰り返しながら着実に南下していき、一五世紀末には半島全体がキリスト教徒の支配下に入った。この過程は一般に「レコンキスタ」(再征服運動)と呼ばれている。もう一つはキリスト教圏内での諸王国の盛衰であり、これらの王国は分裂と統合を経たのち最終的にはカスティーリャ王国とアラゴン連合王国の統合によってスペイン王国の成立にいたる。レコンキスタとキリスト教諸王国という二つの基本線は相互に交わるとともにまた独立した動きをし、それゆえ以下ではこの二つの基本線とその交差に留意しながら中世スペイン史を追っていくことにしよう。

まずレコンキスタから見ていくことにしよう。一一世紀初頭、半島南三分の二は後ウマイヤ朝の支配下にあった。しかしその実権はカリフの手にはなく、カリフの侍従から実力でのしあがったアル・マンスール(九三八—一〇〇二年)に握られていた。彼は軍事改革と度重なる遠征でイスラム支配地——アル・アンダルス——を最大版図にまで広げたものの、その没後は内紛によって後ウマイヤ朝そのものが崩壊した。後ウマイヤ朝滅亡によってカリフという統合の要を失ったアル・アンダルスは「タイファ」と呼ばれる小王国に分裂して争い合う事態になる(第一次タイファ時代)。分裂して弱体化したタイファ諸国は「パーリア」と呼ばれる貢納金をキリスト教国に支払って平和を確保する一方、お互いの間ではキリスト教国をも巻き込んだ合従連衡を繰り返して覇を競い合った。キリスト教徒でありながらタイファ側にもキリスト教国側にもついて戦ったエル・シドは、このような時代を象徴する人物である。

こうした混乱は一〇八五年、レオン・カスティーリャ王アルフォンソ六世(レオン王一〇六五—一一〇九年、カスティーリャ王一〇七二—一一〇九年)のトレド征服によって一つの節目を迎える。半島中央に位置し西ゴート王国の首都でもあったトレドの奪還は、キリスト教勢にとっては南進のための重要拠点確保を意味したが、タイファ諸国にとっては深刻な脅威となった。タイファ諸王は当時北西アフリカ(マグリブ)で勢力を拡大しつつあったムラービト朝に救援を求め、それに応えてジブラルタル海峡を渡ったムラービト軍はアルフォンソ六世を撃破し、さらにはタイファ諸王を廃位して、一二世紀初頭にはアル・アンダルスとマグリブを含む広大な国家を成立させた。

ムラービト朝のアル・アンダルス支配は一二世紀中頃内乱によって崩壊し、アル・アンダルスは再びタイファに分裂し(第二次タイファ時代)、キリスト教徒支配地はさらに南に拡大した。そこでタイファ諸国はマグリブに新しく興ったムワッヒド朝に救援を求め、到来したムワッヒド軍はタイファ諸国を征服してここに再度アル・アンダルスとマグリブにわたる統一国家が現出する。しかしムワッヒド朝もアル・アンダルスを安定して維持することはできなかった。一二一二年、ムワッヒド軍はカスティーリャ王アルフォンソ八世(在位一一五八—一二一四年)率いるキリスト教国連合軍に大敗し(ラス・ナバス・デ・トローサの戦い)、その結果アル・アンダルスはまたしてもタイファに分裂する事態となった(第三次タイファ時代)。この第三次タイファ時代にレコンキスタは急速に進展し、一三世紀半ばには残されたタイファは半島南端のナスル朝グラナダ王国だけとなった。こうしたレコンキスタの最終局面は「大レコンキスタ」と呼ばれている。

こうして一一世紀から一三世紀までのアル・アンダルスを追ってみると、アル・アンダルスの崩壊—タイファへの分裂—レコンキスタの進展—マグリブからの援軍—アル・アンダルスの再建と崩壊—タイファへの分裂……といったパターンが繰り返されていることがわかる。三度繰り返されたこのパターンが途切れたときレコンキスタは事実上終了した。ここではこの過程に特徴的な二つの現象に注目しておきたい。一つは、一一世紀以降アル・アンダルスが分裂しても再建が可能であったのは、海峡の彼方に同じイスラム教を奉じる援軍を求めることができたからという事実である。レコンキスタの南進を阻止したのはこの援軍の到来であり、援軍を期待しえなくなったときアル・アンダルスは分裂から衰滅へと向かった。後述するナスル朝グラナダ王国滅亡の一因もこれであった。もう一つはキリスト教とイスラム教という二宗教の出会いから、アル・アンダルスではモサラベ(イスラム教徒支配下のキリスト教徒)、ムデハル(キリスト教徒支配下のイスラム教徒)という集団が生まれ、それぞれが独自の文化を形成しつつ共存する事態が生じたことである。これにマイノリティとして各地に点在したユダヤ人を加えれば、中世スペインは二大宗教の混在という表現ではつくせない宗教的絡み合いの場であったということができる。

ここで目を北に向けキリスト教国家の変遷をたどることにする。一一世紀初頭半島北部にはレオン、カスティーリャ、ナバーラ、アラゴン、カタルーニャという王国や伯領が並び立っていた。この並立状態のなかから一〇三七年、同君連合によってレオン・カスティーリャ王国が成立する。この後レオンとカスティーリャは相続や抗争によって同君連合を形成しては解消しながら、キリスト教圏の有力国家に成長していく。タイファ諸国と戦い一〇八五年トレドを再征服したのは前述したようにレオン・カスティーリャ王アルフォンソ六世であった。アルフォンソ六世は「全ヒスパニアの皇帝」を称して半島キリスト教諸国に対する優位を主張するとともに、サンチャゴ巡礼を促進しローマ典礼やクリュニー改革を導入するなどして西欧諸国との結びつきを深めていった。その一方で「二宗教の皇帝」とも称した彼は、征服後のトレドにおいてムデハル、ユダヤ人、モサラベに対する寛容な政策を展開し、トレドは諸文化が共存するコスモポリスと化した。さらに一二世紀になるとトレドは一大翻訳活動の舞台となる。イスラム支配下でアラビア語訳されて保存されていた古代ギリシアの哲学・科学文献、さらに同時代イスラム諸科学の著作が、モサラベ、ユダヤ人、キリスト教徒知識人の共同作業によってラテン語に翻訳されたのである。これらの翻訳書が西欧に広まって一二世紀ルネサンスを生み、一三世紀にはスコラ学の発展を促すことになる。

一二世紀末ムワッヒド朝に押されがちであったカスティーリャ王国は、前述したように一二一二年、一転してアルフォンソ八世のもとでキリスト教国連合軍を結成しラス・ナバス・デ・トローサでムワッヒド軍と戦い決定的な勝利を得た。この勝利によってレコンキスタが最終局面に入っただけでなく、半島内でのカスティーリャのヘゲモニーがゆるぎないものとなった。この後カスティーリャは一二三〇年フェルナンド三世(カスティーリャ王一二一七―五二年、レオン王一二三〇―五二年)治下でレオンとの再統合を果たし、以後両国は分離することなくカスティーリャ王国としてスペイン政治史を主導していくことになる。しかしレコンキスタの過程で培われた異文化共存の理念はなお生き続けた。レコンキスタを事実上終結させたフェルナンド三世は「三宗教の王」と自称し、セビーリャにある彼の墓碑銘は息子アルフォンソ一〇世(賢王)(在位一二五二―八四年)によってカスティーリャ語、ラテン語、ヘブライ語、アラビア語で刻まれたのである。

フェルナンド三世を継いだアルフォンソ一〇世はレコンキスタよりもカスティーリャという国家の整備と文化の振興に努めた。従来カスティーリャはさまざまな特権を有する社団や地域の集合体であったが、彼はローマ法にもとづく『七部法典』を定めて法的統一を意図するとともに、行政機構や議会(コルテス)の整備を通じて王権の強化を図った。こうした国内改革を進める一方、カスティーリャの覇権を意識した彼は大空位時代の混乱のなかで神聖ローマ帝国の皇帝位獲得をめざした。しかし性急な国内改革は諸勢力の抵抗で頓挫し皇帝位の獲得も教皇等の反対でかなわなかった。『七部法典』の本格的実施と王権強化は次の世紀に持ちこされる。アルフォンソ一〇世はむしろ文化面で名を残すことになった。彼の治下でカスティーリャは第二の翻訳活動の黄金時代を迎え、また彼自身『年代記』や『聖母マリア讃歌集』といった作品の形成に積極的に関与した。『年代記』は『七部法典』とともに、生まれつつあった俗語(カスティーリャ語)で書かれており、ここには言語によっても国家の統一を図ろうとする彼の意図を読み取ることができる。

ここでレコンキスタを振り返ってみるとこれは大きく見れば北から南に向けて進行した。この南進するレコンキスタにはカスティーリャとともにもう一つの有力国家アラゴンも深くかかわっていたが、アラゴンの場合拡大は南だけでなく北と東にも向かった点でカスティーリャと異なっていた。そこで次にはアラゴン国家の形成と拡大に目を向けることにしよう。前述したように一一世紀初頭半島北部にはレオン、カスティーリャ、ナバーラ、アラゴン、カタルーニャという王国や伯領が並び立っていた。アラゴンはナバーラ王国の分裂から生まれた一地域であったがやがてナバーラを併合し、次の世紀にはカタルーニャで支配的な立場を確立していたバルセローナ伯とも婚姻関係によって連合して、一一三七年アラゴン連合王国が成立する。このアラゴン連合王国がカスティーリャとともに以後のスペイン史の主役となっていく。

アラゴンもカタルーニャもピレネー南麓という地理的位置、またカタルーニャはカロリング朝のもとでヒスパニア辺境領として形をえたことから、もともとピレネーの彼方とのつながりは深かった。そこからアラゴン連合王国の拡大はまず北に向かい、一二世紀後半にはラングドックからプロヴァンスにまで及ぶ支配を達成したが、一二一三年南仏ミュレでアルビジョワ十字軍に敗北を喫して北方への道は断たれた。他方でその前年ラス・ナバス・デ・トローサでの勝利で南進の機会を得ていたこの国は、その後地中海沿いにレコンキスタを進め一三世紀半ばにはバレンシアにまで達した。

しかしアラゴンの対外発展がもっともめざましかったのは地中海に向けてである。一二三二年にはマジョルカ島を征服し、一二八二年後述する「シチリアの晩禱」でシャルル・ダンジューの支配が倒れるとシチリア島に進出して領有権を得たうえ、カタルーニャ傭兵の樹立したアテネ公国をも併合して地中海の東西にわたる支配圏を築いた。それとともにバルセローナ商人は地中海各地に進出して商館を設置し、イタリア商人とならぶ活発な商業活動を展開した。こうした商業活動の下でバルセローナでは「コンソラート・デル・マーレ」という海商法が成立し、マジョルカでは「カタルーニャ世界地図」(海図)が作成された。当初ピレネー山中の内陸国から出発したアラゴンは、カタルーニャと連合することにより、二世紀のちには海商法や海図といった海の文化を生み出す海洋国家に変貌したのである。

カスティーリャ・アラゴン両国にとって一三世紀まではレコンキスタや地中海進出によって拡大と発展の時代であったとすれば、一四世紀以降は危機と再編の時代となった。一四世紀なかばに到来した黒死病(ペスト)は人口の三分の一を奪い農村の荒廃と生産の衰退、領主経済の危機をもたらしたが危機の結果は両国で異なっていた。

カスティーリャでは一四世紀後半、農業危機のなかで大土地所有が進行して有力貴族が台頭し、王権強化を進めるペドロ一世(在位一三五〇—六九年)と対立した。貴族はペドロ一世の異母弟エンリケ・デ・トラスタマラのもとに結集してペドロ一世を倒し、エンリケはエンリケ二世(在位一三六九—七九年)としてカスティーリャ王位に就きここにトラスタマラ朝が始まる。以後のトラスタマラ諸王は貴族の抵抗を抑えつつ国王評議会や高等法院を設置して王権の強化を図るとともに、都市代官(コレヒドール)を派遣して都市をも統制下においた。これら一連の王権強化策は紆余曲折をともないながら一貫して追求され、一五世紀後半にはカスティーリャ王国を特徴づける「強権的王政」の成立にいたる。

アラゴン連合王国においても黒死病後の経済危機は深刻であったが、ここでは地中海商業の衰退が重なって危機は深刻の度を増し、さらに地中海各地の支配地を維持するための対外戦争が重荷としてのしかかっていた。一四世紀末以降、危機克服のため集権化を強行する王権と議会(コルテス)に結集する有力貴族との溝は深まり、両者の対立は一五世紀半ばに頂点に達した。一四六一年バルセローナに始まった反乱は農民やカスティーリャも巻き込んでカタルーニャ全土に広まり、さらにときの王が跡継ぎなくして没すると連合王国は解体の危機に瀕した。混迷のなかで国王フアン二世(在位一四〇六—五四年)がとったのは王太子フェルナンドとカスティーリャ王エンリケ四世の異母妹イサベルとの結婚という手段であった。そのイサベルは、有力貴族と対立していたエンリケ四世が彼らとの和解のため王位継承者とした人物であった。すなわちフェルナンドとイサベルの結婚はアラゴンとカスティーリャの王位継承権者同士の結婚であり、それゆえ両国の国王の死後はともに王位を継いで二つの国は同君連合国家となり、ここにスペイン王国が誕生した(一四七九年)。

こうした政治的危機とならんで一四—一五世紀のスペインは反ユダヤ感情の激化というもう一つの危機に見舞われていた。一三世紀までのユダヤ人とキリスト教徒との共存は一四世紀になると崩れ始め、一三九一年にはセビーリャで反ユダヤ暴動が起こると暴動はスペイン各都市に飛び火しポグロムとシナゴーグ破壊が猛威をふるった。その結果キリスト教に改宗するユダヤ人(コンベルソ)が続出したが、一五世紀になるとこのコンベルソが新たな対立の火種となる。というのもコンベルソのある者は教会の高位や都市の顕職を得てキリスト教徒民衆の嫉みを買い、またコンベルソの改宗は表面のみで隠れてユダヤ教信仰を維持しているとの疑いが去らなかったからである。反コンベルソ感情は一四四九年トレドの反乱となって表面化し、それが鎮圧される過程でのちの「血の純潔」(先祖にユダヤ人やイスラム教徒の血が混じっていないこと)規定や異端審問にいたる道が開かれた。

新たに成立したスペイン王国において、フェルナンド二世(アラゴン王一四七九—一五一六年)とイサベル一世(カスティーリャ女王一四七四—一五〇四年)の共同統治は国内外からの強い抵抗に直面したもののこれらを克服し、国王評議会、高等法院、都市代官(コレヒドール)、議会(コルテス)の改革を通じて強力な王権の実現を図った。そうして成立した支配体制は「強権的王政」と呼ばれている。もっとも強権的王政が可能であったのは、トラスタマラ諸王が一貫して王権強化を追求してきたカスティーリャにおいてであり、貴族が議会(コルテス)を拠点に王権を制約するアラゴンには十分浸透しなかった。それゆえ統合されたとはいえスペイン王国の実態は、異質な二つの国制を抱え込む「複合国家」とも呼ぶべきものであった。そうしたなかで王国全体を統括する強力な国家機関として唯一新設されたのが異端審問である。隠れユダヤ教徒と目されたコンベルソ問題に苦慮してきた両王は、教皇の許可のもとに一四八〇年以降各地に異端審問所を設置して彼らを訴追・弾圧し、カトリックによる国家統一を推進した。両王は複合国家スペインの統合をカトリックによって果たそうとしたのである。それにより両王は教皇から「カトリック両王」の称号を授けられ、以後この呼び名が(それにともなうイデオロギーも含めて)定着していく。

ここまでスペインがたどってきたさまざまな歩みは、一四九二年という年に一気に収束してスペインの過去と未来を照らし出すものとなった。まず一月二日、残された最後のイスラム国家グラナダ王国がカトリック両王に降伏し、最後の君主ムハンマド一一世(または一二世、別名ボアブディル)はグラナダを出てマグリブに去った。レコンキスタはここに完了する。グラナダ王国は一四世紀後半トラスタマラ朝成立期の混乱の時期、北からの脅威がゆるむなかで一時的な繁栄を享受したが、一五世紀になると泥沼のごとき内紛に陥り南からの援軍も期待しえず、カトリック両王の攻勢の前になすすべがなかったのである。さらに三月三一日、両王はユダヤ人に対し四カ月以内に改宗するかスペインを去るかを命ずる王令を出した。これは、反ユダヤ感情に発するものというよりコンベルソの真の改宗が進まないのはユダヤ人の存在が原因であるという認識にもとづくものであったが、結果的にスペインの宗教的統一をさらに促進するものとなった。第三に、この王令が定めた期限の三日後の八月三日、コロンブスは「インド」への到達をめざしてパロス港を発った。ここに次の世紀、大航海時代と大西洋をはさむスペイン帝国の形成に向かう最初の一歩が踏み出された。その二週間後の八月一八日には、第四として、ネブリハの『カスティーリャ語文法』が出版される。カスティーリャ語を規範化しこれを国家語として普及させようとする同書には、スペインをカスティーリャ語という言語――のちのスペイン語――によって統一しようとする意図があらわに出ている。その意味で同書が(両王ではなく)カスティーリャ女王イサベルに献呈されているのは示唆的である。

こうして一四九二年に集中して生じた四つの出来事は、一一世紀以来のスペインの歩みの到達点であると同時に次の世紀以降の展開の出発点ともなるものであった。

一一―一五世紀イベリア半島の歴史は、以上の素描からも窺われるように、冒頭で述べた「境」と「絡み合い」を考察するための素材の宝庫といえる。こうした視点から通史的叙述を見直す例の一つが本巻収録の黒田祐我論文である。黒田によれば、征服後各地で行われたモスクの教会への転用は宗教的寛容の証ではなくキリスト教の勝利を顕示する行為であり、父王の墓碑銘を四言語で刻ませたアルフォンソ一〇世の行為も、諸文化の共生をめざしたものというより諸文化を統合して君臨しようとする「皇帝」の意志表明であったという。そうした意味でいずれの行為も寛容に発したものとはいえないが、それでもその結果はムデハル様式に代表されるハイブリッド文化を生み出すという逆説であった。

それゆえ黒田のいうように「キリスト教かイスラームか、寛容か不寛容か、同化か排除か」という二項対立図式を前提とすればスペイン中世史を見誤ってしまう。しかし他方で「二宗教の皇帝」や「三宗教の王」から「カトリック両王」へ、ユダヤ人・モサラベ・キリスト教徒が協力したトレドの翻訳活動から異端審問やユダヤ人追放への歩みが、総体として不寛容への歩みであったことを否定するのも難しいだろう。スペインでは不寛容の拡大が半島全体においてマクロのレベルで生じた。しかし同様の動きは同時代ヨーロッパ各地においてミクロのレベルでも頻発していた点に注意しておく必要がある。この点を指摘するのが本巻収録の佐々木博光論文である。佐々木は神聖ローマ帝国諸都市を例に、一三世紀までのユダヤ人とキリスト教徒の緊張に満ちた共存が一四世紀以降崩れ、ユダヤ人の追放と迫害にいたるプロセスを追っている。このようなプロセスは地域ごとの偏差をともないながら各地で無数に生じていた。R・I・ムーア(Moore 2007)はこうした趨勢を「迫害社会の形成」と呼んだが、中世スペインは迫害社会形成の大規模な実例ということができよう。

## 六、イタリア——分裂から分裂へ

これまで見てきたドイツ、フランス、イギリス、スペインの一一世紀から一五世紀にかけての変化は、細部を捨象すれば一つの共通の特徴を示している。それは、これらの諸国は、出発点としての一一世紀の姿は多様ながら到達点としての一五世紀にはおおよそ現代にまで続く国家的なまとまりをもつにいたったという点である。フランス、イギリス、スペインはいうまでもなく、諸侯国と都市の雑多な集合体のごときドイツですら神聖ローマ帝国というゆるやかな国家的枠組みで統一されていた。これに対しイタリアは出発点において分裂しており到達点でも分裂しており、変化といえばこの間の有為転変によって分裂の形と性格が変わっただけともいえる。イタリアが一つの国家としてまとまるのは周知のとおり一八六一年を待たなければならない。

とはいえこの分裂にも五世紀を通じて変わらないおおまかな特徴があるのも事実である。それは地域でいえば北部、中部、南部という違いであり、さらに北部が都市、中部が教皇、南部が外国支配によって特徴づけられている点であり、こうした点は五世紀を通じて揺れ動きはあっても基本的に変わることはない。そこで以下でもこの三つの地域区分に沿いつつ一一世紀から一五世紀までの流れをたどることにする。

北イタリアではコムーネと呼ばれる自治都市の生成と発展と変容がこの地域の歴史を方向づけることになる。以下やや図式的になるがそのプロセスをいくつかの段階に分けて見ていくことにしたい。

一一世紀コムーネが誕生した都市の多くはロンバルディアやヴェネトの司教座都市であった。司教座都市とは司教が都市領主として支配する都市であり、司教の臣下、伯の代官や都市周辺の領主たちが司教と協力してその支配を支えていた。やがてこうした司教支配の協力者が商工業により有力化した市民とともに司教権力を蚕食して独立した権力を獲得し、一一世紀末以降「コンソリ」という自治制度を生み出す。コンソリとは市民の間から選ばれた一年任期の統治官(二名から二〇名程度)であり、以後コンソリのもとで評議会などの自治機構が整備されていくことになる。こうして成立した自治都市がコムーネであり、コンソリ制の成立とともに都市の支配者は司教から市民に移った。一二世紀になるとコムーネは支配の触手を市外に延ばし、周辺農村共同体や封建領主を服属させて領域支配を行う都市国家へと変貌する。新たに獲得した市外領域は「コンタード」と呼ばれた。一二世紀、北イタリアに二〇〇以上も成立したコムーネは各々コンタードをともなう都市国家となり、北イタリアはその内部でさらに大小の都市国家に分かれて相争う状態になった。コンソリ制下でのコンタードを有する都市国家の形成がコムーネ発展の第一段階である。

コムーネによるコンタード征服は見方を変えればコンタードによるコムーネの征服でもあった。というのも征服されたコンタードからは都市に向けて封建領主や農民が流れ込み、これらの新たな流入民が都市の性格を変えていくことになったからである。旧来のコンソリによる統治はこの新しい事態に対応しえず、さらにコンソリ支配層は有力家門間で私戦を繰り返して都市の混乱を深めていた。このような事態に終止符を打つべく新たに導入されたのがポデスタである。「ポデスタ」とはコムーネが他都市から招聘した統治者であり、期限つきながら立法権を除く強大な権限を委ねられていた。ポデスタは他都市出身であることで当該都市内の利害にとらわれずに統治することができ、またポデスタとして招かれたのは法学に通じた統治の専門家でありその行政手腕を期待されたのである。ポデスタは一二世紀後半から諸都市に導入され、それとともにコンソリは役割を減じていき、一三世紀にはポデスタがコムーネの支配的な統治形態となる。こうしてポデスタ制はコンソリ制に続いてコムーネ発展の第二の時期を画するものとなる。

以上のようなプロセスが進行したのは、「二、ドイツ」でみたとおり神聖ローマ帝国を構成するイタリア王国内であり、この地の支配者はイタリア王を兼ねる神聖ローマ皇帝であった。皇帝の目から見ればコムーネ自治の発展は皇帝権力の簒奪であり支配の空洞化であったから、歴代皇帝は支配を実質化しようとしてイタリア遠征を繰り返したのである。フリードリヒ一世バルバロッサとフリードリヒ二世に対するロンバルディア同盟の二回の戦いは、大筋では皇帝対コムーネの争いであった。これに教皇が加わった三つ巴の複雑な対立を経験するなかでコムーネは着実に自立性を高めていった。一二五〇年フリードリヒ二世が没するとコムーネを上から制圧する権力は存在しなくなり、今後コムーネは諸権力に対し独立の政治主体として行動し始めるのである。

一一世紀から一二五〇年のフリードリヒ二世の死まで来たところでいったん目を転じて同時期の南イタリアの動向を追うことにしよう。一一世紀初頭ナポリ以南の半島部はランゴバルドの後継国家とビザンツ領で二分され、シチリアはイスラム教徒の支配下にあった。すなわちこの地はラテン・キリスト教圏、ビザンツ圏、イスラム圏が接し合い、ヨーロッパよりも地中海に向けて開かれた土地であった。この三文明鼎立状態を変えていくことになるのが北仏ノルマンディから到来したノルマン人である。当初巡礼としてこの地に来たノルマン人は、その戦闘力を買われてビザンツやランゴバルドの傭兵として働き始めるがやがて両勢力をしのぐ勢力となり、一〇七一年にはビザンツ最後の拠点バーリを陥落させて南イタリアの事実上の支配者となる。この征服事業を率いたノルマン人の首領ロベール・ギスカール(一〇一五—八五年)は教皇から征服地の支配を公認された。

半島部が征服されるとロベールの弟ロジェール(ルッジェーロ一世)が海峡を越えてシチリアの征服に乗り出した。その事業を彼の息子ルッジェーロ二世(在位一一三〇—五四年)が引き継いで完成させ、さらに彼はロベール没後諸侯が分立していた南イタリアをも支配下におさめて、南イタリアとシチリアは一人の支配者のもとにおかれることになった。

彼は一一三〇年（対立）教皇アナクレトゥス二世によってシチリア王位を授けられ、こうして今後幾多の変遷を経ながら一九世紀のイタリア統一まで続くシチリア王国が誕生する。統一されたとはいえこの王国はこの地の従来からの多文化性を色濃くとどめる国家であった。パレルモの王宮は三文明が融合したハイブリッド様式で建設され、そこで展開される王国統治にはイスラム教徒やビザンツ系ギリシア人が積極的に登用された。強力な王権の支配下におかれたシチリアに対し、半島部の統治には前代からの行政的枠組みを引き継いで利用した。またシチリアには三文明の各地から知識人が到来してアラビア語やギリシア語からラテン語への翻訳を行い、この島は同時代のトレドと並ぶ翻訳活動のセンターとなった。

しかしノルマン人の支配は短命であった。一一八九年三代目の王が継嗣なくして没すると王国は混乱に陥り、最終的に母方からノルマン・シチリア王の、父方からドイツ王の血を受け継ぐフリードリヒ二世がこの王国を引き継ぐことになる。彼はシチリア王、ドイツ王、神聖ローマ皇帝の位を順に獲得し、彼の支配下でこの王国は地中海に開かれた多文化国家からキリスト教的ヨーロッパの一部へと変貌していった。シチリア島に残っていたムスリムの一部はフリードリヒに反旗を翻した結果、半島内のルチェーラに強制移住させられ、残りのムスリムはマグリブに去った。またフリードリヒが後半生の精力を傾注した三つ巴の争いも基本的にイタリア半島内でのキリスト教徒相互の争いであった。こうしてフリードリヒ支配下でシチリア王国はラテン・キリスト教色を強めていく。そのシチリア王国内では彼は乱立する諸侯を抑え、一二三一年に発布したメルフィ勅書によって――息子ハインリヒの失政により諸侯の自立化を招いたドイツとは対照的に――それまでのヨーロッパには存在しなかった官僚制的中央集権国家を築いた。フリードリヒ二世という皇帝はこのような政治的才能とともに、無神論者とも見える宗教への醒めた態度、十字軍遠征で巧みな外交によってイェルサレムの無血奪還を果たした手腕、六つの言語を解し『鷹狩りの書』を執筆するといった多才さのために「世界の驚異」と呼ばれ、この後長く人々の記憶に残り続けた。

さて北のコムーネと南のシチリア王国の間にある中部イタリアでは、一三世紀中頃までに教皇の支配する領域が形を整えてきた。霊的権威により人心を支配し王侯を授封や破門によって操る教皇も、その膝元ではローマと中部イタリアを支配する一人の君主であった。教皇領または「聖ペテロ世襲領」と呼ばれる教皇の支配地は七五六年のピピンの寄進に端を発し、その領域はローマ周辺からイタリア半島を北東に上ってボローニャにいたる地域におよんでいた。しかし歴代教皇はこの土地を実効支配してきたわけではない。霊的権威のみで物理的権力をもたない教皇は外からは外部勢力の侵攻を許し、内部では乱立するコムーネや封建領主によって支配を蝕まれていた。一三世紀初頭教皇の支配がおよんでいたのはローマとその周辺のみであった。この状態から失地を回復し支配の実質化を進めたのはインノケンティウス三世(在位一一九八―一二一六年)である。彼はドイツ諸侯に奪われていた土地を奪還するとともに、領内の都市や封建領主に対しては忠誠誓約を求め代官を派遣してそれらを統制下においた。同時代の記録はこの事業を「聖ペテロ世襲領の回復」と呼んでいる。以後歴代の教皇たちはこの「回復」をさらに推進し、教皇領は一面では王国、教皇は一種の世俗君主ともいえる存在になっていく。

ここで再度一二五〇年という年に戻ることにする。この年フリードリヒ二世が没するとシチリア王国はフリードリヒの息子マンフレーディに受け継がれた。これに対してシチリア王国の宗主権を主張する教皇は、フランス王ルイ九世の弟シャルル・ダンジューにこの王国を授封して対抗させた。シャルルは一二六六年ベネヴェントの戦いでマンフレーディを敗死させ、二年後にはドイツから遠征してきたフリードリヒの孫コンラディンをも捕らえて処刑し、こうしてドイツ勢にかわってフランス勢がこの王国の新たな支配者となった。ナポリに宮廷をおいたシャルル(在位一二六六―八五年)は王国行政においては在地の封建領主を排してフランス人を重用しフランスによる支配体制を固めていく一方、軍事活動を維持するためにトスカーナ商人の資金援助に頼り住民には重税を課した。こうしたシャルルの支配は王国民には外国人による圧政ととらえられ住民は次第に不満を募らせていった。しかし彼の狙いはシチリア王国の支配にとどまらなかった。彼は一二六一年に滅亡したラテン帝国の再興を意図して着々とそのための準備を進めつつあったのである。そうした折、一二八二年復活祭の翌日、パレルモで「シチリアの晩禱」と呼ばれる大規模な反フランス暴動が生じた。長年のシャルルの圧政に対する不満が一挙に噴き出したこの暴動は短期間に全島に拡大し、フランス人はこの島から一掃されてしまう。フランス支配を脱した島民はマンフレーディの娘が嫁いでいたアラゴン連合王国に援助を求め、これに応えて到来したアラゴン王ペドロ三世が新たにシチリア島の支配者となった。その結果シチリア島はアラゴン王家の、半島部はアンジュー家の支配下におかれ、それまでのシチリア王国は二分されてしまった。これ以後通称としてシチリア島を「シチリア王国」、半島部を「ナポリ王国」と呼ぶようになる。

シャルルの到来はまた北部のコムーネにも影響をおよぼした。前述したコムーネとフリードリヒ二世との戦いのなかでグエルフィ(教皇派)、ギベッリーニ(皇帝派)という対立党派が生まれていたが、教皇と組んだシャルルはグエルフィに加担して党派争いをさらに激化させた。両党派が都市の支配権をめぐって争い合うところにシャルルが介入してコムーネの行方を左右したのである。そのよい例がフィレンツェである。一二五〇年以降両党派が政権争奪を繰返していたフィレンツェでは、最終的にシャルルの軍事援助によってグエルフィの支配が確立した。これによって教皇支持派のフィレンツェ商人は教皇の徴税人の地位を得、ヨーロッパ各地の徴税業務を引き受けて巨利を得るとともに、これを機に商圏を拡大してフィレンツェ経済は短期間に急成長した。次の世紀以降のフィレンツェの全欧におよぶ商業躍進の基礎はこの時期に築かれたといってよく、シャルルの南下はめぐりめぐってフィレンツェ経済勃興の一因となったのである。

しかしフィレンツェ経済の勃興はそれを担う新しい社会層の成長にもよっていた。こうした新しい社会層は商工業で富を蓄えてきた市民であり、旧来の都市支配層――騎馬武装し私闘や党派争いなど封建的行動様式をとるところから「貴族」や「騎士」と称された――との対比で「ポポロ」(平民)と呼ばれた。ポポロはすでに一三世紀前半以来フィレンツェに限らず北イタリア諸都市で台頭し、世紀後半には旧来のコンソリやポデスタに並ぶ独自の政治組織を発達させた。この組織は街区や同職組合を基礎とした評議会と自衛組織を備え、カピターノ・デル・ポポロという指導者に率いられていた。ポポロ組織はコンソリやポデスタと並立しながら次第にそれらをしのぐ権力を獲得し、一三世紀後半にはコムーネの実権を握ることになる。政権の座に就いたポポロは、武力行使によってコムーネの平和を乱す旧来の支配層(貴族、騎士)を「公共善」を脅かす存在として「豪族」のレッテルを貼り、市政から排除した。こうしてポポロによる政権が一般化する一三世紀後半は、コンソリ期、ポデスタ期に続くコムーネ発展の第三段階と呼ぶことができる。

ここまでコンソリから始まってポデスタ、ポポロにいたる政体は、政権を担う社会層に変化はあってもなんらかの形で市民の意向が反映される政体であり、その意味でコムーネすなわち自治都市と呼びうるものであった。しかし一四世紀になると多くの都市では自治体制は大きく揺らぎ、市政はシニョーレ(僭主)と呼ばれる一人の支配者のもとにおかれるようになる。シニョーレ出現の契機はさまざまであったが、共通しているのはこれが危機打開のために非常措置としてコムーネ側の要請で導入され強大な権限を委ねられた点である。シニョーレ支配(シニョリーア)の典型とされるミラノの場合、一三世紀後半に有力家門の争いで勝利したヴィスコンティ家のオットーネがコムーネからシニョーレとして承認され、一四世紀にはこの家門は皇帝から皇帝代官の地位を得、こうしてヴィスコンティ家は下からの承認と上からの権威づけによって事実上の君主と化した。さらに一四世紀末には皇帝から「ミラノ公」の地位を授与されて、ここに名実ともに君主国としての「ミラノ公国」が誕生する。このようなコムーネからシニョリーアへの変貌はミラノにとどまらず、都市ごとに変化をともないながら北イタリアで進行し一四世紀の大勢となった。

ただミラノの場合、コムーネからシニョリーアへの移行は同時に支配領域の拡大をともなっていた点で他都市と異なっていた。一四世紀中ヴィスコンティ家は周辺の中小コムーネや封建領主を服属させると、世紀末にはジャン・ガレアッツォが対外戦争で領域を拡大し、一五世紀にはミラノ公国はロンバルディアを中心とした広域国家となった。同じような広域国家化は一四―一五世紀にかけて各地で進行しており、その結果中小コムーネや封建領主領の統合と再編がなされ、北イタリアはいくつかの国家にまとまることになった。一五世紀に北イタリアで形を整えてくるこうした広域国家を研究者は「領域国家」と呼んでいる。

領域国家化が進展するなかで新たにイタリア政治のアクターとして登場したのがヴェネツィアである。潟(ラグーナ)上のこの都市は東地中海域との交易で富を蓄え、一三世紀末までに堅固な貴族共和政――ここでの「貴族」とは大商人をさす――を築き上げていた。一三世紀までのヴェネツィアは海上交易に重心があったため、イタリア半島の政治には距離をおき深入りを避けていた。またイタリア王国外にあったヴェネツィアにはバルバロッサもフリードリヒ二世も介入しなかった。しかしそのような潟(ラグーナ)上の都市が一四世紀以降徐々に大陸に領土を獲得し、イタリア半島付け根部分に「テッラフェルマ」(固い土地)と呼ばれる支配地を形成する。拡大するテッラフェルマはミラノ公国や教皇領と境を接するまでになり、以後ヴェネツィアは一つの領域国家としてイタリア政治に参入していく。

フィレンツェもまた同時期に領域国家への道を歩んだ。一三世紀末にポポロ政権が成立したあと、一四世紀から一五世紀にかけてこの都市はポポロ、シニョリーア、下層民(チョンピ)支配、寡頭政と激しい政治変動を経たあと、一四三四年以降メディチ家の独裁のもとにおかれる。メディチ支配下のフィレンツェは形式上共和政の外観を保っていたとはいえ、メディチ一門に権力が集中した当時の政体は隠れシニョリーアともいうべきものであった。市内でそうした政治変動が続く間、フィレンツェは従来のコンタードをこえて支配領域を広げていく。領域の拡大は南ではローマに帰還した教皇との、北に向けてはミラノとの衝突を引き起こしたが、西に向けてはピサとそのコンタードを獲得し大幅に領土を拡大するとともに海への出口を手にした。領土拡大は一五世紀前半には安定し、フィレンツェはシエナを除くトスカーナのほぼ全域を支配下におく領域国家となった。

以上のような経過を経て北イタリアで領域国家が並び立つようになった一五世紀前半、南イタリアでも王国の統合が生じた。一二八二年の「シチリアの晩禱」以後半島部から切り離されたシチリア王国ではアラゴン傍系王のもとでアラゴン連合王国から独立した統治が続き、他方半島部のアンジュー朝ナポリ王国は無能な王やアンジュー傍系者の干渉のために混乱をきわめていた。さらに両国は「晩禱」以後「九十年戦争」とも呼ばれる戦争で断続的に争い合っていた。そうした錯綜した状況は一五世紀初頭アラゴン連合王国がシチリア王位を傍系から奪還したあと、一四四二年アラゴン王アルフォンソ五世(在位一四一六―五八年)がナポリ王国を征服したことによって収束し、南イタリアとシチリア島は再び一つの王国に統一された。統一された両王国はアラゴン連合王国の一部となったが、アルフォンソはナポリに王宮を定めてここを連合王国支配の拠点とした。こうして一五世紀中頃には南イタリアに強力な王国が出現した。

他方中部イタリアの教皇領はインノケンティウス三世の「回復」後、国家形成を進めつつあったものの、一三〇九年教皇庁のアヴィニョン移転後は再びコムーネや領主が乱立跋扈(ばっこ)するアナーキー状態に陥ってしまった。こうした事態を収拾すべく一三五三年教皇によって送り込まれた枢機卿アルボルノスは、領内諸勢力を服属させるとともに行政の制度化を実行し秩序の回復に努めた。こうして教皇のローマ帰還の地ならしがされたものの、一三七七年に帰還した教皇は北からはミラノ公国とフィレンツェ、南からはナポリ王国の攻撃にさらされ、領内は再度諸勢力が分立するという危機に陥った。この危機は教会分裂(シスマ)解消後の教皇たちによって克服され、世紀半ばに教皇領はようやく一国家としての体裁を整えるにいたった。

こうして一五世紀半ばのイタリア半島では北部にミラノ、ヴェネツィア、フィレンツェ、中部に教皇領、南部に(シチリア王国と再結合した)ナポリ王国という勢力分布が出現した。この五国間で一四五五年「イタリア同盟」が結成される。この同盟は加盟国の国境の尊重、加盟国が攻撃された場合の軍事支援、二五年間の休戦を定め、その後数回更新された。この同盟のもとでイタリア半島は、途中いくつかの動乱はあったにせよ、この後四〇年間久方ぶりの平和を享受することになった。しかしこの同盟は加盟国の協同で新たな政治組織を作り上げるというより、勢力が伯仲する諸国が相互不信のもとで現状維持をめざしたものであり、その意味では半島の分裂を固定化するものであった。こうしてみてくると一一世紀から一五世紀のイタリアはその出発点において分裂しており、途中の有為転変によって形と性格を変えながら到達点でも分裂した土地となった。しかしこの分裂下のしばしの平和が可能であったのは、イタリア外の諸強国がイタリアに介入しようとしない限りにおいてであった。一四九四年、ナポリ王位の継承権を主張してフランス王シャルル八世がイタリアに侵入してきたときこの前提は崩れ、次の世紀イタリアはヨーロッパ諸列強が争いあう「イタリア戦争」の舞台となり、イタリアの政治地図はもう一度大きく描きかえられることになる。とはいえすでに当時、分裂国家の枠を超えた「イタリア」国民意識は、マキアヴェッリ『君主論』最後の一節に明らかなようにすでに生まれつつあったのである。

先に見たように南イタリアは一二世紀までは三つの文化圏が接し合い、ヨーロッパよりも地中海に向けて開かれた土地であった。そうした地中海への窓口の一つがサレルノでありそこに生まれた医学校であった。一二世紀、この医学校で学んだ女性の手でギリシア・アラビア医学を経験知と融合させた中世初の女性医学書が著された。本巻の久木田直江論文はこの医学書のその後の継受のありさまを追いながら、こうした女性医学が男性に吸い上げられて「女性医学の男性化」が生じるありさまを描いている。「女性医学の男性化」とは女性医学の周縁化にほかならない。西洋中世に繰り返し起こったこの周縁化は、女性医学が本来有していた目的を希薄化させる一方で、女性たちの出産と生命をめぐる豊かな想像力を育んだ。しばしば神秘体験と一体化したこの想像力は図像として残されており、久木田が紹介する「聖母の夢」は横たわる聖母の腹(子宮)から伸びる生命の木に磔刑のキリスト像が重ねられるという驚くべきものである。こうして久木田論文は周縁化によってかえって育まれる奔放な想像力というジェンダー史の意外な一面をのぞかせてくれる。

## 七、西アジア(一)――トルコ系遊牧部族の進出と軍人支配体制の成立

ここでは、エジプトを含む西アジアの一一―一二世紀を扱う。それに先立つ一〇世紀後半の西アジアでは、ファーティマ朝、ハムダーン朝、マルワーン朝、ブワイフ朝下のアッバース朝、サーマーン朝などが割拠していた。これらは、いずれもイスラム教徒を君主にしたイスラム政権であった。しかしイスラム教の中のスンナ派とシーア派という二つの分派によって政権が色分けされていた。多くの王朝でトルコ系奴隷軍人が活用され軍人の力が強まっていたが、一一世紀になるとトルコ系遊牧部族が集団で中央アジアから西アジアへ進出し、それを契機に社会の変化が始まった。

### セルジューク朝――トルコ系遊牧部族の西アジア進出

アッバース朝領の東端マー・ワラー・アンナフル地方に自立したイラン系のサーマーン朝は「聖戦」(ジハード)を口実に、さらに東に向かっていた。その過程でサーマーン朝は、ユーラシア中央部に暮らしていたトルコ系遊牧民の男子を奴隷として獲得し、高額で売買される軍人として西アジアにもたらした。やがて、サーマーン朝の東には、イスラム教徒と接触しそれを受け入れたトルコ系遊牧部族によるカラハン朝が成立する。トルコ系遊牧部族間の勢力争いが続くなか、その一部は部族の紐帯を維持したまま、集団で西アジアに進出するという方法を選んだ。その移動は、単に軍事集団だけでなく、家族を伴う遊牧部族全体での移動だった。行く先々で新たな夏営地・冬営地を求めたことから、西アジアの高原部の人口・産業は大きく変化することになった。そして、彼らが輩出する軍事的・政治的リーダーが西アジアの政治をリードする時代がはじまった。

トルコ系遊牧部族の系譜によれば、オグズ部族二二氏族の一つキニクに属すセルジューク家のトゥグリル・ベクに率いられた集団が中央アジアから西進し、バグダードに入城したのは一〇五五年のことである。こうした武装軍事集団がバグダードに入り、アッバース朝カリフの承認をうけて支配権を獲得するのは、シーア派のダイラム人によるブワイフ朝に次ぐことであったが、セルジューク家はスンナ派のイスラム教を新たに受容した勢力であったため、スンナ派のアッバース朝にとって、その到来は歓迎されるものであった。トゥグリル・ベクはスルタン(君主)として、バグダードを含むイラク、そしてイランをほぼ領有した。ただし、セルジューク朝とアッバース朝カリフの関係は、常に緊張を孕んでいた。これは、セルジューク朝のスルタンらがバグダードを訪れることが極端に少なかった事実などに現れている。アッバース朝カリフはしばしば政治的復権を試み、セルジューク朝スルタンと対立した。

セルジューク朝では、トゥグリル・ベクののち、甥のアルプ・アルスラーン、その子のマリク・シャーが続き、アナトリアやシリア地域を征服する。特に、アルプ・アルスラーンが一〇七一年にビザンツ帝国をマラズギルト(マンツィケルト)の戦いに破ったことは、アナトリアへのトルコ系遊牧部族の進出を誘引することになった。

しかしセルジューク朝の支配そのものは、安定には程遠いものであった。これは、セルジューク朝の統治全般において制度的な裏付けが乏しく、スルタンとその家臣の個人的な繫がり、或いは有力者や部族内の力関係で、任命や政治決定が行われることが多かったためである。このようなセルジューク朝の不安定さは君主の継承時に顕著となる。前君の死後には、決まって息子たち、叔父たち、甥たちによる後継争いがおこり、それに家臣に封土を分与するイクター制が重なり、領域の分割や再統合が繰り返された。その結果、イラン・イラクのセルジューク朝を本家とするなら、そこから分家としてアナトリアのルーム・セルジューク朝、シリア・セルジューク朝、キルマーン・セルジューク朝が生まれ、また王子の後見人とされるアターベクの職にあるものが自立して創設した王朝もそれに加わる。その結果、ザンギー朝、ロレスターン・アターベク朝、イルデギズ朝などがセルジューク朝の系譜をひき、これらは総称としてセルジューク系国家と呼ばれる。セルジューク系国家が乱立した隙間には、アッバース朝カリフも復権を図り、バグダードを実権支配することもあった。後述するようにセルジューク系国家の周辺部には、ヨーロッパ連合騎士軍の支配する十字軍国家も生まれ、西アジアの状況は戦国時代の様相を呈した。

セルジューク系国家の乱立は、イラン・イラクのセルジューク朝本家第八代サンジャルにより修復され、一度は再統合される。しかし中央アジア方面から現れたヒタイ(契丹人)の軍に敗れ、統合は水泡に帰す。その後は混乱が続き、一一九四年にホラズム・シャー朝のテキシュの侵攻により、セルジューク朝本家は滅亡する。

## セルジューク系国家の特徴

さて、ここでセルジューク系国家の特徴を押さえておこう(Chamberlain 2005; 大塚 二〇一九)。後継者をめぐる争いや、それが起因する分裂に直面し、混乱しているかのように見えるセルジューク系国家であるが、それは上部の王族たちの権力争いであり、結果として同質の君主が即位し、同質の支配が継続したともいえる。前述のように、王権の継承が実力と部族の力関係の結果であることは遊牧部族政権の特徴であり、それにより多くの場合、優れた君主が出現した。この点が王権に活力をもたらすものであったことも事実だろう。

以上に加え、セルジューク系国家は次の特徴をもつ。まずスルタンをはじめ遊牧部族出身の軍人らは、多くの場合、都市から距離をおいた生活を続け、統治にあたっては、軍事以外の部門、すなわち財務、文書行政、地方統治、司法などの分野に在地のイラン系官人を登用し、概ね彼らに委ねた。西アジアへの進出から間もないトルコ系遊牧部族の支配者にとって、それは社会の承認を得る手法でもあった。セルジューク朝が最初に登用したのは、ホラーサーン地域のニザーム・アルムルクの一族であった。彼らは、在地の有力家系としてセルジューク朝の実質的な統治を担った。宰相ニザーム・アルムルクは、マリク・シャーらに仕え、彼らにこの地域の支配の方法を指南した。

ニザーム・アルムルクは、たとえば、「イクターを所有しているムクターたちは、彼らに割り当てられたところの正当な税額を正しいやり方で臣民から徴収する以外には、臣民に対し何(の権利)も持たないのだと知らねばならない。(中略)ムクターたちは、王国と臣民は全てスルタンのものだということをわきまえなければならない」とし、支配における スルタンや軍人らの立ち位置を示した(『統治の書』三八頁)。

この記述にある「ムクター」とは、イクター(封土)を授与された者をいう。セルジューク朝は、ブワイフ朝以来の手法にならい、一族や部族の有力者、主要な官僚らに、村やその他の区分からの徴税権を与えた。軍人の場合、その代償は従軍義務である。これは分権的なセルジューク支配に合致した制度でもあった。これにより国家は直接俸給を支払う義務から逃れ、戦時において遊牧部族軍の遠征への従軍を確保した。

一方、王権側は、部族からの従軍者を牽制するため、君主に直属する近衛部隊としてトルコ系奴隷軍人を活用した。これは、アッバース朝以来の手法であるが、スルタンやそのライバルが、奴隷軍人により軍事的に強化され覇を争ったことは、この時代の特徴である。

社会においては、セルジューク朝はスンナ派の保護、勢力拡充に注力した。これは、シーア派を掲げる政治的諸勢力(ファーティマ朝や、暗殺者教団ともいわれたニザール派)への対抗という面もあったが、カリフ政権のように政治的権威と宗教的権威が合体していた時代と異なり、宗教的権威をもたないセルジューク朝が、政治的権威の保証をスンナ派のウラマー(知識人、イスラム法学者)に頼ったせいでもあった。そして宰相ニザーム・アルムルクの主導で、ウラマーを国家的に養成する仕組みが整えられた。それが、マドラサ(学院)の始まりであり、それを財政的に支援する仕組みがワクフ(宗教寄進)制度であった。宗教寄進を通じて、セルジューク朝の軍人支配層はウラマーやその背後にいるイスラム教徒民衆からの支持をとりつけた。軍人支配者とウラマーなどの在地有力者の協力関係は、セルジューク朝以後の軍人支配体制に共通する特徴である。

なお、セルジューク朝の時代は、宗教的には、トルコ系遊牧民やキリスト教徒、ユダヤ教徒のイスラム教への改宗がすすみ、社会全体がイスラム的様相を示しはじめる時代でもある。とはいえ、多くの地域で人口の多数は非イスラム教徒であったとみられる(Peacock 2015)。彼らの実態についてわかっていることは多くはないが、時間をかけた変化が進んだと推測される。セルジューク朝は政権としては現実路線をとり、非イスラム教徒に対し圧力をかけることは少なかったが、モスクを飾るミナレット(尖塔)やマドラサなどイスラム的表象が都市に増え、さらに、この時代に始まるスーフィズム(後述)の広がりがイスラム化を促進する要素となった。

## ファーティマ朝

セルジューク朝の支配がイラン・イラクに拡大した一一世紀、その西方ではファーティマ朝が、東西交易による利益で繁栄を誇っていた(菟原 二〇一二)。ファーティマ朝は、シーア派の一派であるイスマーイール派の信仰を旗印にし、シリアやイラクなどに向けイスマーイール派の宣教師を送る活動を国家的におこなっていた。しかし、足もとのエジプト社会のシーア派化は進まなかった。その現実を受け入れたファーティマ朝は一一世紀を通じスンナ派住民、およびその宗教指導者層と協調する政治を展開し、寛容な政治で社会の安定をはかっていた。

人口の多数を占めたキリスト教徒(コプト教徒)の側でも、イスラム政権への対応が進んだ。本巻辻明日香論文にあるとおり、エジプトのキリスト教徒は、この時代、コプト語からアラビア語へと言語を替え、風俗習慣をアラブ化させつつあった。教会組織もその変化に対応して信徒をまとめ、ファーティマ朝に対し納税の義務を果たした。政権は、キリスト教徒の官僚を登用し、政権中枢部まで入ったキリスト教徒は少なくない。このようなキリスト教徒の姿は、冒頭でふれた「トランスカルチュラルな絡み合い」の典型例でもある。

ファーティマ朝時代、エジプトはインド洋から紅海を経由して地中海にいたる交易ルートの中核として、また、商都フスタートと城郭都市カイロの消費に支えられた手工業の中心として繁栄した。その繁栄は、「ゲニザ文書」と呼ばれるユダヤ教徒商人の残した文書の解析により詳しく知られる。そこでの商業は、活発な貨幣経済のもと、信用取引、さらには銀行業ともいえる手法を発展させた。商業の実践において、ユダヤ教徒商人とイスラム教徒商人の間に差はなかったとみられる。

ファーティマ朝の商業・手工業の繁栄はつづくアイユーブ朝に引き継がれるものの、ファーティマ朝自体は一一世紀後半になると混乱する。その原因は多文化状況を遠因とする内政の混乱にあった。北アフリカ時代のファーティマ朝はベルベル系ザナータ部族の軍に支えられていたが、エジプト進出後は、セルジューク朝同様、トルコ系奴隷軍人も活用していた。内政を担当する官僚やその代表たる宰相には、スンナ派イスラム教徒やユダヤ教徒、また前述のようにキリスト教徒が登用された。こうした状況はエジプト社会の特徴であるが、それを束ねるカリフの求心力が徐々に失われると、政治状況は混沌としたものとなった。特にシリア地方では、ファーティマ朝への反乱が続き、一一世紀後半にはセルジューク朝が、いくつかの分家にわかれてシリアを支配する状況となった。シリアの分裂状況はエジプトにも波及し、シリアのセルジューク系諸国家のほか、ヨーロッパ連合騎士軍の十字軍国家もエジプトを狙い、エジプトの状況はさらに混乱した。

### 十字軍国家の誕生

ヨーロッパ内部の政治・宗教運動の結果としてシリアの沿岸にヨーロッパ連合騎士軍が到来したのは、一〇九八年のことである。きっかけはアナトリアの大半をセルジューク朝に奪われたビザンツ帝国皇帝アレクシオス一世からローマ教皇への支援の要請であったが、一種の文化現象となり、予想外の結果をもたらしたことは、ここで強調するまでもないだろう。ヨーロッパ連合騎士軍は、一〇九七年にコンスタンティノープルに集結し、そこからイェルサレムをめざし地中海沿岸を南下した。途上でエデッサ(現ウルファ)、アンティオキア(現アンタキヤ)を攻略し、一〇九九年七月にイェルサレムを征服して支配下におき、イェルサレム王国を建てた。この襲撃に主に対応したのは、アナトリアのルーム・セルジューク朝やシリアのセルジューク系国家であったが、エジプトのファーティマ朝の退潮、イラン・イラクのセルジューク朝本家の弱体化が顕著だった一一世紀末には、シリア沿岸部は群雄割拠の時代、いわば政治的空白地帯であった。特にセルジューク朝本家のシリア沿岸部への関心は薄く、ヨーロッパ連合騎士軍は、その間隙をつき、短期間に勢力圏を確立して四つの十字軍国家を建て、一定の領域支配者となった。

このヨーロッパ連合騎士軍と在地の勢力の争いを宗教戦争と呼ぶべきでないことは、これまでも繰り返し指摘されてきた。もちろん、ヨーロッパ連合騎士軍の動機には宗教的な熱情があり、当初のイェルサレム征服では多くのイスラム教徒を惨殺した。しかし、まもなく支配者としてイェルサレムや他のシリア都市を拠点に沿岸部を統治するようになると、領内の農村などに暮らすイスラム教徒に配慮した政治を行い、領域支配の継続を図った(櫻井 二〇二〇)。

一方、これを迎えた在地の諸国家にとって十字軍国家の誕生は、多数のセルジューク系国家の乱立に新しい異色のヴァリエーションが加わったことを意味した。アレッポやダマスクス、ハマーなどのシリアの内陸都市はセルジューク系国家の下にあり、沿岸部をおさえた十字軍国家下の沿岸諸都市との間では、交易が活発に行われていた。また、イェルサレム王国と結んだブーリー朝のように、在地の勢力の一部は、敵の敵は味方の原則通り、しばしば十字軍国家とも同盟を結び、戦国の世を生き抜いた。

## ザンギー朝・アイユーブ朝

シリア地域における乱立を収拾し、シリア内陸部の統一を果たしたのはザンギー朝だった。ザンギーはセルジューク朝スルタンの所有したトルコ系奴隷軍人の子で、シリア・セルジューク朝のスルタン、リドワーンの娘婿としてセルジューク家につながっていた。その子ヌール・アッディーンは、父の代に獲得されたアレッポ、ハマーに加えダマスクスを押さえ、沿岸部を除くシリアを統一した。この過程で、第二回十字軍との戦いに勝利し名声を高めた。シリアの支配者となったヌール・アッディーンは、幼少のカリフのもとで混乱していたファーティマ朝の元宰相シャーワルの支援のため、一一六四年に配下のクルド系軍人シールクーフをエジプトに派遣した。シールクーフはシャーワルを再び宰相にし、自らはシリアに戻った。一方、ファーティマ朝の弱体化を利用したイェルサレム王国も、たびたびエジプトへの侵入を試みていた。一一六八年、イェルサレム王国の軍が首都に迫るのを恐れ、シャーワルは自ら古都フスタートに火をつけ同市は灰燼に帰した。この危機に再びエジプトに入ったシールクーフはシャーワルを処刑し、自ら宰相となったが、その死後、その甥のサラーフ・アッディーン(サラディン)が実質的なエジプトの支配者となった。

サラーフ・アッディーンは、穏健な政治家として知られる。エジプトの支配権を得たのちもファーティマ朝のシーア派カリフを温存し、ファーティマ朝の滅亡にはカリフの自然死を待った。また、君主であったザンギー朝のヌール・アッディーンとの対決を徹底的に避け、その死後に段階的にシリア領を獲得、その過程で未亡人と結婚するなどし、やがてエジプトの支配者としてシリアを継承した。父や兄弟、親戚縁者、また配下の軍人の処遇にも腐心し、彼らに適切なイクターを分与することで、支配を安定させた。

サラーフ・アッディーンは、エジプト、イエメン、シリアの領有を確定すると、続いてシリア沿岸部の十字軍国家との戦いに向かった。ここでは、「異教徒へのジハード」が強調された。シリアの諸勢力との抗争を終え、残るライバルがイェルサレム王国など十字軍国家だけになったとき、はじめてジハードが強調された点には注意が必要である。サラーフ・アッディーンは、一一八四年七月にイェルサレム王国のギー王をヒッティーンの戦いで破り、さらに同年一〇月、イェルサレムをイェルサレム王国から奪った。その後も残存する十字軍国家との戦いは続いたが、折々に示された騎士道に則った行動で、ヨーロッパ勢力に対し強い印象を残した。

シリアとエジプトは、ふたたびアイユーブ朝のもとに統合されて統治されることになり、中心地としてのカイロの重要性が増していった。アイユーブ朝は、エジプトをシーア派政権から解放し、イスラム教徒の多数を占めていたスンナ派による統治を復活させた。またウラマーの支持を得るため、多数のモスク、マドラサ、タリーカ(神秘主義教団)の修道場などを建て、それに対し宗教寄進を行った。こうした都市の再建・復興・開発の手法は、続くマムルーク朝に受け継がれる。

サラーフ・アッディーンはクルド系の部族の出身で、一族でまとまってセルジューク朝、ザンギー朝に仕えていた。その部族的伝統を反映し、主要な軍事力としては、スルタンたるサラーフ・アッディーン自身も、またその兄弟や配下の軍人らも、部族的なつながりをもつ自由身分の軍勢をかかえていた。その一方で、サラーフ・アッディーンはトルコ系の奴隷軍人団を編成し、彼の後を継いだ弟やその子らのもとで、奴隷軍人団はさらに増強されていった。遊牧部族の伝統から離れ、エジプトに移ったサラーフ・アッディーン以降のアイユーブ朝の軍人支配者は、やがて都市の住民となると同時に、自身が購入したトルコ系奴隷軍人とともに新たな「家」を形づくった。エジプトやシリアでは有力な軍人の「家」が、セルジューク系国家が基礎にしていた遊牧部族にかわる役割を果たし、続くマムルーク朝はそこから生まれた。

## 八、西アジア(二)——二つの文化圏の成立

ここでは西アジアの一三―一五世紀を扱う。西アジアの一三世紀は、モンゴル軍の西進によって特徴づけられる。この西進は、モンゴル系とトルコ系の多数の遊牧部族民を新たに西アジアにもたらし、イル・ハーン朝がモンゴル帝

国の後継国家のひとつとして西アジアを支配した。モンゴル軍のシリア、エジプトへの拡大はマムルーク朝により防がれたが、モンゴル帝国の開いた東西交易の活性化の恩恵は、むしろエジプト・シリアの覇者となったマムルーク朝が享受することとなる。

マムルーク朝とイル・ハーン朝が覇を争った一三、一四世紀の西アジアで進行したことは、マムルーク朝とイル・ハーン朝の領域にほぼ対応する形で、エジプトを含む西アジアが二つの文化圏に二分され、それぞれの特色が顕著になってきたことである。その一方で、両地域に共通することとして、社会におけるイスラム教の浸透が進んだことがあげられる。

### カイロのマムルーク朝

マムルーク朝は、アイユーブ家のスルタンらが購入・養育・厚遇していた奴隷軍人の集団が、混乱のなかでアイユーブ家のスルタンを殺害し、やがて自分たちの中からスルタンを選出し、その地位を獲得したことで生まれた国である。継続的に新しい奴隷が購入され、その中の有力者によりスルタンの座が継承されたという説明が一般的であったが、本巻五十嵐大介論文に詳しくあるとおり、一三、一四世紀には、カラーウーン朝などと言ってもよいほど、血縁によるスルタン位の世襲がみられた。このため、奴隷として購入された一代限りの身分である「マムルーク」の属性を強調したマムルーク朝という名称を、カイロ王朝といいかえることを提唱する意見もある(Van Steenbergen 2021: 232)。しかし、この時代に、継続的に購入された奴隷軍人が果たした役割が大きかったことは確かである。彼らの多くは、トルコ系のキプチャク人やコーカサス出身のチェルケス人で、ジェノヴァ商人などの手でアラブ社会の外側から定期的に供給された。彼らは、アラブ・イスラム社会に順応し、購入者の「家」の一員として戦場や政治の場で活躍した。新規に購入された奴隷軍人も含め、血縁者・疑似血縁者で形成された有力者の「家」は、職と権益をめぐり、互いに熾烈な争いを繰り返した。

成立直後のマムルーク朝の混乱期に西アジアを襲ったのは、ユーラシア大陸全域で大発展をとげたモンゴル軍であった。バグダードを陥落させたフラグの軍は、続いてアイユーブ家の支配者の残るアレッポ、ダマスクスを落としエジプトに迫ったが、第二代スルタンのクトゥズ率いるマムルーク軍は、バイバルスの活躍などによりアイン・ジャールートでモンゴル軍を退け、エジプトを守った。モンゴル軍が去ったシリアにはマムルーク朝が支配権を確立させた。クトゥズを殺害してスルタン位についたバイバルスは、マムルーク朝初期のもっとも有力なスルタンである。先のアイン・ジャールートの戦いで活躍したほか、引き続きシリア方面への遠征を続け、シリア沿岸部に残る十字軍国家支配下の都市を征服した。これにより、十字軍の残勢力は分散し、わずかに残るのみとなった。

バイバルスの治世の後、エジプト・シリアは長く安定した時代を迎えた。イル・ハーン朝はシリア方面への進出を試みていたが、一三二二年にマムルーク朝との間で和平が結ばれ、イル・ハーン朝のイラン・イラク領有、マムルーク朝のエジプト・シリア領有で両国の関係は一応の安定をみた。奴隷軍人出身のスルタンの中には、軍事指導力だけでなく、統治に優れた人物も多かった。先にあげたバイバルスは、スンナ派四法学派を公認し、スンナ派内の安定に寄与した。また、三度にわたり即位し五〇年間スルタンの地位にあったナースィルは、エジプトとシリアで検地を行い、煩雑化していたイクターの分与の在り方をそれに基づき整理し、軍人たちに徴税権をもつ「村の長」としての役割を期待した。ナイル川の季節的な増水を利用したエジプトの農業は、灌漑の管理により高い生産力を誇った。イクターを得た軍人らは、カイロに住みつつ、代理人を通じて自身のイクターのある村とその灌漑を管理し、「村の長」として生産力向上に努めた。

こうした安定をうけ、カイロは経済的にも東地中海世界随一の繁栄を誇った。地中海や黒海の交易をになうイタリア諸都市の商人らは、カイロやアレクサンドリアに商館を構え、東方の産品をこれらの都市から西ヨーロッパにもたらした。

## マムルーク朝下のシリア・エジプト社会

安定した時代が訪れると、それまで「外敵からイスラム教徒を守る」という大義名分があった外来の軍人支配者は、より日常的なレベルで「保護者」たる姿勢を見せる必要に迫られた。軍人たちは、アラブ出身のウラマーや官僚をより重用し、ウラマーや官僚の側も特定の軍人の保護下に入り、自身の職を子弟に継承させることなどを通じて、社会的な地位を安定させた。

その手段として使われたのがワクフ制度であった。本巻三浦徹論文にあるとおり、マムルーク朝の有力なマムルーク軍人らは、セルジューク朝以来のモスクやマドラサにタリーカの修道場を加えた宗教施設を多数建設し、さらに多くの場合、そこには自らの墓廟を併設した。大規模なワクフ宗教施設は、多くのウラマーに職や給金を提供したほか、後進のウラマーを育成する機能を果たした。これは、軍人支配者の正当性を保証する方策であると同時に、彼らの私的な欲求を満たすものでもあった。すなわち、自身の墓やワクフ収入の一部を自身の死後、一族に残し、それにより一族の絆の保持を図った。

保護される一方で、外来の軍人らに「ものをいう」ウラマーら文人の存在は、この時代のシリア・エジプトの特徴でもある。イスラム諸学を修めたウラマーは、筆の力で軍人たちに正しい統治を説き、また文学や評論の分野などで文人として才能を発揮した。そうした中には、チュニス出身のイブン・ハルドゥーンのように、政府の要職を占めた者もいる。彼の史書の序文『歴史序説』は単独で広く参照された。カイロ出身でイブン・ハルドゥーンの教えを受け、官僚でもあったマクリーズィーは、その一五世紀の著作で、飢饉や物価高の原因を探求し、為政者に公正な統治を求めた。

## モンゴル軍の遠征とイル・ハーン朝

一方、マムルーク朝と同時代のイラン・イラクは、イル・ハーン朝の支配下におかれたが、それに先立ってイランを支配したのはセルジューク朝を滅ぼしたホラズム・シャー朝だった。ホラズム・シャー朝は、アラル海にそそぐアム川下流域のホラズム地方の王朝である。もともとセルジューク朝から送られた奴隷軍人を祖とし、長くセルジューク朝の支配下にあったが、セルジューク朝スルタンのサンジャルと対立し、独自の路線を進んだ。一一八九年、ホラズム・シャーのテキシュはスルタンを名乗り、セルジューク朝を滅ぼした。その地位は、アッバース朝のカリフによっても承認された。

しかし、テキシュの子の時代になると、配下の軍人がチンギス・ハーンの使節を殺害し、これがモンゴル軍の西方遠征を招いた。チンギス・ハーンは一二二一年、自ら軍を率い中央アジアやホラーサーン地方の主要都市を徹底的に破壊した。その後もモンゴル軍の波はたびたび西アジアを襲い、ホラズム・シャー国の末裔を殺害したほか、アナトリアでルーム・セルジューク朝をモンゴル帝国に臣属させた。こうした前哨戦に続き、最終的に西アジアの運命を決したのは、モンゴル帝国内の継承戦略のなかで、チンギス・ハーンの孫にあたるフラグが西アジア方面を受け継ぐことになり、西征を再開したことであった。フラグの率いる軍は、まずニザール派の拠点アラムートを落とし(一二五六年)、続いてバグダードを包囲・征服し、アッバース朝のカリフ一族を処刑した。これにより五〇〇年間存続したアッバース朝は滅亡し、カリフの末裔はカイロに逃れたとされる。さらに西方のマムルーク朝とはたびたび交戦するが勝利には至らず、一三二二年に和平が結ばれ両者の境界が定まったことは前述のとおりである。また、北方ではアゼルバイジャンなどをめぐり、同族のジョチ・ウルス(キプチャク・ハーン国)と争った。

こうしてフラグが開いたイル・ハーン朝は、西アジアの王朝としての道を歩みはじめたが、その成功は在地のイラン系官人の協力によるところが大きい。その意味でイル・ハーン朝は、在地のイラン系官人を重用するセルジューク朝以来の遊牧部族支配の手法を引き継いでいた。フラグはジュヴァイニー兄弟をはじめとする有能な官僚を活用し、イランを中心とする地域の国家としての基礎を固めた。

とはいえ、イル・ハーン朝の政治が安定するのは、一二九五年に即位した第七代のガザン・ハーンの時代である。それまでは、遊牧部族支配者に特有の部族内部の紛争や経済的な失政から混乱が続いた。モンゴル帝国の後継国家がユーラシアの各地で在地化するなか、イラン地域のガザン・ハーンはイスラム教に改宗し、政権の主要な構成員らもそれに続いた。それ以前から宗教的には寛容な対応をしてきたイル・ハーン朝であったが、ガザン・ハーンによる改宗は、イル・ハーン朝支配者と現地社会との融合をもたらした。

ガザン・ハーンのもう一つの注目される政策はイクター制の復活であった。西アジアの伝統的な制度となっていたイクター制による封土の授受をモンゴルの部族構成員に対して行い、これにより部族内の権力構造においてハーンへの求心力を高めた。これもイル・ハーン朝の西アジア定着の現れである。こうしてガザンとその弟ウルジェイトゥの時代にイル・ハーン朝は最盛期を迎える。しかし、一四世紀の中頃になると内紛が続き、同世紀後半にはモンゴル系やトルコ系の部族勢力による小王朝が各地に分立した。

### ペルシア語文化圏の成長

イル・ハーン朝が支配したイラン、イラク、アナトリア、アフガニスタンに及ぶ地域では、この時代、ペルシア語による文芸活動が活性化し、その通用範囲はモンゴル帝国の広がりによりユーラシアの東部にまで及んだ。さらに、ペルシア語叙事詩の代表的作品『王書』(シャー・ナーメ)などの世界観を反映し、イル・ハーン朝時代には、モンゴル的価値観やイスラム的価値観と並び、イスラム教受容以前にさかのぼる「イラン」意識も伸長したといわれる(大塚 二〇一七)。

そもそもアラブ遊牧軍の大征服に伴うアラビア語の拡大を受け、二世紀にわたり後世に伝わる痕跡を残さなかったペルシア語は、九世紀以後、多数のアラビア語の語彙とアラビア文字を受けいれた言語として復活する。そして、一〇世紀のサーマーン朝のもとで文芸作品の産出がはじまり、さらに一一世紀以後はセルジューク朝をはじめとする諸トルコ系遊牧部族国家において、行政の言語としてペルシア語が用いられるようになった(森本 二〇〇九)。そしてイル・ハーン朝の時代になると、サアディー、ルーミー、ハーフィズのような詩人が優れたペルシア語文学を生み出した。また、ラシード・アッディーン『集史』などのペルシア語歴史書も、以後、広く参照される作品となった。こうしたペルシア語文化の興隆はモンゴル支配層に仕えるイラン系書記層の自己主張の現れでもあった。イル・ハーン朝の時代はペルシア語文化の完成期になり、その領域が、概ね、これらの文化を教養の基礎とするペルシア語文化圏となった。また、行政の分野では、この時期にイラン式の簿記術が確立し、それはペルシア語文化圏の諸国家群において広く用いられた(高松 二〇一一)。

イル・ハーン朝のもとでは、元朝との交流をはじめ、陸海両方での東西交易が活発化した。東アジアからの工人の渡来もあったとみられ、それは細密画(ミニアチュール)や陶器製造など、東アジアの影響を受けた芸術の発展を促した。それらは、ペルシア語文化圏の趣向として定着し、当該文化圏に含まれ各地でそれぞれの発達をとげた。

## イスラム信仰の社会への浸透

このように、ペルシア語文化圏が西アジアのなかで「自立」するなか、そこに含まれないアラビア語文化圏の人々との間に、教養の文化的背景に違いが生まれ、結果として西アジアの東西に二つの文化の流れが生まれることになった。その一方で、民衆のレベルでは東西で共通する現象がみられた。それはこの時期に、それ以前の時代から始まっていたイスラム教の社会への浸透が、より顕著な形で進んだ点である。そこで大きな役割をはたしたのは、聖者信仰や様々な聖者を核としたタリーカの興隆である。これらはいずれも、スーフィズム(イスラム神秘主義)と密接に結びついたものである。「神への愛」を求めるスーフィズムは、一一世紀末にガザーリーなどにより「信仰の基礎」として理論化され、イスラム信仰の中に位置づけられるようになるが、一二世紀以後、民間信仰的要素を内包するものとして、広く社会に広がった。民間信仰的要素は、具体的には聖者への信仰がその中心を占める。イスラム教に結びつけられた聖者らは、人々の願いを神へとりなすものとして各地で敬愛され、その墓は参詣の対象となった(大稔 二〇一八)。聖者の起源や出自はさまざまで、預言者の子孫や有力な修行者、ウラマー、軍人、あるいは市井の敬虔な人物であった。すでに墓所に眠る聖者のうちには、イスラム教以前に起源をもつ例も多い。タリーカの多くは、そうした聖者的な人物により創始され、タリーカ内の敬虔な修行者の中からも、聖者とされる人物を輩出した。こうしたわかりやすい信仰の形態は、当時の人々をイスラム教に近づけたに違いない。

最初のタリーカは一二世紀にバグダードで生まれたカーディリー教団とされるが、その後、リファーイー教団、ナクシュバンディー教団などが生まれ、一三世紀には、エジプトのアフメディー教団、アナトリアのメヴレヴィー教団やベクタシー教団、イランのハイダリー教団など、地方的な教団が生まれ、それらは分派を生みながら拡大した。イスラム教徒の都市民の多くはこうしたタリーカに属したといわれる。タリーカの修道場(ハーンカー、ザーウィヤ、テッケ)は、階層をこえた人々の集会場ともなり、軍人や政治家、職人や商人、また男女いずれもが、その構成員となっていた。聖者の生誕祭や教団固有の儀式への参加は、タリーカに属す人々を緩やかに結び付けた。

一方、イスラム教に関する知識も大衆化していく。カイロの例では、バクリーの著した、物語的でわかりやすい「ムハンマド伝」が人気を呼び、街中で音楽付きで演じられていたという(Shoshan 1993)。アナトリアでも、このバクリーの著作の系譜に連なるトルコ語の「ムハンマド伝」がスレイマン・チェレビーにより著された。ムハンマドの誕生、誕生時の吉兆、その奇跡、姿かたち、教えや教訓、死などを、わかりやすい詩でつづる「ムハンマド伝」は、生誕祭やその他の行事で人々の前で詠まれ、信仰を民衆に近づけた。

また、一四世紀のカイロでは、預言者ムハンマドの言行の伝承(ハディース)の朗読を聴く場が軍人らを含む都市民の間で大盛況であった。朗読の会は、モスクやマドラサ、修道場、広場、さらには個人の邸宅で行われた。またマドラサでのハディースの学びは都市民に広く開かれ、コーラン(クルアーン)やハディースの詠唱が聴けるように、マドラサの窓は開け放たれていたという。そこには女性の参加もあった。ハディース学の知識を得た女性がハディースを伝える側に回る例もみられた(Berkey 1992: 155-160, 175-181)。

こうした、ある種の娯楽性・祝祭性を伴った宗教の実践は、イスラム的知識の大衆化ともいえる現象である。草の根のイスラム化が社会全体で進捗し、これにより、イスラム教徒の支配者が統治していた地域が、徐々に社会のレベルで「イスラム教徒の世界」になっていったといえよう。

こうした中で、エジプトでは、おそらくイスラム教徒と非イスラム教徒の人口比が、前者がマジョリティになる変化が起きたといわれる(Petry 2022: Chapter 7)。同時にそれは、非イスラム教徒に対する圧力の強化をも意味していた。エジプトのキリスト教徒であるコプト教徒は、この時期に大きく減少したとみられている(本巻辻明日香論文参照)。

## 一五世紀、近世への胎動

一五世紀の西アジアは、一六世紀に大帝国となるオスマン朝とサファヴィー朝の拡大を前に停滞期と認識されることが多いが、実は、各地で近世の集権体制につながる動きが起きていた。それは、セルジューク朝以来、西アジアで続いてきた遊牧部族や有力な軍人の「家」による統治から、集権的な制度による統治への移行の始まりであり、やがて両帝国による安定した長期支配につながった。しかし、その展開には地域差が大きく、各地の軍人勢力は引き続き覇を争い、連続する抗争により集権体制への歩みは押しとどめられた。

一五世紀は、ティムール軍の西征により幕をあける。その波は、西アジアを覆い、イラン・中央アジア・東部アナトリアはティムール朝の支配下に入った。しかしティムールの死後、後継争いで帝国は混乱し、ティムール朝の支配はサマルカンドやヘラートなどの中央アジア・ホラーサーン方面に後退し、東アナトリアからアゼルバイジャン、イランに至る地域は、ティムール朝と争い自立したカラコユンル朝、続いてアクコユンル朝の支配下に置かれた。アクコユンル朝の君主ウズン・ハサンは、一四六七年にカラコユンル朝のジャハーン・シャーを殺害し、さらに一四六九年にティムール朝のアブー・サイードを破り、東アナトリアからアゼルバイジャン、イランにいたる地域を支配した。そしてさらに西方への拡大をめざしたが、一四七三年の三月にマムルーク朝、八月にオスマン朝に相次いで敗れ、後退した。しかし、その後も一六世紀初頭にサファヴィー朝に敗れるまでの間、アクコユンル朝はイラン高原からアナトリアに至る地域の大国としての地位を保った。

ティムール朝、カラコユンル朝、アクコユンル朝はいずれもモンゴル系・トルコ系の遊牧部族の力によって形成された国家であり、それゆえ部族内の主導権争いが国家の趨勢を決めた。しかし、一五世紀後半のアクコユンル朝にはそれとは異なる動きも見られた。ウズン・ハサンは、部族の論理ではなくイスラム法を利用し、君主を頂点とする統治を目指し、徴税や商取引などに関する詳細な法を定めた。それは「ハサン王の法」として、アクコユンル朝領を引き継いだオスマン朝とサファヴィー朝において継承された。さらには、オスマン朝の宮廷で長く人質として暮らしたのち、アクコユンル朝で即位したアフマドは、一四九二年、部族リーダーの特権を奪うなどし、オスマン式の集権的な統治手法を導入しようとした。これは、部族勢力の反対により失敗するが、遊牧部族国家の要素が強いアクコユンル朝においてさえ隣接するオスマン朝にならった施策が試みられ、集権に向けての変化の一歩が踏みだされていた点は注目される。

一方、マムルーク朝もティムールの西アジアへの遠征を契機に変化を経験する。ティムールの軍はマムルーク朝下のダマスクスを獲得し、多大な金品と捕虜を得てシリアを後にした。この敗北を機にマムルーク朝内で一〇年に及ぶ混乱が続き、それを脱したのちのマムルーク朝は次の点で変容したと指摘されている(Van Steenbergen, Wing and D'hulster 2016)。第一に、それまでの世襲による王朝的な王位相続が放棄され、奴隷軍人出身であることを条件に、能力により後継スルタンが決まるという現象が顕著になる。本巻五十嵐大介論文にあるとおり、マムルーク朝のいわゆる「マムルーク化」は一五世紀に完成した。第二には、その変化の理由として、支配体制の制度化があげられる。一五世紀のマムルーク朝は、スルタン位も含め資格と能力に応じて職が分配され、職権を得たものがそれに付随する権益を得る体制に移行した。

このような解釈には、今後の検証を待つ点も多いが(五十嵐 二〇二〇)、ペストによる人口減や社会的混乱を経たマムルーク朝が、一五世紀を通じて西アジア地域最強の勢力であり続けた要因として、マムルーク体制の制度化、官僚化があるとする見方は、これまでの漠然とした一五世紀の衰退イメージを覆すものである。これは、やがてオスマン朝支配体制に引き継がれる。この時代にエジプト・シリアで横行したとされる賄賂や搾取も、公権力が及ぶ範囲の拡大から説明される。官職者が自らの経済的基盤を整える一環として、かつてイクター地であった農地の私有化やワクフ地化も拡大した(五十嵐 二〇一一)。

軍人らがシステムとしての国家のトップであるスルタンの位を実力で争ったこの時代、ウラマーや官人らが担う書記的業務にも飛躍的な進展がみられた。たとえば、地中海交易の港湾管理については堀井優(堀井 二〇二二)が、またナイル川の灌漑の管理行政については熊倉和歌子(熊倉 二〇一九)が、その詳細を明らかにしている。ここからは軍人支配層の官僚化と並んで、文書行政にあたる在地出身のウラマーや書記層が一層充実しつつあったことがうかがえる。

一方で、一五世紀のマムルーク朝社会では、体制の制度化の裏側で伝統的な軍人・ウラマー・市民(都市民)の階層的な役割分担が緩み、軍人やウラマーなどの有力者が私的な党派(ジャマーア)をつくり、官職や徴税の権利をめぐって争う状況が現出した(Miura 2015)。これに対し、民衆はしばしば反乱を起こし抵抗した。カイロでは物価高や飢饉に対し、ダマスクスでは徴税の強化に対し、街区をあげての大きな反乱が発生し、ズールと呼ばれる都市の「ならず者」が暗躍した。そのような際に持ち出されたのは、イスラム的な価値観で説明される「正義」と「不正」の概念であり、人々は投石により意思表示をした(長谷部 一九九九)。イスラム的な価値観で支配者を見極める都市民が成長したことも、アラブ社会が一六世紀以後に、正当性を問いつつオスマン支配を受け入れる素地となった。

## 九、バルカン・アナトリア——ビザンツ帝国からオスマン朝へ

### トルコ系遊牧部族のアナトリア進出とビザンツ帝国

一一世紀、一二世紀のバルカン・アナトリアでは、ビザンツ帝国による統一した支配が各地でゆらいだ。ノルマン軍に敗れイタリア半島の最後の拠点を失ったほか、北ではペチェネグ人の、東ではトルコ系遊牧部族の進出が続いたためである。特にアナトリアは、ビザンツ皇帝ロマノス四世が捕虜となった一〇七一年のマラズギルトの戦いを経て、セルジューク朝の分家ルーム・セルジューク朝が旧ビザンツ領の上に成長した。こうした状況に対し、ビザンツ帝国では、若いアレクシオス一世が皇位を奪取してコムネノス朝を開始し、「戦う皇帝」として帝国の威信の維持に腐心した。彼はアナトリアの大半は失ったものの、一〇八〇年代には、バルカン北西部でノルマン軍と戦い、この地域の領有を守った。しかしコムネノス朝期のビザンツ帝国では、コムネノス一門という貴族集団への集中が進み、彼らと地方や属州の在地貴族層の間には、断絶が生まれていた(根津 二〇一二)。これが、やがてセルビアやブルガリアなどの離反の動きにつながったが、皇帝は、外交戦術と戦場でのイニシアティヴで帝国の権威を守っていた。

アナトリアにおけるルーム・セルジューク朝の成立は、北メソポタミアや北シリアを境域として維持されてきたビザンツ帝国とイスラム諸国家の勢力範囲を一気に変えるものであったが、これは、中央アジアからイランに西進したトルコ系遊牧部族が、遊牧に適した高原を、イラン・イラクを越え西に求めた結果でもあった。当初はニカイアまで進み、ここを都とした。一一世紀末にわかにヨーロッパ連合騎士軍の襲来を受け、ここを退くが、その後はイコニオン(現コンヤ)を首都とし繁栄した。

その後、ルーム・セルジューク朝とビザンツ帝国は、ながく「共存」した。時に戦場で交わることもあったが、ビザンツ帝国とルーム・セルジューク朝の宮廷の間には、人質政策や敗者の保護を通じて頻繁な人的交換があり、互いをよく知る存在だったためである。そもそもビザンツ軍の軍隊には、多様なトルコ人部隊が参加していた。さきのアレクシオス一世のノルマン軍との戦いでは、ルーム・セルジューク朝はビザンツ帝国に援軍を送っている。ペルシア語文化圏の伝統に学んだルーム・セルジューク朝王家の風習は、ビザンツ宮廷にも影響を与えたといわれる。

この時期のアナトリアで起きたことは、「(トルコ人の侵入による)民族と宗教の交代」ではなかった。これを、「ビザンツ帝国の衰退やトルコ系遊牧民の勝利としてみるべきではなく、実際には、両者の領域がうまく相互作用することが変化の原動力となった」という近年の研究の指摘はこの点を強調している(Beihammer 2017: 394)。トルコ系遊牧民と定住ギリシア系農民の間には、略奪もあったが、時間をかけ農地と牧地の住み分けが成立した。アナトリアでの変化は、ギリシア人からトルコ人へ、キリスト教からイスラム教へといった単純な変化ではなく、両者の混ざり合った社会の形成へのプロセスだった。

ところで、一二世紀のビザンツ帝国は、商業的な特権をヴェネツィアなどイタリア諸都市に与え、両者の政治的、外交的な関係は複雑に入り組んでいた。ヴェネツィアはビザンツ皇帝の選出に関与し、その際の契約が実現しないことを口実に、第四次十字軍によりコンスタンティノープルを奪った。ビザンツ帝国は存亡の危機に直面し、在地貴族を中心にトレビゾンドやニカイア、テッサロニケなどに亡命国家をつくり、その命脈をかろうじて保った。コンスタンティノープルにはラテン王国が成立するものの、ブルガリア軍に敗れるなどし、短命に終わった。

## オスマン朝の成立と拡大

ビザンツ帝国は一二六一年にコンスタンティノープルに復活し、パライオロゴス朝がビザンツ帝国の滅亡までの約二〇〇年を治めた。しかし、内憂外患であった。まず、アナトリアではルーム・セルジューク朝の弱体化により状況が一変し、バルカンではアルバニア、ブルガリア、セルビアなどで自立が加速したことで帝国領は縮小した。帝国内では、事態の打開に向けローマ教皇やイタリア諸都市の支援を得るための「東西教会合同」が議論されたが、皇帝と聖職者の間の対立を招き、そこに皇位をめぐる争いが加わり内紛が繰り返された。

アナトリアの状況の変化は、一三世紀中ごろのモンゴル軍の西進によるものだった。ルーム・セルジューク朝は、モンゴル軍の前に一二四三年のキョセ・ダーの戦いに敗れて、その支配下にはいった。以後一四世紀初頭までルーム・セルジューク朝の命脈は保たれたが、実権はイラン・イラクを支配したイル・ハーン朝が握っていた。混乱のなかで、幾人かのスルタンはビザンツ帝国に亡命している。アナトリアには、モンゴル系・トルコ系遊牧民が、多数の馬や羊とともに新たに流入し、ルーム・セルジューク朝下の社会は混乱した。この時の東からの人口流入は、セルジューク朝が西進した一一世紀を上回るものだったといわれる。牧地をめぐるせめぎあいが起こり、夏営地・冬営地の再構成が起きたと推定される。こうした混乱は、ルーム・セルジューク朝の不安定化をもたらした。

ルーム・セルジューク朝が弱体化すると、アナトリアの中央や東部にはカラマン侯国をはじめとする有力なトルコ系遊牧部族国家が成立し、より「辺境」の西アナトリアではさらに小さな集団が群雄割拠した。アナトリアへはモンゴル支配から逃れたイラン地域のウラマーやタリーカのメンバーも多く流入した。ルーミーのように、アナトリアへの移動後に有力なタリーカを形成するものもあった（メヴレヴィー教団）。ルーミーは、中央アナトリアのコンヤで活動し、ペルシア語でスーフィズムの宗教詩「精神的マスナヴィー」を著したことで知られるが、同地のキリスト教徒、ユダヤ教徒とも深い親交があったとされる。スーフィズムは、その実践でイスラム教とキリスト教を結びつける役割も果たした（Vyronis 1986）。

そうした群雄割拠のなかで大きく成長したのはオスマンを始祖とする集団である。彼らは、アナトリアの最も西部に位置し、ビザンツ帝国と接していた。このため、ビザンツ帝国の諸勢力に傭兵を提供したり、ビザンツ軍団に起源をもつキリスト教徒の軍事集団を吸収するなどし、他の集団に比べ、より混成度が高かった。オスマン自身は、そもそも有力な部族の出身ではなく、トルコ系オグズ族のカユ氏族、ないしはギュン氏族出身とするその血筋の主張は後世に作りだされたものに違いない（小笠原 二〇一四）。

オスマン朝の成長をめぐっては、聖戦（ガザー）を旗印に、トルコ系騎士らがキリスト教世界に向け拡大を支えたという理解が否定されて、すでに久しい。聖戦と呼ばれたものは、実は略奪戦に他ならず、そこにはイスラム教徒、キリスト教徒の別なく参加した。宗教・言語・出自の点で多様な集団間の結びつきのなかで、オスマンとその一族を首領とする新しい軍団が生まれ、時機を得て成長したという理解が定着している。多様な集団のなかには、辺境で活躍したタリーカに属す集団も含まれ、オスマン家も彼らと深いつながりをもった。ただし、こうした性格をもっていたのはオスマン集団だけではなかったろう。オスマン朝のみが勝ち残ったことに関しては、「結局のところ、〔ビザンツ帝国に一番近かった〕地政学的な状況が決めたという説明しか見あたらない」というエメジェンの結論を、現時点では受け入れざるを得ない（Emecen 2012: 55）。

実際、オスマン朝が爆発的に拡大するのは、一三五二年にビザンツ皇帝の求めに応じ、その軍がアナトリア側からバルカン側に進出した後だった。バルカン側での発展を支えたのは、エヴレノス家、ミハル家など、オスマン家と協働しオスマン軍団を形成したキリスト教徒を中心とする軍事集団であった。

一四世紀前半のバルカンは、ブルガリアやセルビアの王侯貴族を中心に、各地の諸侯が群雄割拠する状況にあり、さらにそこにトルコ系のノガイ族やアナトリアやヨーロッパからの傭兵軍団が展開していた。こうした中に、ビザンツ皇帝の傭兵軍団として参加したオスマン軍は、まもなくトラキア地方に拠点を築き、バルカン諸侯の争いに加わった。この頃、急成長を遂げていたのはセルビア王国だった。一三三一年に即位したステファン・ドゥシャンは、アルバニアとマケドニアを併合し、さらにブルガリア王国を臣属させ、バルカン半島の大半を支配下に入れていた。しかし、一三五五年にドゥシャン王が死ぬと、王国は分解に向かう。セルビア王国の後退はオスマン朝に幸いした。まもなくアドリアノープル(現エディルネ)を獲得したオスマン朝のムラト一世は、ここを首都に定めて出陣拠点とし、一三七一年にはブルガリアやセルビアの一部の地域で在地勢力を破り、彼らを臣属させてその軍を自身の軍に加えた。一三八七年にはテッサロニケを征服、一三八九年にはコソヴォでセルビアとボスニアの連合軍に勝利した。

このように、オスマン朝は、アドリアノープルやディメトカ(ディディモティホ、現ギリシャ)を中核にまずはバルカン側で成長した。アナトリア中央部の諸侯国がライバルとしてより強力であったこと、多様な軍事集団が群雄割拠するバルカンの旧ビザンツ領が、オスマン朝の故地、西部アナトリアと同質の社会であったことなどがその背景にあり、ビザンツ帝国の後退により分断されてきたバルカン・アナトリアが、オスマン軍の移動により久方ぶりに一体化したともいえるだろう。このバルカンでの拡大の過程で、アナトリアから渡ったトルコ系の騎士(スィパーヒー)と同様に、バルカンの旧支配層の一部も騎士としてオスマン支配層に組み込まれた。

こうした過程でビザンツ帝国の諸制度がどれだけオスマン朝に引き継がれたかは、依然不明な点が多いが、ビザンツ的な皇帝観がオスマン朝のスルタンの役割を、それまでの西アジアの諸王朝のものよりはるかに強固なものにしたことは見てとれる。一四世紀後半のバヤズィト一世は、すでにバルカン地域の王として、皇帝のごとく振る舞っていた。王のもとに束ねられた軍や官僚組織の集権性もそこに由来する。

その一方で、オスマン朝の初期から、史書や政治論などにみられる政治思想の面では、ペルシア語文化圏の伝統が導入された。また、一四世紀後半から始まったとみられる征服地の徴税調査の際に作成された帳簿の書式はイラン式だった。その事実はイル・ハーン朝治下などからの文人の流入を想起させる。オスマン勢力は、トルコ系と在地勢力の合体した軍事力とビザンツ的集権の伝統、さらにイラン式統治技術をあわせもつ集団として、地域で優位に立った。

## オスマン朝の集権体制

続く一五世紀は、すでにバルカン・アナトリアの大国となっていたオスマン朝の突然の解体で幕をあける。バヤズィト一世は一四世紀末にアナトリアの諸侯国の多くを武力で併合し、続いてコンスタンティノープルの包囲を開始したが、その直後に東方から現れたのがティムールの軍だった。放逐されていたアナトリアの諸侯国の君主の多くは、東方から現れたティムールの軍に加わり、一四〇二年のアンカラの戦いでオスマン朝を破った。敗れたバヤズィト一世は囚われの身となり、間もなく死去する。オスマン朝は解体し、各地で旧勢力が復活すると同時に、バヤズィト一世の子らがバルカン各地を舞台に継承権を争う戦国時代に入った。しかし、一〇年の抗争をへてメフメト一世により王朝は復活し、さらにその子、ムラト二世のもとで旧領を再征服するとともに、支配地での徴税調査をはじめとする集権的な施策を再開した。

ムラト二世の子が、コンスタンティノープルの征服者メフメト二世である。すでにビザンツ帝国はコンスタンティノープル一都市といくつかの飛び地に限られていた。コンスタンティノープルは五四日の攻防の末に陥落し、最後のビザンツ皇帝コンスタンティノス一一世は戦いの中で命を落としたとされる。こうした帝都の主の交代は世界史的な大事件であったが、突然の事件ではないことはいうまでもなく、バルカン、アナトリアでおきたビザンツ帝国領のオスマン朝による吸収という歴史過程の最終局面だった。こののちコンスタンティノープル（＝イスタンブル）はバルカンとアナトリアにまたがるオスマン朝の中心点として再興され、カイロと並ぶ大都市へと発展する。再興にあたってメフメト二世は、オスマン領の各地や旧ビザンツ領の新征服地から、イスラム教徒、キリスト教徒、ユダヤ教徒を問わず、富裕な商人や技術をもった職人のイスタンブルへの移住を促した。帝国の縮図としての帝都の再生を意識した政策だった。

一五世紀の後半のオスマン朝は、メフメト二世の積極策により東地中海世界の大国に成長する。特に黒海方面への進出は顕著で、黒海沿岸に点在していたジェノヴァの植民都市を一掃したのち、ビザンツ・コムネノス朝の系譜をひくトレビゾンド王国を征服、さらにクリミア・ハーン国を併合することで、黒海を「オスマンの海」に組み込んだ。これは、イランや中央アジア経由の貿易で利益を得ていたイタリア諸都市に大きな打撃となった。

バルカンでは、ボスニア、セルビア、アルバニアの多くの地域が、この時期にオスマン領に組み込まれた。オスマン朝が、地域の君主・諸侯を残したまま貢納や従軍を課す臣属から、君主・諸侯を放逐しオスマン朝の州県郡制を敷く直接支配への移行を、地域ごとの状況にあわせて慎重に進めたことは、時間をかけた征服プロセスから見て取れる。在地の諸侯を順次取り込んでゆき、勝機とあらばスルタンの親征で決着をつけた。セルビアは、一四五四年と一四五五年のスルタンの遠征や一四五六年のベオグラードをめぐるハンガリーとの攻防を経て、一四五九年に直接支配下に加えられた。そこでは、セルビアの名家出身で同地に人脈をもつオスマン朝大宰相マフムト・パシャが重要な役割を果たした。ペロポネソス半島は一四六〇年に、ボスニアは一四六三年に、またアルバニアの多くは、オスマン軍人から「抵抗の英雄」に転じたイスケンデル公の死後、一四七八年に直接支配化された。しかし、オスマン宮廷で「人質」として過ごしたことのあるワラキア（ルーマニア南部）の王ヴラド三世は、ハンガリーなどの支援を得て激しく抵抗し、自身は放逐されたものの地域が直接支配されることは免れた。

中央アナトリアでは、一四六〇年代にジャンダル侯国、カラマン侯国領を併合した。カラマン侯国のピール・アフメトは、オスマン朝・アクコユンル朝・マムルーク朝の対立を利用し自国の存続を図ったが、メフメト二世とマフムト・パシャの前に敗れた。メフメト二世は、中央アナトリアの諸都市から手工業者らをイスタンブルに移住させた。一四七二年には中央アナトリアに侵入するアクコユンル朝のウズン・ハサンをオトゥルクベリの戦いで破り、彼らを東部アナトリアに押し返した。これにより、メフメト二世時代のオスマン朝は、西はドナウ川、東はユーフラテス川までの領有を確保した。

こうした戦勝の背景には、先代以来の集権化の流れをメフメト二世がさらに推し進めたことがある。人材面では、軍人として活躍するトルコ系名家の力を削ぎ、軍人としては、カプクル(スルタンの奴隷)身分出身者を優遇した。その際に「力を削がれた」トルコ系名家の中には、オスマン家自体も含まれる。メフメト二世は即位に際し、幼い弟を殺害し即位に伴う「兄弟殺し」を慣習化させた。こうしてオスマン家の男系は在位するスルタンとその男子のみとし、傍系への拡大を阻止する方策をとった。

カプクルとなるには二つのルートが用意されていた。ひとつは、「デヴシルメ」と呼ばれるバルカン諸地域での常備軍兵士への徴用である。少年時にデヴシルメで採用されたものの多くは教育・訓練を経て火器などの新しい兵器を使う歩兵部隊イェニチェリ団に編入され、スルタン直属の近衛兵として軍の中心をなした。もう一つは、支配地の旧支配層の子弟やデヴシルメ徴用者の中から選抜された男子を宮廷で教育し、スルタン側近の軍人官僚として育成するルートである。これにより、征服地の旧支配層の人材が多数、オスマン朝中央政府に取り込まれた。なかには、そこから逃れ、出身地に戻ってオスマン朝への抵抗を主導した例もあるが(アルバニアのイスケンデル公が代表例)、多くは、オスマン軍人として出世し、オスマン朝による征服・支配の一翼を担った。メフメト二世やバヤズィト二世時代の大宰相のなかには、ビザンツ貴族の出身とみられるルーム・メフメト・パシャやビザンツ皇帝の血縁者とされるメスィフ・パシャ、セルビアの名家出身のマフムト・パシャなどが含まれた。高位高官への旧支配層出身者の登用は、地域の統合を進め、オスマン朝への求心力を高めるものであった。

広汎な支配地においては徴税調査が実施され、それを踏まえたティマール（封土からの徴税権）の授受が行われた。ティマールは主に騎士層に分与されたが、一五世紀の段階では、前述のとおり騎士にはキリスト教徒も多く含まれた。その多くはオスマン朝征服以前の旧支配層である。在地の人材の登用により、それぞれの地域の支配に関する情報もオスマン朝に引き継がれた。ティマールの大半はスルタンの名のもとに個々に授与され、彼らが行う徴税や農民支配は「スルタンの法」（カーヌーン）により規定された。

こうした集権化の動きは、アクコユンル朝やマムルーク朝でもみられたが、オスマン朝スルタンへの求心力は、それらを大きく上回るものであった。それを可能にした「スルタンの力」の源は軍事力であった。メフメト二世がコンスタンティノープルの征服時に、当時最新鋭の大砲を使ったことはよく知られているが、征服後のイスタンブルには帝室大砲鋳造所（トプハーネ・イ・アーミレ）などを設立し、火薬や大砲、鉄砲の生産をすすめた。戦術においても、伝統的な騎馬戦に加え、火器を使う歩兵戦が重要になっていく。こうした最新の軍事力への投資が、孫にあたるセリム一世の対サファヴィー朝・マムルーク朝戦争、曽孫にあたるスレイマン一世の対ハプスブルク戦争を有利に進めさせることになった。

**参考文献**


【一―六節】

アブー＝ルゴド、ジャネット・L（二〇〇一）『ヨーロッパ覇権以前――もうひとつの世界システム』上・下、佐藤次高ほか訳、岩波書店（岩波現代文庫、二〇二二年）。

アブラフィア、デイヴィド(二〇二一)『地中海と人間――原始・古代から現代まで』Ⅰ・Ⅱ、佐藤昇ほか訳、藤原書店。

上田耕造(二〇一四)『ブルボン公とフランス国王――中世後期フランスにおける諸侯と王権』晃洋書房。

金尾健美(二〇一七)『一五世紀ブルゴーニュの財政――財政基盤・通貨政策・管理機構』知泉書館。

河原温(二〇一〇)「ブルゴーニュ公国における地域統合と都市――シャルル・ル・テメレール期の政治文化を中心に」『歴史学研究』八七二号。

佐藤猛(二〇一二)『百年戦争期フランス国制史研究――王権・諸侯国・高等法院』北海道大学出版会。

西洋中世学会編(二〇一六)「特集 ブルゴーニュ公国と宮廷――社会文化史をめぐる位相」『西洋中世研究』八号。

鶴島博和(二〇一五)『バイユーの綴織(タペストリ)を読む――中世のイングランドと環海峡世界』山川出版社。

バートレット、ロバート(二〇〇三)『ヨーロッパの形成――九五〇年―一三五〇年における征服、植民、文化変容』伊藤誓・磯山甚一訳、法政大学出版局。

藤井美男編、ブルゴーニュ公国史研究会著(二〇一六)『ブルゴーニュ国家の形成と変容――権力・制度・文化』九州大学出版会。

ブローデル、フェルナン(二〇〇四)『地中海』全五巻、浜名優美訳、藤原書店。

ホームズ、キャサリン(二〇二〇)「グローバルな中世――問題とテーマ」小澤実訳、『史苑』八〇巻一号。

堀米庸三(一九六七)「ホイジンガの人と作品」、同編『世界の名著55 ホイジンガ 中世の秋』中央公論社。

三佐川亮宏(二〇一三)『ドイツ史の始まり――中世ローマ帝国とドイツ人のエトノス生成』創文社。

三佐川亮宏(二〇二二)「ヨーロッパにおける帝国観念と民族意識――中世ドイツ人のアイデンティティ問題」『岩波講座 世界歴史』第八巻、岩波書店。

ル=ゴフ、ジャック(二〇一四)『ヨーロッパは中世に誕生したのか?』菅沼潤訳、藤原書店。

Christ, Georg, et al. (eds.) (2016), *Transkulturelle Verflechtungen: Mediävistische Perspektiven*, Göttingen, Universitätsverlag Göttingen.

Drews, Wolfram, and Christian Scholl (eds.) (2016), *Transkulturelle Verflechtungsprozesse in der Vormoderne*, Berlin–Boston, De Gruyter.

Holmes, C., and N. Standen (eds.) (2018), *The Global Middle Ages*, Oxford, Oxford University Press.

Moore, Robert I. (2007), *The Formation of a Persecuting Society: Authority and Deviance in Western Europe, 950–1250*, 2nd ed., Oxford, Willey-Blackwell.

Welsch, Wolfgang (1994), "Transkulturalität: Die veränderte Verfassung heutiger Kulturen", *Via Regia: Blätter für internationale kulturelle Kommunikation*, 20.

【七–九節】

五十嵐大介（二〇一一）『中世イスラーム国家の財政と寄進――後期マムルーク朝の研究』刀水書房。

五十嵐大介（二〇二〇）「マムルーク朝政治史と国家論に関する近年の研究動向――ファン・ステーンベルヘンの研究から」『オリエント』六三巻二号。

菟原卓（二〇一一）「ファーティマ朝国家論」『文明研究』東海大学文明学会、二九号。

大塚修（二〇一七）『普遍史の変貌――ペルシア語文化圏における形成と展開』名古屋大学出版会。

大塚修（二〇一九）「セルジューク朝の覇権とイスラーム信仰圏の分岐」千葉敏之編『一一八七年　巨大信仰圏の出現』〈歴史の転換期〉4、山川出版社。

小笠原弘幸（二〇一四）『イスラーム世界における王朝起源論の生成と変容――古典期オスマン帝国の系譜伝承をめぐって』刀水書房。

大稔哲也（二〇一八）『エジプト死者の街と聖墓参詣――ムスリムと非ムスリムのエジプト社会史』山川出版社。

熊倉和歌子（二〇一九）『中世エジプトの土地制度とナイル灌漑』東京大学出版会。

櫻井康人（二〇二〇）『十字軍国家の研究――エルサレム王国の構造』名古屋大学出版会。

高松洋一編（二〇一一）『イラン式簿記術の発展と展開――イラン、マムルーク朝、オスマン朝下で作成された理論書と帳簿』共同利用・共同拠点イスラーム地域研究拠点。

ニザーム・アルムルク（二〇一五）『統治の書』〈イスラーム原典叢書〉、井谷鋼造・稲葉穣訳、岩波書店。

根津由喜夫（二〇一二）『ビザンツ貴族と皇帝政権――コムネノス朝支配体制の成立過程』世界思想社。

長谷部史彦（一九九九）「カイロの穀物価格変動とマムルーク朝政府の対応」歴史学研究会編『ネットワークのなかの地中海』〈地中海世界史〉3、青木書店。

堀井優（二〇二二）『近世東地中海の形成――マムルーク朝・オスマン帝国とヴェネツィア人』名古屋大学出版会。

森本一夫編（二〇〇九）『ペルシア語が結んだ世界――もうひとつのユーラシア史』北海道大学出版会。

Beihammer, Alexander Daniel (2017), *Byzantium and the Emergence of Muslim-Turkish Anatolia, ca. 1040-1130*, London & New York, Routledge.

Berkey, Jonathan (1992), *The Transmission of Knowledge in Medieval Cairo: A Social History of Islamic Education*, Princeton, Princeton University Press.

Chamberlain, Michael (2005), "Military Patronage States and the Political Economy of the Frontier, 1000-1250", Youssef M. Choueiri (ed.), *A Companion to the History of Middle East*, Malden, Mass, Blackwell Publishing.

Emecen, Feridun M. (2012), *İlk Osmanlılar ve Batı Anadolu Beylikler Dünyası*, Istanbul, Kitabevi.

Miura, Toru (2015), *Dynamism in the Urban Society of Damascus: The Salihiyya Quarter from the Twelfth to the Twentieth Centuries*, Leiden & Boston, Brill.

Peacock, A. C. S. (2015), *The Great Seljuk Empire*, Edinburgh, Edinburgh University Press.

Petry, Carl F. (2022), *The Mamluk Sultanate*, Cambridge, Cambridge University Press.

Shoshan, Boaz (1993), *Popular Culture in Medieval Cairo*, Cambridge, Cambridge University Press.

Vryonis, Speros Jr. (1986), *The Decline of Medieval Hellenism in Asia Minor and the Process of Islamization from the Eleventh through the Fifteenth Century*, Berkelay, University of California Press (originally in 1971).

Van Steenbergen, Jo, Patrick Wing and Kristof D'hulster (2016), "The Mamlukization of the Mamluk Sultanate? State Formation and the History of Fifteenth Century Egypt and Syria", *History Compass*, 14-11.

Van Steenbergen, Jo (2021), *A History of the Islamic World, 600-1800*, London & New York, Routledge.

コラム｜*Column*

# セルジューク朝からオスマン朝へ

## ――アナトリアとイスタンブルの刻銘文資料から

井谷鋼造

ここで紹介する石板銘文はセルジューク朝時代[右]とオスマン朝時代[左]のものであり、前者は地中海岸の海港アランヤの海縁に建つ通称クズル・クレ(赤い塔)北面の銘文、後者はイスタンブルの通称トプカプ宮殿の正門バーブ・フマーユーンに掲げられた銘文である。この両者の表現を比較検討することで二つの王朝の歴史的な性格の異同の一端が明らかになると考えられる。まずは両者の日本語訳を挙げてみよう(傍線――は固有名詞、……は形容辞、〰〰は支配者に向けられた讃辞を示す)。

右の銘文「この祝福された塔の建設は、マウラーナー、偉大なスルターン、最大のシャーハンシャーフ、諸民族からなる奴隷たちの所有者、陸と二つの海のスルターン、アラーウッドゥンヤー・ワッディーン・アブルファトフ・カイクバーズ・ブン・カイホスロウ・ビン・クルチ・アルスラーン、信者たちの長の明証――神が彼の権力を永遠とするように――が六二三年ラビーウⅡ月朔日に命じた」

左の銘文「これは、二つの陸のスルターン、二つの海のハーカーン、人とジンの両界における神の影、東西間において神を助ける者、水と泥の英雄、クスタンティーンの城塞の征服者、アブルファトフ・スルターン・ムハンマド＝ハーン・ブン・スルターン・ムラード＝ハーン・ビン・スルターン・ムハンマド＝ハーン――至高なる神が彼の権力を永遠にし、彼の位置を二つの指極星の頂へと高めるように――の命令で、八八三年の祝福されたラマダーン月に、その建設が神の後援と是認の上に基礎を置かれ、その柱石が神の安全と保護の確保によって打ち固められた、祝福された城塞である」

二つの銘文はともにアラビア語で書かれており、ヒジュラ暦で年代が入っているが、前者は西暦一二二六年四月一日、後者は一四七八年一一―一二月に当たり、両者の年代には約二五〇年の隔たりがある。それぞれセルジューク朝のカイクバード(在位一二二〇―三七年)、オスマン朝のメフメト(ムハンマド)二世(在位一四四四―四六年、五一―八一年)に対する銘文で、ともにスルターン(政治権力者)の称号が付されるが、前者は「陸と二つの海のスルターン」、後者は「二つの陸のスルターン」と呼ばれている。これは、セルジューク朝がアナトリアの中央部を南北に縦断し、黒海と地中海につながる領土を獲得し、オスマン朝の領土がヨーロッパ側のルーメリ(バルカン半島側)とアナトリアに跨がっていたことを示すものである。

後者においてはさらに「二つの海のハーカーン」という称号が用いられているが、「二つの海」はメフメト二世がセル

オスマン朝時代の銘文

セルジューク朝時代の銘文

ジューク朝と同様アナトリアを南北に貫く領土を獲得したことを表す。一方、「ハーカーン」とは北アジア史の文脈で鮮卑以来伝統的に使用されてきた由緒ある最高支配者の称号「可汗」に由来する称号であり、セルジューク朝時代にはスルターンが使用することはなかった（セルジューク朝時代には代わりに、右の銘文にもあるが、ペルシア語で王中の王を意味する「シャーハンシャーフ」が併用された）。

オスマン朝の支配者がセルジューク朝時代には全く使用されなかった「ハーカーン」の称号を用いた理由に明確な文献上の証拠はないが、モンゴル支配時代（一四世紀初）に創作され、西アジアの特にテュルク系遊牧民の間に広まっていた空想的なオグズ伝説をオスマン朝が政治的に利用した可能性が高い。また、右の銘文ではスルターンの本名と系譜がそのまま出てくるのに対し、左ではすべて「ハーン」の称号付で出ている。これもやはりオスマン家のスルターンが遊牧社会の君主を意味するハーカーンでもあるという意識の表れであると考えられ、第三代ムラード一世（一三八九年没）以来、オスマン朝君主の正式名は「〜＝ハーン」であった。

なお、右の銘文にある「信者たちの長の明証」という形容辞は、アッバース朝の「ハリーファ」（カリフ）に由来するもので、セルジューク朝時代にはその権威を政治的に利用していたが、一二五八年モンゴル軍の猛攻によりバグダードが陥落しハリーファの一族が殺戮されて以後は、アッバース家の末裔を名目上擁立していたエジプトのマムルーク朝の領域外では用いられなくなった。左の銘文にも当然ない。両者に共通する「アブルファトフ」は「征服の父」を意味するクンヤである。

左の銘文は当時の能書家アリー・ブン・スーフィーの筆跡であることが判明している。この時代以降、見栄えのする流麗で優雅な筆跡の石板銘文がオスマン朝の首都イスタンブルやサファヴィー朝の首都となったイスファハーンの多色タイル銘文などで見られるようになる。それらより遥かに古い右の銘文も作者は不明だが、この時期特有の明瞭で雄勁な筆致で書かれており、セルジューク朝時代の文化水準の高さを物語っている。刻銘文資料研究はその内容解読や検討にとどまらず、銘文が作られた時代背景への想像を羽ばたかせてくれる現物との出会いの機会でもある。

# 問題群 | *Inquiry*

問題群｜*Inquiry*

# 中世ブリテンにおける魚眼的グローバル・ヒストリー論

鶴島博和

## はじめに

本稿の目的は中世ブリテン島における魚と魚の暦を題材にしてグローバル・ヒストリーのモデルを提供することにある。世界を暦や度量衡といった抽象的価値を共有する広域社会とするのであれば、「世界史」はまさに「価値」を時空間の中で切り取る作業と定義できるであろう。それに対してグローバル・ヒストリーは、「モノ」そして人と情報を対象とした「フロー・ネットワーク」を時空間の中で切り取る作業と定義できる。これは人口に膾炙（かいしゃ）するようになったグローバルという言葉が、もともと人、モノ、カネ、情報、サービスの国家的障壁を自由に超える加速的なフローの構築を目指すアメリカの世界戦略から誕生したからである。[1] 叙述の対象は、地域、王国、広域社会、地球世界へと下向し、必要に応じて上向する。

モノとして魚を選んだ理由は、第一に、中世ヨーロッパにおいて、漁労が複合生業から漁業としての原産業へと進化し、人々の空間意識が岸辺から水平線へ、さらにその彼方へと拡大していったことによる。[2] 第二に、魚の活動が環境によって規定された暦（エコサイクル）を持つからである。この暦は人間の生産・流通といった経済活動や戦争といった政治活動にすら時間軸を与えた。空間軸と時間軸を生態系的関係性のなかに導入することで、構造は動態的になる。第三に、中世においてヨーロッパの人口は増大し、教会の指導もあって、その食を魚が支えたという事実にある。食という生存要因を論の「はじめ」に設定して、人間の活動を見通すことができる。いわば「身辺雑事」からのグローバル・ヒストリーへの見通しをたてることが可能となるのではないだろうか。漁労は水辺だけの問題にとどまらない。その食材の獲得や保存と流通のための製塩を始めとする技術とその革新、魚の季節に規定された市場を集合点とする人とモノの動きが、フロー・ネットワークの運動を規定していった。

ここでの中世とは、ローマ帝国西部が最終的に解体した後、東方ギリシア帝国との亀裂を経験しつつ歴史的個性としてのラテン的キリスト教世界＝「ヨーロッパ」が誕生して南の地中海に対する北の海＝「北の地中海」が出現した一一世紀から、ヨーロッパが一六世紀に宗教改革による内部亀裂を伴いながら地球規模で拡大を開始した「長い一六世紀」(ブローデル)までとする。海域とは、「海上交通において特定の型の船(複数も可能)の使用が支配的な生活空間」を意味している。北の海域は、その下に地理的・歴史的＝文化的環境特性を異にする、(英仏)海峡―アイリッシュ海、北海、バルト海、そしてヨーロッパ大西洋(アイスランド―ビスケ湾―イベリア半島沖)の四つの海帯をもち、ブリテン島はその展開軸の位置にあった。北の海域は、一四世紀以降南の地中海と融合しつつ、大航海時代までにはヨーロッパ海域が誕生した。

この海域誕生を船から概観すると、一一世紀までには、甲板(かんぱん)のないキール船と原フルク船というボートが、一二世紀から一三世紀には甲板のあるコグ船とフルク船というシップになり、一四世紀以降にはイベリア半島の技術を導入したナウ船などヨーロッパ共通の船が誕生して、ヨーロッパ海域は成立した、と説明できる。

ブリテン島の展開軸としての位置は、一〇世紀後半以降のイングランドの良質で北ヨーロッパでの規準的通貨ともいえるペニィ銀貨の安定した発行(Tsurushima 2017)と都市だけにとどまらない農村市場の活性化に支えられていた。

国内流通を、海上交通と連動した河川交通と道路や橋のインフラストラクチャが支えた。約一三七の支流も含む河川がかなりの上流まで航行可能であり、その総延長は約三八四〇キロメートル、航行可能な終点から二四キロメートル（筆者が想定する陸路での局地的市場圏の最大範囲）以上離れた地域は多くはなかった。またバラの約九〇％は航行可能な川に隣接し、河川と道路が接続した位置にあった（Edwards 1987）。一四世紀の主要な橋は、一一世紀の終わりまでには既に存在していて相対的に高度な道路網が形成されていた。人々の交通は活発になり、その一般的な移動距離も増大した。水平線だけではなく「地平線の土地の出来事」（the land event horizon）も重要となったのである。

## 一、岸辺の景観――紀元一〇〇〇年頃まで

### 漁労の始まり

ローマ属州時代のブリテンで漁労が知られていなかったわけではない。むしろ活発であった。しかしそれは淡水魚や河口あるいは沿岸の魚が対象であった（Cool 2006）。考古学の発掘から初期アングロ・サクソン定住地で魚の骨は出土せず、魚食が一般的であったとは言い難い。

八世紀になると、人々は海に目を向けていった。南サクソン人の国（後のサセックス）の布教を開始した司教ウィルフリド（六三三頃―七一〇年頃）は、人々に漁労を教えた。

〔飢えに苦しむ人々に〕司教は、漁労によって食料を得ることを教えた。というのも海や川には魚が湧いているのに、鰻をとる事しか知らなかったからである。そこで司教は家人に命じて鰻網を各地から集めて、それを海に投げ入れさせた。彼らは、神の恩寵もあって、すぐさまいろいろな魚三〇〇匹を捕獲した。（Bede EH: iv-13）

王の定住地、修道院、原都市的定住地の遺構における出土物から、社会の階層化の過程で、支配層における魚、そ

れも鱈や鰊などの海の魚の消費が始まったことが確認できる(Barrett et al. 2004 & 2011)。漁労が漁業となるためには防腐剤としての塩が必要である。七四一年、ケント人の王エセルベルフト二世(在位七二五―七六二年)はリミッジの修道院に河口の漁場と近隣の森を与えた(S 24)。英仏海峡に面するリミッジは製塩が可能であったが、そのためには大量の燃料が必要であった。漁労は、網などの道具、造船、そして製塩を支える資材や燃料の供給地である森を必要としていた。環境から価値を切り取る生業は最初から複合的であった。

## 地先領域と海面所領

人は水域のどこまでを権利として領有していたのか。クヌート王(在位一〇一六―三五年)は、干潮時の土地を支配しようとして、干潟に玉座を置くように命じた。しかし、「朕が座しているこの土地が我が物であるように汝も我に属する」と叫んだにもかかわらず、王はずぶ濡れになって砂浜に上がらざるを得なかった(HH: 366-369)。それでも、現在の国土は彼が居座ろうとした低潮海岸線までである。そして現在の国土の地図は、王が引き下がった満潮時の高潮海岸線で描かれている。

低潮海岸線と高潮海岸線間の土地は「浜」として領有権が発生していた。エドワード証聖王(在位一〇四二―六六年)のドーセットへの令状は、王の近従のアークに浜の領有権を譲渡し、彼の所領の一部とした(ASW: 120)。浜の魚や漂流物といった「モノ」(*res*)は、領有権に属した。浜とその地先に流れついた「漂着物(*flotsam*)と漂流物(*jetsam*)」は一一世紀までには、国王財産と法的に観念され、教会や貴族への譲渡の対象となっていたのである。一三世紀、ブラクトンは漂着物と漂流物を鯨、イルカ、チョウザメといった「王の魚」と同じ、国王の権利に属するとした(Bracton: ii, 339)。海岸線から目の前のある所までの水域は、陸地の延長の「地先」として、所領に属していた。所領の権利としての漁場が成立したのである。

地先は明確に規定されていた。一〇二三年にクヌート王がカンタベリ大司教座教会に発給した証書には、満潮時に斧を投げて陸地に届く範囲を通行するボートには、所領水域通行税を課すことができた。一八世紀から一九世紀の大砲着弾点までを領海とした近代初期の領海概念を想起させるこの「所領の領海」(平和領域)は、漂流物の所有権を主張できる干潮時に海に入って竿を伸ばした範囲とほぼ重なる。「領海内」での取得物は、半分は所領保有者である修道院、半分は発見者(取得者)の間で分配された。

クライストチャーチ〔カンタベリ大司教座教会附属修道院〕の修道士の役人は、満潮時に浮かんだボートから小斧を投げて陸地に届く範囲の水域を通過するボートから通行税を受け取ることができる。〔サンドウィッチの〕港に対しては、クライストチャーチの修道士以外はどのような支配も行うことはできない。港を横切るボートや渡しは修道士のものであり、サンドウィッチの港に来るボートの通行税は、それが何であれ、どこから来たものであれ、修道士のものである。港の外に何かがあれば、修道士の権利は、海が干潮の時に、一人の男が〔背の立つ限り海に入っていき〕手に長さ一ポール〔五メートル〕の竿を持ち、それを伸ばして届くところまでの範囲まで及ぶ。〔サネット島との〕海峡の「真ん中」からこちら側で(*ex hac parte medietatis maris*)見つけられ、サンドウィッチにもたらされたもの、それが衣服、網、武器、鉄、金、銀と何であれ、その半分は修道士たちに、残りの半分はそれを見つけた者のものとなる。(S 959; Robertson 1939: no. 82)

「真ん中」という中間線理論(median-line principle)は、対岸が視覚化できなくても仮想空間を設定することで適用され始めていた。ノルウェイの古法は、アイスランドとの仮想中間線より東、すなわちノルウェイ側で死亡した者の財産は国王に属すると明記した。これに対してアイスランドの古法も、中間線の西側を「自らの側」と認識していた(Theutenberg 1984: 481)。

## 海面所領の漁場

セヴァン川は、イングランド西部を流れる大河である。ウェールズとの境でもあるワイ川と合流してブリストル湾に注ぐその右岸に、バース修道院長が保有するタイデナムの荘園があった。荘園史では必ずと言ってよいほど取り上げられる所領でもあるが、紀元一〇〇〇年頃の海面所領における漁労の姿を伝えている。

タイデナムに三〇ハイドがある。そのうち九ハイドは領主直領地(*inlandes*)であり、二一ハイドは「農民」保有者によって占有された土地(*gesettes landes*)である。ストロートは一二ハイドに査定されており、二七のガヴォルランド(*gafollandes*: 地代支払い地)があり、セヴァン川に三〇のプッチャ(*cytweras*; putcher: 籠型梁)が設置されている。ミルトンは五ハイドに査定され、一四のガヴォルランドがあり、セヴァン川に一四の籠型梁が設置され、ワイ川には二つのハックル型仕掛けがある。〔中略〕所領全体で、各々のガヴォルランドから一二ペンスを、また「施し」として四ペンスを支払うことになっている。三〇ハイド内のそれぞれの梁や仕掛けで捕獲された魚は、いずれの種類であっても領主のものである。価値のある貴重な魚、チョウザメ、イルカ、鰊など海の魚はすべて領主のものである。領主が所領に滞在している時は、いかなる者といえども、どのような魚であれ、領主に知らせることなくそれを売って換金してはならない。〔中略〕イネアート(*geneat*)〔とよばれる保有者〕は〔中略〕騎乗し、運搬奉仕を行い、輸送手段を提供し〔中略〕イブール(*gebur*)〔とよばれる保有者〕は〔中略〕一週間に半エーカの〔領主の〕土地を犂耕し、領主の納屋から種を運ぶ。教会税(*cyrcscette*)のために種を一定量自分の納屋からも供給する。プッチャの設置のために四〇本の長い棒か荷車一台分(*foþer*)の短い棒を提供し、三つの潮に対応して八つの「くびき」を設置する(*VIII geocu byld III ebbam*)(S 1555; Robertson 1939: no. 109, 204-7)。＊古英語からすれば、プットとすべきであるが、ここはグロスタシャを含む北西イングランドの方言プッチャを使用した。

タイデナムは、ストロート、ミルトン、キングストン、ビシュトン、ランコウトの五つの部分荘園がそれぞれ領主直

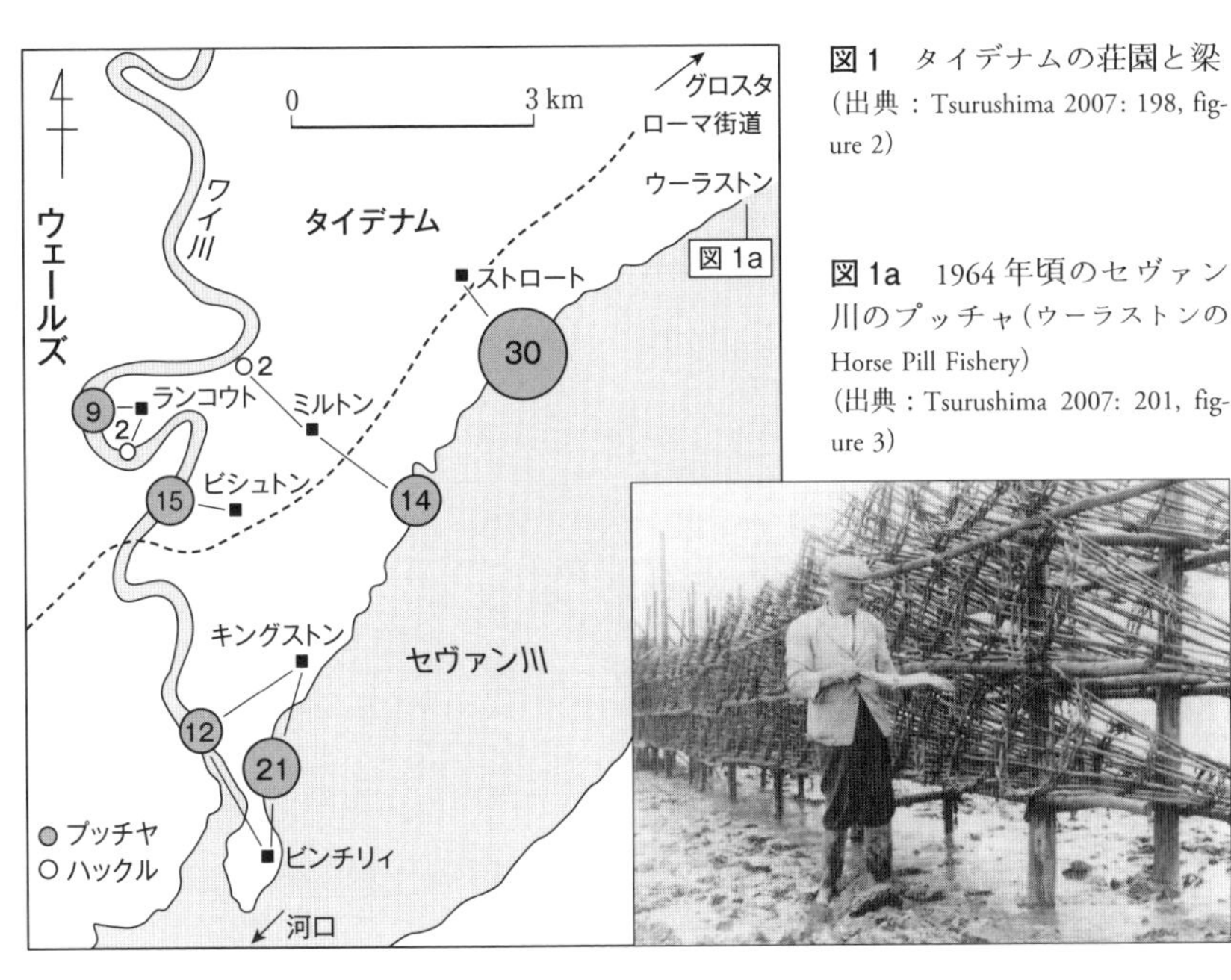


**図1**　タイデナムの荘園と梁
（出典：Tsurushima 2007: 198, figure 2）

**図1a**　1964年頃のセヴァン川のプッチャ（ウーラストンのHorse Pill Fishery）
（出典：Tsurushima 2007: 201, figure 3）

領地と農民保有地からなる古典荘園的構成をとる大荘園である［**図1**］。イネアートとイブールの二種類の住民がいるが、これは身分というよりも領主に対する奉仕による名称であろう。プッチャとよばれる籠型梁とハックルとよばれる仕掛けがあり、前者は鮭、後者は鰻の仕掛けである。後者は鰻の誘導路と引っ掛けあるいは掬いあげの仕掛けと推定される。プッチャは最近まで使用されていて［**図1a**］、柱に縦に三層のくび木状の受けを作り、そこにコーン形の籠を設置して干満差を利用して鮭を捕獲する大規模構造の梁である。「高、中、低の三つの潮に対応」する基本的構造は九〇〇年間変化していない。そして、干潮時に最下段のくび木が露出するところまでが、漁場を設定することができる地先であった。

捕獲したチョウザメ、イルカ、鰊など海の魚は領主のものであったが、その他は領主の許可があれば販売することが許されていた。修道院長が、常時この場所に長期滞在していたとは思えず、かなりの部分が販売に回されたであろう。浜売りと買い付けに来る商人の存在が推定される。現在、セヴァン川の鮭の漁季は二月一日から一〇月七日であり、当時も冬季を除いては漁が行われ、それに伴って人とモノが移動したのである。

北海海帯と海峡海帯東部では大衆魚であった鰊は、ここではチョウザメやイルカとならぶ貴重種であった。バース修道院はこの史料が作成された後にタイデナム荘園をカンタベリ大司教スティガンド（在位一〇五二―七〇年）に、一〇マークの金と二〇ポンドの銀で貸与したが、さらに一マークの金と毎年六頭のイルカと三万匹の鰊(*heringys*)の提供を求めたのである(Robertson 1939: no. 117)。

それではイングランド東部の漁労はどうであったのか。同じく紀元一〇〇〇年頃に書かれた『エルフリックの対話集』(Ælfric)において、漁師が漁の対象魚の説明をしている。オックスフォードシャのエインシャムの修道院長であったエルフリック（九五五―一〇一〇年頃）の経歴からして、テムズ川の話であろう。漁労法は、ボートでの投網、釣り竿、籠漁で、鰻、鮭、キタカマス、マス、ヤツメウナギといった淡水系の魚があがっている。海の魚貝としては、鰊、イルカやチョウザメ、カキやカニ、ムール貝、タマビキ、ザル貝、ヌマガレイ、ロブスタ、鯨があがっていた。ただし、漁師は鯨漁を怖がっていた。川と海の漁師が分かれていたのであろう。捕獲した魚を売りさばく都市市場が機能していて、漁業化の進行が読み取れる。

## 二、水平線への目――一一世紀から一三世紀（紀元一〇〇〇―一三〇〇年）

紀元一〇〇〇年は、漁労における歴史上の一大画期であった。出土する魚骨に占める海水魚、それも鰊や鱈の割合が急増したのである。[3] この時期は、ヨーロッパで温暖化が進み人口が増加したと言われてきた。気候だけからみれば、鰊や鱈といった寒流の魚の捕獲は減退したと予測できるが、事態は逆であった。人口が増加したこと、教会が魚食を奨めたこと、浮網などの技術的進歩がみられたこと、沖合漁業が組織化され、その漁獲量が増加したこと、一方で淡水魚の数が減少したこと、そして人々の嗜好が海の魚に向かったこと、など要因は複合的であろう。この増大した消費に応えるべく、網、塩、船、荷車の生産や市場がさらに成長した。人々の目は地先から水平線へ向けられた。魚の事は北西ヨーロッパにおいて「水平線の魚の出来事」(the fish event horizon)となったのである(Oueslati 2019)。[4]

### 海峡海帯の交易

テムズ川右岸河口近くのケント、グラヴェニの沼沢地帯で一九七〇年に、長さ一三・六メートル、幅四メートル、喫水一メートル、積載量七トンのボートが発掘された。一九八三年の年代測定では製造年代は八九五年、放棄されたのは九五〇年頃と推定された。オーク材を使用し、舷側に八枚の厚板の鎧張りを備えていたが、ヴァイキングのロングシップにみられたような太い竜骨がない。海峡海帯では大きな竜骨のないボートが使用されていた。この船は、乾舷が小さいにも拘わらず長さに比較して幅が広い貨物船であった(場所に関しては**図2**参照)(Fenwick 1978)。

発掘現場からは、積み荷としてライン川中流域マイエン地方の玄武岩のラヴァストーンで作られた半完成品の碾き臼、ホップ、フランスかフランドルの陶器、ローマ時代の屋根瓦そしてケントのハイスベッドから産出された建築資材向きの硬質の石灰岩ラグストーンなどが見つかっている。石臼を半完成品で移出するのは途中での損壊のリスクを避けるためで、最終的な加工は搬入先で行われた。石臼の直径は四七センチメートルで、当時イングランドで一般に用いられていた規格品であった。王国全土に流通する規格手工業品が海の彼方から運ばれたのである。大量のホップの存在は、イングランドでビールの醸造にホップが使用され始めたことを示している。この船はケルンとユトレヒトを基点とするライン川＝テムズ川回廊[5]における碾き臼、ホップや石材の輸送に使用された。

同じく紀元一〇〇〇年頃のエセルレッド二世(在位九七八—一〇一六年)の「第四の定め」は、ロンドンをハブ港とする海峡海帯の姿を垣間見せてくれる。ロンドンで交易を行った都市や地域に関しては**図2**に示した。ロンドン港で扱った商品は、厚板、布、ワイン、羊毛などで、流通税はロンドン橋の近くのビリングスゲイトで船の大きさや扱う品物によって定められた日に規定額が支払われた。また停泊料が課された。船は小型と帆を持つ大型に分類され、船型としては、ヴァイキングのロングシップの流れをくむキール船とライン川とユトレヒトが起源と推定されるフルク船、そしてグラヴェニ船などが考えられる。一二世紀のロートリンゲンの商人たちは、「イングランドに、キール〔竜骨〕船、フルク船、やその他の船(kiel, hulk, alter nef)で来た」(Bateson 1902: 500)という。キール船は、積載量が二五トン程と推定されるスクレレウ(Skuldelev)I型(ナール船 knarr)、フルク船は、テムズ川で発掘された長さ一七・四五メートルのユトレヒトI型などがその候補であろう。バナナ形のフルク船はその後、海峡海帯の主力輸送船となっていった。

二　もし小船(*navicula*)がビリングスゲイトに到着した場合、流通税として二分の一ペニィ、もし大型で帆をもつ船(*maior et haberet siglas*)であれば一ペニィを支払うべし。

二—一　キール船(*ceol*)あるいはフルク船(*hulcus*)が到着、あるいは停船しているとすれば、停泊料として四ペンスを支払うべし。

二—二　厚板を運んでいる場合は、流通税として一枚の厚板を差し出すべし。

二—三　布に関する流通税は、週に三日、日曜日、火曜日、木曜日に支払われるべし。

二—四　(ロンドン)橋にきたもので、ボート(*batus*)に魚を積み荷としてもっている場合は、流通税として二分の一ペニィを、大型の場合は(*de una maiori nave*)一ペニィを支払うべし。

二—五　ワインもしくは鯨[6]やイルカを運んできたルーアンからの人は、大型船の場合は六シリングを支払い、魚の五パーセントを納める義務がある。

〔中略〕

二－九　小売で購入した羊毛と溶かした脂肪以外に、これらの人々〔ドイツ人〕には船のために〔食料用に〕三匹の生きた豚を購入することが許されている。(Robertson 1925: 70-73)

### 海民共同体と鰊の暦

紀元一〇〇〇年の革命は鰊漁業の成立と広域的な海民共同体の誕生にもっとも顕著に現れる。『ドゥームズディ・ブック』(以下DB)には魚種としては、鰻、鮭、鰊しかでてこない。しかし、その記載の地理的範囲には大きな違いがある。これはこの三種が貨幣の代替としての納税物となりえたからである。鰻は、全土でみられたのに対して、鮭は西部、そして鰊は東部の海峡域に集中していた(Tsurushima 2007)。このことは鰊が西部では貴重種であったことを説明する(前述九四頁)。漁業革命はまず東部の鰊漁から始まった。

海峡海帯でその指導的役割を担ったのが、サセックスに拠点をもち、英仏海峡の海民たちのいわば海の領主(海上活動の保護者)であったゴドウィン家であった。一〇五一年ドーヴァ港の市民たちの利益を守るためにエドワード王と衝突して、フランドルやアイルランドに逃亡したゴドウィン伯とその子ハロルドの復権を支持したのは、「ゴドウィンとともに生きかつ死ぬ」ことを誓ったケントとヘイスティングズの海民たちであった。ゴドウィンとハロルドは、ペヴェンシ、ヘイスティングズ、ロムニ、ハイス、フォークストン、ドーヴァそしてサンドウィッチやその他でボートと海民を補強して大軍勢となり、ロンドンへ進み国王と和解した(ASC, D&E: 1051, 1052)。彼らこそ、一二世紀に史料に登場する海峡の国王海軍を担った鰊漁海民共同体＝シンクポート(五つの港)であった(Murray 1935; 鶴島 二〇一五 a)。

大西洋鰊は、夏場に産卵のために大きく三つの群れをなしてブリテン島近海に押し寄せた〔図2〕。最初の集団は、八月から九月にシェトランド、スコットランド東岸で産卵をして東に向かいノルウェイ沖で越冬する。第二の集団は、九月から一〇月にノーサンバーランドの海岸に現れ、ヨークシャ、リンカンシャ、ウォッシュ湾あたりまで南下し

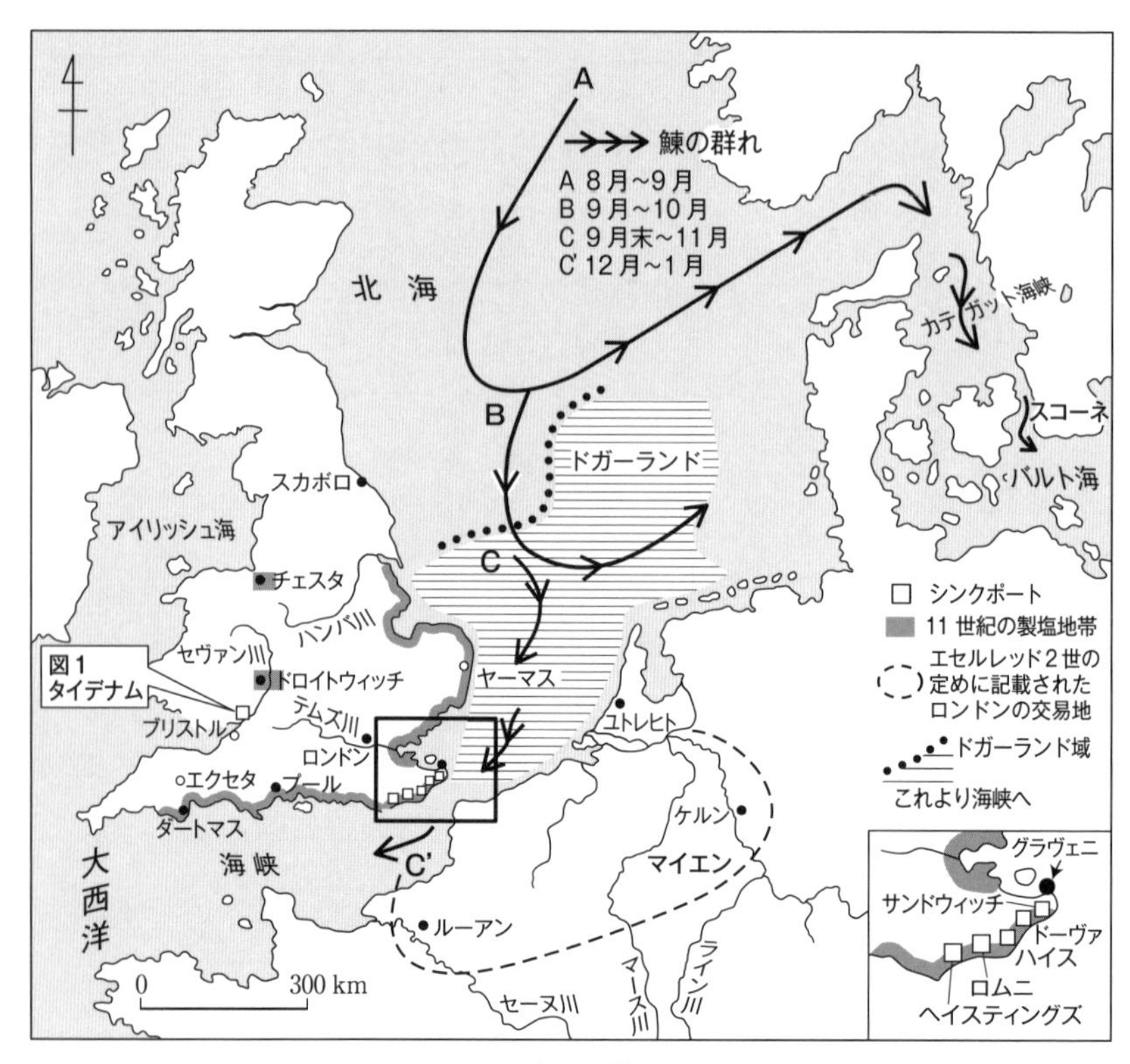


**図2 交易・鰊・塩**

「北海周辺では，潮流は反時計回りの方向をみせ，イギリス沿岸で南に向けて偏向して進む．従って不安定さを増していく」(カービー＆ヒンカネン 2011: 19)．海峡の潮流については，鶴島 2015a: 118，図12を参照．鰊はこの潮流にのって回遊する(筆者作成)

て産卵を行い、東に向かい越冬する。第三の集団は、最大の規模をもち、一〇月から一一月までイースト・アングリアの近海で産卵し、一二月から一月にさらに南下して、イングランド南岸のコンウォールやノルマンディ北岸に達する。海民たちは、これらの鰊の群れに対応して漁を行った(Kowaleski 2010)。

鰊漁が主要産業になるにつれ、生活、生業、流通のサイクルが、鰊の暦と連動していくことになった。フロー・ネットワークの一部がエコサイクルに従って動き始めたのである。北海や海峡の鰊は大西洋鰊であり、産卵のために夏から秋にかけてかつてのドガーランドであった浅瀬に北から回遊してきた。この鰊を追って船団が動き出し、市が開催された。その開催期が「鰊の季節」であり、それは海域に暮らす人々の暦であった。国王ハロルド一世(在位一〇一六—三五年)は、「二回の鰊の季節(*twegen haeringc timan*)の間サンドウィッチを専有した」(Robertson 1939: no. 91)という。スカボロの大市は八月一五日から九月二九日まで、北海とバルト海の境にありデンマーク王とハンザが綱引きを演じたスコーネの大市は八月二四日から一〇月九日まで、そして当時最大規模の大市であったと推定されるヤーマスは九月二九日のミクルマスから一一月一一日のマルティンマスまで開催された(Keen 1989; Galloway 2017)。この八月から一一月までの四ヵ月間の市の期間を中心に定められたのが「鰊の季節」であった。「鰊の季節」に合わせて、生産、運搬、交易の「季節」は回った。一二世紀の初めには、ヤーマスの浜辺に各地から来る漁師向けのチャペルが建てられた。ヤーマスの近隣に鰊の処理場を設ける遠隔地の領主たちもいた。商品としての魚の防腐処理に必要な塩は、リンカンシャからコンウォールにかけての海浜で六月から九月の夏季にかけて生産され、それが鰊漁業を支えていた。塩の季節にも地域差があったろうが、イースト・アングリアでは地域の聖人ボトロフの祭日六月一七日からミクルマスの九月二九日までで、塩の生産が終わった九月二九日からは鰊漁とヤーマスの鰊の大市が始まった。その時、塩人は漁師となった。

九月二九日のミクルマスは、冬小麦の播種の目安であり、国王への各州の役人が請け負った税の支払いの締めの時であるが、鰊の暦と連動した海事行動の目安でもあった。一〇六六年九月二七日あるいは二八日の深夜、ノルマンディ公ウィリアムの大船団は、対岸のペヴェンシを目指して出帆した。これは、ハロルド二世(在位一〇六六年)の旗下の、後にシンクポートと呼ばれた鰊船団が、漁の解禁日である九月二九日にはヤーマス沖に出漁して、ウィリアムの艦隊がインターセプトされる可能性の低い時期を選んでの軍事行動であった(鶴島 二〇一五 a)。

### 塩の生産

中世のイングランドは塩の一大生産地であった。DBからは、二種類の製塩方法があったことがわかる。一つはウースタシャのドロイトウィッチやチェシャの内陸塩水井戸での生産、そしてもう一つは海浜での生産であった〔図2〕。一〇八六年時点では、イングランドには海浜地帯で約一二五六カ所、内陸地帯で約二七七カ所以上の計一五三三カ所以上の塩屋(製塩場)があり、全体では低く見積もっても年間約一万トン以上の塩が生産されたと推定される(7)。WHOが推奨する一日の食塩摂取量の目標値五グラムを基準として、当時のイングランドの推定人口を二〇〇万とすると、年間三六五〇トンが必要となる。それでも相当の余剰が発生していたといってよいだろう。この余剰が鰊漁を支えた。

### 海民の王権による統制

海民は地域ごとに自発的、自立的な共同体による海岸防衛を組織していた。それをある一定範囲でまとめる「海の領主」が存在した。その典型が、クヌート王の登極過程で登場したゴドウィン伯である。海峡の鰊漁師たちは、武装集団でもあった。ゴドウィン伯の父ウルフノースは一〇〇九年に二〇隻の船団を率いてサンドウィッチに集結した国王エセルレッドの海軍を粉砕した(鶴島 二〇一五 a)。ゴドウィン家とエドワード王の争いの直接の引き金となった一〇五一年のブーローニュ伯とドーヴァ市民との騒乱では、市民である海民たちは互角の戦いを演じている。ゴドウィン家のハロルドが王位に就くと、国王は、船と戦士の供出を求め、その反対給付として鰊漁の権利を保障したであろう。征服後、ウィリアム王は、海峡の安全のために海民の軍事力をさらに組織化した。DBは次のように言う。

(一〇八六年の記述)市民たちは毎年一五日間二〇隻のボートを国王に提供した。それぞれのボートには二一人の男が乗り込んだ。彼らはこの奉仕を、国王(ウィリアム)が彼らに裁判権を与えたこと(自治を与えたこと)の見返りとして行ったのである。〔中略〕ミクルマス〔九月二九日〕から聖アンドルの祝日〔一一月三〇日〕まで、都市は国王休戦、すなわち平和状態にあった。もしこれを破る者があれば誰であれ、国王の役人はその者にその行為ゆえに科料を課した。(DB, i. fo. 1)

ウルフノースの艦隊二〇隻とドーヴァの供出二〇隻の数の一致はたんなる偶然ではないだろう。二一人の船員が乗り込み、毎年一五日間二〇隻のボートを供出するということは、ローテーションによって一年間に一隻の軍船が常時三〇〇日間国王奉仕に従事し、残りの六五日間、ヤーマス沖合で鰊漁を行うことを保障した。この供出量はその後のシンクポートの軍事負担の基礎的単位となった(RBE: 715-16)。水主役(かこやく)は制度となった。ヤーマスの鰊漁の大市が開かれた九月二九日から一一月一一日とその後の処理の間、男たちは出漁し、その留守の間、王権は都市を保護下に置いたのである。鰊の回遊サイクルに合わせたヤーマスの大市と海民共同体が設定した漁期をイングランドの王権は制度化した。

一一〇〇年までにはシンクポートの名前が史料上に現れるが、ヘンリ二世(在位一一五四―八九年)は王位に就いた直後の一一五五年国王特許状を発給し、シンクポートの国王海軍化を進め、「我らの海」である海峡海帯の治安と大陸への航路を保障した。その後シンクポートには、国王が必要なときには船を提供すること、五七隻の船が自費で一五日間の水主役に就くこと、その代わりに、関税特権、自治権、ヤーマスで鰊漁の網を乾かす権利、指導者(バロン)たちが国王行列の天蓋をもつ権利等が与えられた。一三世紀にはシンクポートの五つの港を中心に二三の集落が加えられ、国王海軍シンクポート体制が確立した。場合によっては海賊的集団ともなりうる半遊民は、国王への海事奉仕と特権授与という互恵関係によって体制内化され、指導者はジェントリとなった。「海賊」行為におよぶ可能性のある海民集団に海事に関する役務を課し、その見返りとして漁業権(浦の権利)を保障するのは、統一的権力による領海支配の常套手段であり、漁村の成立史をグローバルに比較できる視点の一つである。(8)

水平線の彼方が見えない時代の海事的暴力行為を行う「海賊」と、領海と公海における平和が問題となってくる「水平線の彼方」の時代以降の海賊を論理的に峻別しなくてはならない。一三〇四年ノルウェイ王はエドワード一世(在位一二七二―一三〇七年)に宛てた書状で「国王の命令下にある海」(領海)での犯罪、すなわち「海賊」行為を非難している(Theutenberg 1984)。海賊行為は王権の取り締まり事項となったのである。

### コグ船とフルク船

一二世紀以降、八〇ラスト(一六〇トン)以上の積載能力をもつコグ船が、港湾整備とハンザの発展もあって、最大積載能力が一五ラスト程度のロングシップ=ナール船を押しのけて北西ヨーロッパの主要船型の一つとなった。交易や交通の拡大にナール船は十分には対応できなくなったのである。

一三世紀までには、バルト海帯から北海海帯のコグ船に対して、海峡海帯とアイリッシュ海ではフルク船が主要船型となった。シンクポートの船はフルクであった(Williams 1971)。一四世紀になるとフルク船がハンザ圏に広まっていく。平底でコグ船より丸みがあり、輸送船として使用されたフルク船は、一五世紀にはコグ船を押しのけていった。とくにコグ船から竜骨の技法を取り入れてそれは決定的になったと言える。一五〇ラスト(三〇〇トン)かそれ以上の輸送能力をもち、甲板部が拡大し、一層あるいは二層からなる船首楼と船尾楼を備える大型船となったのである(Crumlin-Pedersen 2000)。

## 三、水平線の彼方――一四世紀から一六世紀

一四世紀になると、ドーセット、デヴォン、コンウォールといったイングランド南西部での漁業が活発となり、東

部の相対的な地盤沈下がみられるようになった(Kowaleski 2000 & 2003)。漁場は、アイリッシュ海、ビスケ湾、さらにはイベリア半島沖へと広がっていった。対象とする魚も、鰊、鱈にピルチャード(鰯)とメルルーサなどが加わった。

## 大西洋海帯の確立と南西部の景観の変化

アングロ・アンジュ複合体がノルマンディを喪失し、フランス王権との王位継承をめぐる「百年戦争」状態に突入したとき、シンクポートの鰊船団は海軍としてはすでに「時代遅れ」となっていた。さらにはビスケ湾やイベリア半島との交易と交通がますます重要となるにしたがい、これまでのロンドンを軸とした北海―海峡東部に、ロンドン・サウサンプトン―ブリストル―ボルドー・リスボンという南西への軸が接合されたことで、大西洋海帯の重要性が増していった。一四世紀にはイングランド東部が経済の相対的停滞を経験したのに対して西部が活況を呈してきたのである。

これに対応するかのように、イングランド南西部の景観も変化した。それまでは海岸地域の集落は丘の上にあり、海辺には漁具格納と魚の処理施設(cellar)しかなく、漁業は農業を補完する役割しかなかった。それが、漁村が発生し、エクセタやダートマスのような港が漁業交易ネットワークの市場と集合点の役割を果たすようになった(Fox 2001)。

地政学的変動と西部が経済的に豊かになったことで、西部と大西洋海帯の防衛にシンクポートに代わる新たな海軍力が必要となり、史料上はその言葉が確認できない「私掠船」(privateer)が歴史の表舞台に登場してきた。「私掠船」とは国王や権力者によって認可された私的武装船(団)で、彼らは一般には国王から授与された「敵性船舶拿捕許可書」(letter of marque)を所持していた。しかし「私掠船」は新しい制度というよりは、それまでの慣行が王国制度に組み込まれてテキスト化されたと言うべきであろう。国王は、彼らの海軍力に期待し、彼らは拿捕の分け前を期待した。「私掠船」には二類型あった。一つは、ダートマスのジョン・ハウリのような裕福な商人で、市長でありパーラメントの議員を務めて国王の地域統治と密接な関係を維持した有力者が、資金と船を提供し船長と乗組員を集めて船団を編成した場合、もう一つは、ドーセットのプールのヘンリ・ペイが率いたようなより私的な性格の強い集団である(Kowaleski 2019)。

百年戦争の結果、ガスコーニュを失ったことで、イングランド西部はイベリア半島との結びつきを強くしていった。その中心となったのがブリストルである。一四六〇年から九〇年の間の三〇年間で、ブリストルとスペイン間の交易量は一〇倍に跳ね上がったという。この間八〇年代のポルトガルの大西洋諸島への航路開拓による経済効果をみて、ブリストル市当局は、ジョン・カボットの探検を支援した。いずれにしても人々の目は、まだ見たこともない水平線の遥か彼方を見据え始めていた(Childs 1978)。

### 北海・海峡の漁場

一方で北海海帯での漁業は、ハンザやフランドル、デンマーク、ノルウェイなどとの競争にさらされていた。競合する政治勢力から漁労船団を守るために「私掠船」が護衛につくこともあった。イングランド船の鰊集積港であったスカボロやヤーマスでさえ、海外からの鰊が搬入されるようになった。スカボロ港の関税史料からは、一三〇五・〇六年に三五〇万匹の鰊が搬入され、これにイングランド船の持ち込んだ非課税で史料の残らない分を合算すると年間一〇〇〇万匹以上が水揚げされていたと推測される。ヤーマスにも同じくらいあるいはそれ以上の「鰊が水揚げされ、塩漬けや樽詰めにされ、ロンドンを始めとする商人が、イングランド内陸部や海外へ売りさばいていったのである」(Galloway 2017)。北海とバルト海の境に位置したスコーネ市場も急速に拡大し[9]、ハンザ、フランドルそしてデンマーク王がその支配をめぐって競合した。リンが輸入した鰊の四二%はスコーネからのものであった(Childs 2013b: 193)。鱈漁はハンザが優勢であったが、イースト・アングリア、スカボロ、ハルの漁師は、デンマーク沖やノルウェイ沖へと出漁した。鰊や鱈はヨーロッパ全体の戦略商品となり、イングランドだけの問題ではなくなっていたのである。各地の魚の暦に合わせた、ヨーロッパレベルのフロー・ネットワークが姿を現した(Bates and Liddiard 2013)。

一方においてイングランドでの需要に応えるために、漁場はアイスランド沖へと広がっていった。[10] その結果、とくに鱈のような大型の魚の乱獲が進んだようである。ロンドンと近隣で出土した鱈の骨の安定同位体分析によると、九世紀から一二世紀まではすべてが近海(北海南部)産であったのが一三世紀以降、とくに一四世紀になると北海北部からアイスランド沖のものが急増した。また鱈の体長も、一一世紀と一二世紀には平均で七八センチメートル以上であったのが、一三世紀までに五〇から七八センチメートル程に、現在では一五から三〇センチメートル程度までに小型化した(Barrett 2019: 1037)。一五世紀初めにはアイスランドの海へイングランド人の漁船や商船が大挙して進出し、アイスランドの漁師や有力者、デンマーク王権、そしてハンザ商人との間で競合的相互関係が形成された(Gardiner 2016)。

### 塩と産業の転換

一四世紀になると、ブルターニュやビスケ湾から安価だが質の悪い「黒い塩」が輸入されるようになった。国内産の良質な「白い塩」は生産され続けたが、価格にして三倍ほど高く、社会上層部の食卓用に限定されていった。輸入量は関税史料でわかる分だけでも、一四世紀後半には年間約二五五トン、一五世紀には減少したがそれでも一九〇トンほどで、その四分の一から三分の一は、スペイン船やポルトガル船が運んだものであった。一方で、リンカンシャやイースト・アングリアの北海から海峡北部に面する海浜製塩地帯では、塩屋は毛織物産業の放牧地に転換され、その景観は大きく変わった(Bridbury 1955: 195)。

## ニューファンドランド海域での鱈漁

カボットの探検報告を受けて、ブリストルでは「ニューファンドランド冒険組合」が一五〇二年に設立された。しかし、一六世紀段階でのニューファンドランドでのイングランドの鱈漁は不調であった。一五四八年の議会アクトは、「アイルランド、アイスランド、ニューファンドランドに魚を求めておもむく商人と漁師には海軍卿の役人によって税を課せられることはない」(Statutes: 44-45)と定めており、魚税は課されず、王権はこの海域を自らの支配領域とは考えていなかった。一五二七年にヘンリ八世(在位一五〇九-四七年)がニューファンドランドの調査に派遣したエセックスの船乗りジョン・ラットは、「ニューファンドランド近海には、五〇隻のスペイン人、フランス人、ポルトガル人の漁船が展開しているが、イングランド人の船は見当たらない」と報告している(Jones 1999: 6)。この時期はアイスランド近海の鱈漁が堅調であり、ニューファンドランド近海まで乗り出す必要はなかったのであろう。

## 技術と領海=公海――おわりとして

一一世紀にヨーロッパに「北の海」が誕生した。しかし、地中海世界の基幹船型であるガレー船が、北の海の主要船型となることはなかった。それでも、ヨーロッパ経済圏の確立とともに、大西洋交易は活性化し、それに伴いガレー船はイングランドの港に日常的に姿を現すようになった。そして一五世紀にはヨーロッパの北と南の接点とも言うべきイベリア大西洋岸やジェノヴァを起源とするナウ船といった「ヨーロッパ海域」の基準船が誕生した(Rose 2007)。マストは一本から三本へ、厚板も平張工法によって鎧張よりも滑らかな船体が可能となった。道具においても斧から鋸へ、さらに鋸の大型化や水車の利用などの動力利用などによって、厚板の大量生産が可能になった。これに加えて船大工の組織化、伐採や運搬の合理化など、社会的な加工技術の進歩がみられたのである。こうして高速で四〇〇トン以上の積載能力をもつ船の出現は、防腐処理をした魚と並んで、大航海時代の技術的保証となった[11]。

ローマ法において海は市民共有地(*terra communis*)で、すべての市民が利用できた。中世においても、地先の彼方にある水平線の海、あるいはその彼方の海は誰の物でもなく、そこに住む「魚」は無主物(*res nullius*)であった(Milun 2011: 58)。したがって可能であれば誰もがそれを専有することができた。一五九九年エリザベス一世(在位一五五九―一六〇三年)は、デンマーク・ノルウェイ王が北海における「領海」(*Mare Clausum*)を主張してイングランドの漁船と商船を拿捕したとき、自由な海(*Mare Liberum*)を主張した。「自由な海」は主権が存在しない「万民のもの」である無主地(*terra nullius*)となった。「イングランド人はスペイン人と同じくローマ法の「無主物」の法理を受け入れ、専有されていない土地は人類共通の財産となったのである」(Elliott 2006)。無主物から無主地への転換がグローバル化の思想的基層にあった[12]。

## 注

(1) 是非の問題は問うていない。本稿は、(鶴島 二〇一五b)への最初の解答でもある。前稿では思考に、本稿では方法論について述べた。

(2) 空間範囲の認識拡大と並んで、時間範囲の認識拡大、あるいは近世における「紀元前」の発見による時の数直線化がグローバル・ヒストリーを可能とする。

(3) 中世末期に近づくにつれて、魚食における海水魚の占める割合は増大した。一四九一年から九二年のウェストミンスタ修道院の記録によると、消費された魚の重量比で鰻を含む川魚が約一二%、残りの八八%を海水魚が占めていた。全体の四九%を鱈とそれに類する魚が占め、鰊は八%にすぎない。修道院の社会的地位が高く比較的高級な魚への嗜好がみられる。それでも鰊は一般の庶民にとっては主要魚であったろう(Harvey 1993: 46-49)。

(4) イングランドの脱穀用の水車の数が九世紀から一〇八六年に二〇〇程から五六二四に増え、川の水質汚染によって産卵が妨げられた可能性も指摘されている(Hoffmann 1996: 631-669)。

(5) 氷河時代、北海南部はドガーランドとよばれる陸地で、ライン川とテムズ川は東西から流れて現在のドーヴァあたりで海峡に注ぐ一本の川であった。氷河が解けて海となっても北海南部は遠浅で、この海を目指して北から鰊が産卵に群れをなしたのである。回廊という表現には、ロンドンとケルンの緊密な交通関係にこうした地理的条件が関係しているのではという推定がある(Gaffney et al. 2009)。魚も含めた交通路の検討には環境史への視野が必要である。

(6) 一一世紀にはノルマンディのカンにサン・テティエンヌ修道院庇護下の捕鯨ギルドが存在していた(鶴島 二〇一五a)。

(7) 推定は以下のように行った。上納額を生産量の四〇%と仮定する。これも含めたすべての数値の推定根拠は近刊予定の拙著を参照のこと。DB, i. fo. 28には「五つの塩屋が一一〇アンバの塩あるいは九シリング二ペンスを上納する」とあり、「あるいは」を=とすると、一アンバ=一ペニイとなる。これをもとに一アンバ=一一〇キログラムとすると、海浜地帯では二八〇二トンという数字がでる。内陸部では、DB, i. fo. 163vに「四〇セスタないしは二〇ペンス」とあり、この一ペニイ=二セスタ(二七・二キログラム)で同様の計算を行うと、一一六二トン以上が得られる。ここから、推定上納額は総計三九六四トン以上となり、推定生産総量は一万トン以上となる。また内陸塩水井戸の塩の方が海浜塩より高品質で価格も八倍以上であったと推定される。イングランドの人口を二〇〇万人程度とすると、他業種で使用できる十分な余剰があった。

(8) 日本では豊臣秀吉の「海賊停止令」や江戸初期の天草の水主役と浦の成立にみられる(金谷 一九九八、中村 一九六一)。

(9) 北海とバルト海の境をカテガット海峡(Kattegat)に設定した。スコーネより東側は、バルト海鰊の主要生息域である。バルト海は流入河川が多く塩分濃度が低い。海峡が北海からの海流の流入を塞ぎ、そのため固有種が多くバルト海鰊もその一つである。大西洋鰊より小さく脂肪分も少ない。産卵時期は主に春であるが、地域差があり、南部では二月の終わりから五月上旬、北部では五月初めから八月までである。この鰊の暦に従って、漁師や商人が動いた。スコーネの大市の主要産物は季節からして大西洋鰊であろう(Šaškov, Šiaulys, Bučas, and Daunys 2014)。https://sites.utu.fi/herringproject/herring-in-the-archipelago-sea/spawning-areas/ 最終閲覧日二〇二二年五月二八日。

(10) 一四世紀にヨーロッパは小氷河期に突入したと言われる。鰊の気まぐれな回遊も全体的な気候と海流の変化を考慮しなくてはならない(カービー&ヒンカネン 二〇一一)。

(11) ロングシップの鎧張工法で使用された板は、丸太を断面の円を等分割するように斧で割って製材したもので、均等な厚さは保証できない。外側から製作していくため鎧張以外では丈夫な船体は保証できないし、大きさに限界がある。イメージとしては脱皮できない甲殻類であった。船は脊椎動物的な進化を遂げたのである。

(12) 一四九四年における教皇の下でのポルトガルとスペインの王国間での世界分割にはこの「無主物」概念が横たわっていた。英国のオーストラリア支配は無主地概念を醸成した。しかし、一八八六年のベルリン会議で、住民を野蛮人として人権を認めない法理が確立して列強のアフリカ支配を正当化したとするにはまだ検証が必要であろう(Milun 2011: 59)。

## 参考文献


カービー、デヴィド&メルヤ・リーサ・ヒンカネン(二〇一一)『ヨーロッパの北の海――北海・バルト海の歴史』玉木俊明他訳、刀水書房。

金谷匡人(一九九八)『海賊たちの中世』吉川弘文館。

鶴島博和(二〇一五a)『バイユーの綴織(タペストリ)を読む――中世のイングランドと環海峡世界』山川出版社。

鶴島博和(二〇一五b)「風が吹くとき――歴史と歴史学」『史学雑誌』一二四―九。

中村正夫(一九六一)「肥後国天草島における漁村の成立と展開――「舸子役」を中心として」『九州文化史研究所紀要』八・九合併号。

Ælfric: Garmonsway, N. (ed.) (1947), *Ælfric's Colloquy*, 2nd ed., Oxford, Oxford U. P.

ASC: Swanton, Michael (ed.) (1998), *The Anglo-Saxon Chronicle*, New York, Routledge.

ASW: Harmer F. E. (ed.) (1952), *Anglo-Saxon Writs*, Manchester, Manchester U. P.

Bateson, M. (1902), "A London municipal collection of the reign of John", *English Historical Review*, 17-67.

Barrett, J. H., et al. (2004), "The origins of intensive marine fishing in medieval Europe: the English evidence", *Proceedings of the royal society B: Biological science*, 271.

Barrett, J. H., et al. (2011), "Interpreting the expansion of sea fishing in medieval Europe using stable isotope analysis of archaeological cod bones", *Journal of Archaeological Science*, 38.

Barrett, J. H. (2019), "An environmental (pre) history of European fishing: past and future archaeological contributions to sustainable fisheries", *Journal of Fish Biology*, 94-6 (special issue).

Bates, D., and R. Liddiard (eds.) (2013), *East Anglia and its North Sea World in the Middle Ages*, Woodbridge, Boydell and Brewer.

Bede EH: Colgrave, Bertram, and R. A. B. Mynors (eds.) (1969), *Bede's Ecclesiastical History of the English People*, Oxford, Clarendon Press.

Bracton: Thorne, S. E., and G. E. Woodbine (eds.) (1968-1977), *Bracton on the Laws and Customs of England*, 4 vols., Cambridge MA, Harvard U. P.

Bridbury, A. R. (1955), *England and the Salt trade in the Later Middle Ages*, Oxford, Clarendon Press.

Childs, W. R. (1978), *Anglo-Castilian Trade in the Later Middle Ages*, Manchester, Manchester U. P.

Childs, W. R. (2013), "East Anglia's Trade in the North Sea World", Bates and Liddiard (eds.) (2013).

Cool, H. E. M. (2006), *Eating and Drinking in Roman Britain*, Cambridge, Cambridge U. P.

Crumlin-Pedersen, O. (2000), "To be or not to be a cog: the Bremen Cog in Perspective", *International Journal of Nautical Archaeology*, 29-2.

DB: Alecto Domesday Book CD-Rom.

Edwards, J. F. (1987), The Transport System of Medieval England and Wales - A Geographical Synthesis, A thesis presented for the Degree of Doctor of Philosophy, University of Salford.

Elliott, J. H. (2006), *Empires of the Atlantic World: Britain and Spain in America 1492-1830*, New Haven and London, Yale U. P.

Fenwick, V. (ed.) (1978), *The Graveney boat: a tenth-century find from Kent, BAR British Series*, 53.

Fox, H. (2001), *The Evolution of the Fishing village: Landscape and Society Along the South Devon Coast 1086-1550*, Leicester, Leicester U. P.

Gaffney, V., et al. (2009), *Europe's Lost World: The Rediscovery of Doggerland*, Council for British Archaeology.

Galloway, J. A. (2017), "Fishing in medieval England", M. Balard (ed.), *The Sea in History: The Medieval World*, Woodbridge, Boydell and Brewer.

Gardiner, M. (2016), "The Character of Commercial Fishing in Icelandic Waters in the Fifteenth Century", J. Barret and D. Orton (eds.), *Cod and Herring: The Archaeology and History of Medieval Sea Fishing*, Oxford, Oxbow.

Harvey, B. (1993), *Living and Dying in England 1100-1540: The Monastic Experience*, Oxford, Oxford U. P.

HH: Greenway, Diana E. (ed.) (1996), *Henry of Huntingdon, Historia Anglorum*, Oxford, Oxford U. P.

Hoffmann, R. C. (1996), "Economic Development and Aquatic Ecosystems in Medieval Europe", *American Historical Review*, 101-3.

Jones, E. T. (1999), "Bristol and Newfoundland 1490-1570 (eprint)", I. Bulgin (ed.), *Cabot and His World Symposium June 1997*, Newfoundland Historical Society.

Keen, L. (1989), "Coastal salt production in Norman England", *Anglo-Norman Studies*, 11.

Kowaleski, M. (2000), "The Expansion of the South-Western Fisheries in late Medieval England", *Economic History Review*, new ser. 53-3.

Kowaleski, M. (2003), "The Commercialization of the Sea Fisheries in Medieval England and Wales", *International Journal of Maritime History*, 15-2.

Kowaleski, M. (2010), "The Seasonality of Fishing in Medieval Britain", Bruce Scott (ed.) (2010), *Ecologies and Economies in Medieval and Early Modern Europe: Studies in Environmental History for Richard C. Hoffman*, Leiden and Boston, Brill.

Kowaleski, M. (2019), "Privateering in Medieval England", https://www.doi.org/10.34055/osf.io/vq4fg. 最終閲覧日二〇二二年七月五日。

Milun, K. (2011), *The Political Uncommons: The Cross-Cultural Logic of the Global Commons*, Ashgate, Routledge.

Murray, K. M. E. (1935), *The Constitutional History of the Cinque Ports*, Manchester, Manchester U. P.

Oueslati, T. (2019), "A French Fish event at the turn of the 10th century? Environment, economy and ethnicity in maritime Flanders", *International Journal of Osteoarchaeology*, 29-3.

RBE: Hall, Hubert (ed.) (1896: rep. 1965), *The Red Book of the Exchequer Roll Series*, London, Eyre and Spottiswoode.

Robertson, A. J. (1925), *The Laws of the Kings of England from Edmund to Henry I*, Cambridge, Cambridge U. P.

Robertson, A. J. (1939), *Anglo-Saxon Charters*, Cambridge, Cambridge U. P.

Rose, S. (2007), *The Medieval Sea*, London and New York, Hambledon Continuum.

S: Sawyer, P. (ed.) (1968), *Anglo-Saxon Charters: An Annotated List and Bibliography*, London, Royal Historical Society.

Šaškov, A., A. Šiaulys, M. Bučas and D. Daunys (2014), "Baltic herring (*Clupea harengus membras*) spawning grounds on the Lithuanian Coast: Current status and shaping factors", *Oceanologia*, 56-4.

Statutes: The Statutes of the Realm vol. iv, pt i. London, 1819.

Theutenberg, B. J. (1984), “Mare Clausum et Mare Liberum”, *Arctic*, 37-4.

Tsurushima, H. (2007), “The Eleventh Century in England through Fish-Eyes: Salmon, Herring, Oysters, and 1066”, *Anglo-Norman Studies*, 29.

Tsurushima, H. (2017), “Why could the silver pennies circulate as currency in England, c.973 to c.1130s? : Kingship, Silver and Moneyers”, *ANNALES MERCATURAE*, 3.

Williams, G. (1971), *The Heraldry of the Cinque Ports*, Newton Abbot, David and Charles.

問題群｜*Inquiry*

# 帝国領チェコにみる中世「民族」の形成と変容

藤井真生

## 一、中世の「民族」

一九七〇年代に見直しのすすんだ民族／民族意識研究は、続く八〇年代にこれらを近代の産物とみなす一連の成果をもたらした。これに対してスミスは、前近代に世界各地で見出されるエスニックな紐帯にもとづく集団の存在を評価した（スミス 一九九九：二九―三九頁）。集団としての名称をもち、血統神話や歴史、独自の文化を共有し、一定の領域と結びつき、連帯感をもつ人々の集合体を、スミスは「エトニ」と呼んで近代ネイションと区別する。彼のエトニ論は中世史研究者に受容され、九〇年代以降の議論の前提になった（江川 一九九五：一〇六―一〇八頁、同 一九九八：五七―五九頁）。本稿でも先行研究にならって民族――便宜上、国家形成までは部族――と表記するが、いうまでもなく近代国民国家に直結する「ネイション」ではなく、「エトニ」を念頭において使用している。

スミスの議論で重要なのは、民族を生成・変容・消滅する可能性のある存在として提示したことである。ただし、彼の議論は前近代の民族が「実体的内容」をもつものであることを明らかにするために、あえて静態的に特定の時代を切り取っている。しかし、たとえ同じ名称を冠せられている集団であっても、彼らが強調するエスニックな要素は時代によって異なる。したがって本稿では、中世民族の形成と変容のプロセスを示してみたい。「われわれ」と「彼ら」の間に線を引く基準は、何かひとつが支配的な地位を占める時代もあれば、複数が共存する時代もあるだろう。また、「われわれ」に対する「彼ら」の輪郭も所与のものではなかったことにも留意しておかなければならない。

これから考察をすすめるチェコは、中世に形成される「ドイツ人」の帝国(三佐川 二〇一三：一四三―三〇三頁)、つまり神聖ローマ帝国に従属する一方で、植民運動の進展により領域内部に血統神話や歴史を共有しない集団＝「ドイツ人」を包摂するようになった、「チェコ人」が多数派を占める地域である。その過程でチェコ系住民はドイツ／帝国からの移住者に対して複雑なよそ者感情を抱くようになった。一五世紀初頭に勃発したフス派運動は、かつてそうしたチェコ人とドイツ人の対立構造のなかで理解され、近代のネイションにつながる民族意識を生み出したとの評価を得ていた。しかし、現代の研究者はそうした意識の近世以降への連続性を否定している(薩摩 一九九七：二〇〇頁)。それでは、中世におけるチェコ人の基準はどのように生成・変容し、近代ネイションとはどのように異なるのだろうか。以下では、共同体を凝集させるエスニックな紐帯の多様性とその担い手に注目しつつ、通時的に検討を加えていく。そのさいに、帝国との政治的関係にも着目しながら論をすすめる。なお、中世チェコは大別して西のボヘミア大公領(のちに王国)と東のモラヴィア辺境伯領から構成される。言語的にはどちらにおいても西スラヴ系チェコ語が優勢である。地域的差異を区別する必要のないときは一括してチェコとし、その住民をチェコ人と表記することにする。

## 二、中世チェコ国家の形成と帝国への従属――一〇世紀

本節ではまず、中世チェコの国家形成過程および帝国との関係を整理しておこう。現在のチェコ共和国の領域に国家が登場したのは九世紀後半のことである。ボヘミア大公とされるプシェミスル家のボジヴォイ一世(Bořivoj I 八五

〇頃―八九〇年頃、在位八七二以前―八九〇年頃)が、洗礼を受けてキリスト教世界への仲間入りを果たしている(八七二年)。このとき彼は、ボヘミアに先行して西スラヴ系国家を樹立していたモラヴィアの宮廷で受洗した。しかし、のちの辺境伯領と区別して大モラヴィアともよばれる後者は、マジャール(ハンガリー)人の侵攻により一〇世紀初頭に滅亡する。その結果、モラヴィア西方の西スラヴ系部族は、ボヘミア盆地の中央部を本拠とするチェコ族を中心に結合を強めていくことになる。

プシェミスル家の正史ともいうべき『コスマス年代記』は、成立した一二世紀初頭の視点で、「チェコ人」の存在を前提に記述をすすめている。しかし、ボヘミアはもともと複数の部族が散在する領域であり、同書にもボジヴォイの祖先とボヘミア北西部のルチャン族との争いが記録されている。プシェミスル家は一〇世紀前半にズリチャン族を服属させ、同後半にはスラヴニーク一族を滅ぼしたことによってボヘミアの統一を完成させた。この時点で、チェコ族はチェコ人へ昇華したといえよう。このように「チェコ人」はもともとボヘミアに割拠する部族のひとつを指していた名称にすぎず、その輪郭も非常に曖昧であった。部族の名称も、ボヘミア統一をすすめているさなかの一〇世紀になってようやく確認できるという(Graus 1966: 16)。

さて、ボヘミア国家の発展を牽引したのはボジヴォイの孫ボレスラフ一世(Boleslav I 九一五―九七二年、在位九三五―九七二年)である。彼は東方へ進んでレンジャネ族と争い、クラクフまで占拠している。さらにその後、キリスト教改宗を条件として、当時まだ異教徒であったポリャネ族のミェシュコ一世(Mieszko I 九三五頃―九九二年、在位九六〇頃―九九二年)に娘を嫁がせている。ボヘミアから山地をこえた北東に広がっていたこれら二つの西スラヴ系部族は、その後他の部族とともに「ポーランド人」を形成することになる。また、ボジヴォイはボヘミア北西部のプショフ族から、彼の息子はさらにその北方に広がるポラビア地方の西スラヴ系ポラーブ人/ヴェンド人から妻を迎えていた。

こうした点から、この頃の西スラヴ系部族間には密接な交流があり、かつ別の民族を形成するほどの本質的な差異はなかったと考えられる。もしもボヘミア君主のクラクフ支配が一一世紀以降も続くものであったならば、現在とは違う領域と結びついたチェコ人、ポーランド人の形もありえただろう。あるいは、ボヘミアがポラビアの諸部族との連合国家へと拡大した可能性もあった。

しかし、ポラビアには徐々に東フランク王国——のちの神聖ローマ帝国——が進出していく。ボヘミアも圧力を受けて、先代君主はザクセン朝に臣従を誓ったが、ボレスラフはヴェンド人の蜂起に呼応し、一四年間にわたって東フランクとの闘争を繰り広げた。さらに彼の息子も、ザクセン朝と対立するバイエルン大公家と結びついて反乱を起こした。ボヘミアが最終的に帝国の上級支配を受け入れたのは、ようやく九七〇年代のことであった。

これ以降、プシェミスル朝は帝国を構成するボヘミア大公領の君主として、ボヘミア盆地周辺に確固たる地位を築き、国際的に認知されるようになる。こうしてボヘミアは、緩やかな部族連合から周辺諸国より「国」として認識される政体へと成長し、「チェコ族」は諸部族を統合した「チェコ人」へと衣替えを果たした。それに対してポーランドは、ザクセン朝と結んでヴェンド人やボヘミアを攻撃することで、独立を保って王国となった。一方、エルベ川沿い——ポラビアとはエルベ川のスラヴ名、ラベ川の流域を指す——の西スラヴ系諸部族は、東方へ伸長した「ドイツ人」の帝国に呑み込まれ、ボヘミアは彼らとの紐帯を失っていく。国家形成を果たしたとはいえ、ゲルマン系住民を主体とするこの大国に包摂されたチェコは、同じように西方の帝国と対峙しながらも、その外側に存立するポーランドやハンガリーとは異なる道を歩むことになる。

## 三、帝国内でのチェコ人意識の萌芽——一一、一二世紀

前節で確認したように、帝国の宗主権を認めたボヘミアの君主は、一一世紀以降、帝国諸侯の一員としての性格を

強めていく。そしてこのことは必然的に、プラハ宮廷へドイツ的要素を流入させることになった。『コスマス年代記』は、チェコ人有力者と帝国からやってきた聖職者、宮廷人との間の対立を繰り返し報告している。たとえば、一〇六七年にプラハ司教が亡くなると、君主(大公)は自身の宮廷司祭を後任に推挙した。しかし、宮廷の有力者は彼が「外国人 alienigena」であることを理由にこれを拒否する(薩摩 一九九七:二〇二頁)。このとき推薦された司祭は帝国出身者として「ドイツ人 Teutonicus」と表現されているが、文脈全体では自国出身者と外国出身者が対比されており、ドイツ人であること自体はさほど強調されていない。グラウスによれば、この当時は聖職者と貴族層のみがチェコ人意識を抱いており、彼らの特権を脅かす新参者がよそ者として敵視されていた(Graus 1966: 21-24)。ボヘミアの支配階層は帝国やイタリア半島からの外来者を共通の敵とすることで、「われわれ」意識を共有し、内部の統合を果たしていったといえよう。

しかし、こうした政治的支配層の反発を無視するかのように、君主は帝国との結合を強め、一一世紀と一二世紀には皇帝から一代限りの王号——一一九八年から世襲王号——を認められている。これは皇帝への軍事奉仕を条件とするものであり、チェコの貴族はチェコ国外への遠征に従事しなければならなくなった。そのため、君主の国際的な威信の高まりは、必ずしも国内での支持を得られるものではなかったのである。この頃、親帝国的政策をとる君主の亡命と帝国の介入が頻発している。

その一方で、帝国政治に参加し、ときに帝国集会へおもむき、ときに外征に従うことは、異なるエスニシティをもつ集団の中での「チェコ人」という単位を強く意識させることにつながった。先に紹介したように、チェコは大きく分けて西のボヘミア地方と東のモラヴィア地方から構成されている。後者は大モラヴィアの中核部分をなしたが、その滅亡後はボヘミアとポーランド、そしてハンガリーの争奪対象となった。最終的にプシェミスル家の支配が確立されたのは、一一世紀半ばのことである。モラヴィアは君主の弟や息子が分国侯として分有し、国制的には別の国家として存立した(一二〇〇年頃にモラヴィア辺境伯領として統一される)。あくまでボヘミアとは別の領邦であった。当時の史料においても、「ボヘミア人 Boemi」と「モラヴィア人 Moravi」は区別されている。ところが、たとえば皇帝への軍事奉仕によりイタリアへ遠征すると、従軍するほかの帝国諸侯・兵士からも、また現地の人々からも、ボヘミア人とモラヴィア人は区別せずに一括して扱われた。そうした外部からの目と、言語的にはほとんど差異がないこと、またプシェミスル家傍系が統治し、始祖伝承も共有していることなどから、両者併せて「われわれ」チェコ人という区分が立ち現れてくるのである。ただし、「モラヴィア人」意識は状況により、この後も何度か表明されている。

さて、この時期のチェコでは独自の聖人崇敬が展開する。改宗期の君主が民族的聖人となっていくことは、キリスト教世界の周縁部、とりわけ東欧と北欧に広くみられる現象である(Klaniczay 2002: 99-113)。チェコでは聖ヴァーツラフ崇敬がこれにあたる。一〇世紀の大公であるヴァーツラフ一世(Václav I 九〇七頃―九三五年、在位九二一―九三五年)は、キリスト教の受容および東フランクへの臣従をめぐって先述の弟ボレスラフ一世と対立し、暗殺された。当初はほかの聖人と同じように病気治癒などの奇跡が語られていたが、しだいに戦場に姿を現し、異国の敵(帝国、ポーランド、ハンガリー)からチェコ人を守護するようになる(藤井 二〇〇二：九八―九九頁)。こうして聖ヴァーツラフ崇敬はチェコのエスニシティを示す要素のひとつとなっていく。たとえば、この聖人に奉献された教会は、ボヘミアだけではなくモラヴィアにも建立された。それらは中心都市だけではなく国境にも展開されるが、ボヘミアとの境にはみられないという(Hosák 1970: 187-188)。つまり、ボヘミアとモラヴィアは聖ヴァーツラフの守護下に一体的な領域を形成しており、敵はその外部からやってくるものと観念されていたのである。

以上のように、帝国への臣従とモラヴィアの統合をふまえて、一二世紀頃までにはチェコ人意識を共有しうる領域の範囲がおおよそ定まってくる。「われわれ」の地理的境界の確定は、その外側の「彼ら」との区別をもたらした。支配階層が敵愾心を示した「外国人」とは、国境の向こう側からやってきて、宮廷や教会で高位を与えられた者を指す。そのさいに、プシェミスル家の始祖伝承と聖ヴァーツラフ崇敬は支配階層を凝集する核となりえた。このことは、民族意識の範囲が貴族層と聖職者層に限定されていたこと、そして「彼ら」の対象が特定の異民族にいまだ絞られていなかったことを意味する。

## 四、ドイツ人植民の影響と言語中心主義の登場――一三世紀

### チェコ社会の変化

一二世紀末から、東中欧の景観や社会構造を一変させる現象が進行した。ドイツ人植民である。一四世紀初頭まで続く長期の活動により、国境周辺の農村地帯、そして主要集落の人口構成は大きく変動した。正確な数字は算出できないものの、推計では一四世紀のボヘミアの人口の六分の一がドイツ人植民者であったという(Scales 1999: 330)。エスニックな紐帯を共有しない集団の大量移住は、チェコ社会にさまざまな影響をおよぼすことになった。

一般に小作法ないしドイツ人法と呼ばれる一連の入植者特権はドイツ人農民を誘引し、これまで開発のすすんでいなかったボヘミア＝モラヴィア高原や、ボヘミアとザクセンの国境をなす森林地帯にまで開墾の手が入ることになった。その結果、チェコの農村部にはドイツ人集落の島が点在するようになる。またプシェミスル家の支配拠点を形成する主要集落は、一三世紀のうちに独自の法をもつ都市へと成長をとげていくが、これらの都市法もマクデブルクやニュルンベルクなどから輸入されたものであった。帝国出身者の移住はそれまでにもなかったわけではなく、たとえば一二世紀後半のプラハにはドイツ人地区が設定されている。そこでは、ドイツ人は「生まれ natio」によって異なるために、独自の法と慣習にしたがって生活し、教会司祭および裁判官も選出する自由が許可されていた。しかし、プラハの全域に都市法が授与されると混住がすすみ、市参事会員はドイツ系が多数を占めるようになる。場合によっ

ては、こうした都市創設時に、集落の外側へとチェコ人が追い出されることがあった。ここでの「チェコ人」には農民や手工業者、城付属の召使いなどが含まれる。このように、チェコにやってきて居住する「彼ら」外国人の階層が拡大すると、日常生活で接触する「われわれ」チェコ人も支配階層から下方へ広がりをみせるようになった。

ところで、こうした植民の実施には植民請負人の存在が欠かせなかった。彼らは立場上、ドイツ人法を熟知し、帝国から入植者を募集する伝手のあることを必要条件としていたため、ザクセンなどに出自をもつ騎士階層が大半を占めていた。請負人は、開墾が成功すると、報酬として新村の代官職や一定の所領と収入が保障され、チェコで新規に領主となる場合も多くみられた。そのため、君主主導の植民はチェコの領主層の反発を招き、この時期に君主と貴族が対立するおもな要因のひとつとなる。こうした立場を代弁するのが『いわゆるダリミル韻文年代記』(以下『ダリミル年代記』)である。逸名の作者はプシェミスル・オタカル二世(Přemysl Otakar II 一二三三ー七八年、在位一二五三ー七八年)の政策を以下のように批判している。「その後、王は自民族に対して敬意を払わなくなり/ドイツ人たちに町も村も分け与え始めた/ドイツ人は〔それらを〕城壁で囲み/領主たちに暴力を働き始めた」。

初めて中世チェコ語で著されたこの年代記は韻文であり、もともと貴族宮廷で吟遊詩人が謡いあげていた物語を書き留めたものとされる。したがって、チェコの貴族層を擁護する傾向が明確な作品となっている。これによれば、前記のように、チェコの領主たちは君主が帝国出身者に所領を与えることに反対していた。植民運動の展開は、チェコの農村および都市におけるドイツ人の増加を招き、幅広いチェコ人階層との接点を生み出す一方で、領主層に新たな摩擦をもたらすことになった。古来、支配階層は、君主宮廷に到来する「外国人」を自らの地位を脅かす者として敵視していたが、この時期には、宮廷の高官のみならず、各地の領主層から都市の上層市民までが彼らを嫌悪の対象に含めるようになった。もうひとつ重要なのは、帝国出身者が急増した結果として、「外国人」がほぼ「ドイツ人」と同義になったことである(Žemlička 1999: 237-238)。

## 「チェコ語」の重視

『ダリミル年代記』において「民族」は、「言語」を意味するjazykという言葉で表現されている。つまり、言語こそが民族を規定するものと捉えられているのである。このことを端的に示すのが、公妃ボジェナのエピソードである。『コスマス年代記』が伝えるところでは、一一世紀初頭の大公オルジフ(Oldřich 九七五頃―一〇三四年、在位一〇一二―三四年)は農村で見初めた美しい娘ボジェナを妻とした。ここでの記述は重婚を批判する宗教的文脈へと展開していくのだが、約二世紀後に成立した『ダリミル年代記』ではまったく異なるモチーフへと変貌する。身分違いの結婚に反対する有力者に対して公は以下のように答えた。「余はチェコ人農夫の娘と共にいたい/ドイツ人公女を妻として娶るよりも/誰の心も自分の民族jazykのために燃えている/だからドイツ人公女は我が民のためにならない/ドイツ人公女はドイツ人を召使いとし/我が子をドイツ語němečskyで教育するだろう/その結果、民族は分裂し/国は直ちに滅んでしまうだろう」。こうした言語をめぐる反ドイツ人感情の表明は、この年代記が情報源とした『コスマス年代記』にはまったくない。同じようなエピソード改変は複数の箇所で確認でき、逸名の作者が言語を基準とした民族意識をもっていたこと、またそれが当時のチェコ貴族の共感を広く得ていたことがわかる(藤井 二〇〇七:二九―三〇頁)。

『ダリミル年代記』の内容は一三世紀から歌い継がれてきたものと考えられるが、これが一三一〇年代に書き留められたのは、その直前に生じた非常に大きな政治的事件に起因する。一三〇六年にヴァーツラフ三世(Václav III 一二八九―一三〇六年、在位一三〇五―〇六年)が暗殺され、九世紀以来続いてきたプシェミスル家が断絶したのである。いったんはヴァーツラフの姉妹と結婚していたケルンテン公が即位するが、ハプスブルク家皇帝の圧力にあって退位し、皇帝は息子をボヘミア王位に就けた。しかし、翌年に新王が急死すると、その後、三年間にわたって国外勢力が入り乱れ、王位継承をめぐる争いが繰り広げられる。外国勢力の介入に反対するチェコ貴族と高位聖職者は、新たに皇帝に即位したばかりのルクセンブルク家ハインリヒ七世(Heinrich VII 一二七五頃—一三一三年、在位一三〇八—一三年)と交渉し、彼の長子ヨハン/ヤン(Johan / Jan 一二九六—一三四六年、在位一三一〇—四六年)を亡きヴァーツラフの別の姉妹の夫に迎えることで合意した。こうして一五世紀前半まで一世紀以上続くルクセンブルク朝が開始することになる。

チェコではすでに一二七八年からの数年間(国王プシェミスル・オタカル二世の戦死と後継者の幼少による国王不在期)に、国外勢力の政治的介入とザクセンおよびオーストリア軍の進駐を経験していた。そしてまた今度はマイセン辺境伯、ケルンテン公、オーストリア公の兵が交互に襲来し、チェコ各地にその傷跡を残した。その結果、チェコの人々のあいだで隣接する帝国諸邦への警戒心が高まっていく。一方で、それらの領邦はドイツ語話者地域であり、一括して「ドイツ人」とも認識されていた。ドイツ人の非道を声高に叫ぶ『ダリミル年代記』の逸名作者は、「マイセン人 Míšněné」の行為と認識しつつも、総体としては「ドイツ人 Němci」との戦いとして描く。言語を基準としてチェコ人とドイツ人の対立構造を強調する意図が明瞭に読み取れよう。

なお、早くからチェコ人意識を表明してきた支配階層のうち、本来は普遍的であるべき聖職者も、この時期には言語中心主義に傾いていた。プラハ司教が一三三三年に創設したロウドニツェ修道院には、チェコ語を話す両親から生まれたチェコ人のみが入れるとされていた(薩摩 一九九七:二〇三頁)。

ドイツ人植民の影響で生じたチェコ社会の変化を、前世紀までの状況と比べつつまとめてみよう。第一に、一三世紀に、「外国人」との接点は宮廷や教会にとどまらず、都市や農村の日常生活にまで拡大した。第二に、この時期のチェコでは「外国人」が「ドイツ人」を指すことが一般的となった。『ダリミル年代記』の使用する「ドイツ人」は支配階層だけではなく、市民や農民、職人も含んでいる(Nodl 2006: 69)。第三に、ここでの「ドイツ人」は、チェコの外部に存在し、ときおりやってくる帝国諸侯や騎士以外に、チェコ内に居住するドイツ語話者も指している。植民運動の結果、チェコは領域内部、国境のこちら側にも外国人を抱え込むようになったのである。逆に、一三世紀に成立したドイツの法書『ザクセンシュピーゲル』において、ボヘミア王はドイツ人ではないために選帝侯にはなれない、と記されているように、チェコに対しては帝国内異分子とのまなざしが向けられていたことも忘れてはならない。

## 五、宮廷の国際化とチェコ人定義の多様化——一四世紀

### 宮廷官職の任官条件

プシェミスル家からルクセンブルク家への王朝交代は、単に新たな王家を迎えたということを意味するのではない。後者の本国ルクセンブルク伯領は、言語文化的にはフランスに近いが、政治的には帝国に帰属し、この当時はまさに中枢に位置していた。そのため、ハインリヒが一〇代の息子ヨハンにつけて送りだした顧問団は帝国の諸侯や高位聖職者で構成されていた。たとえば、ヨハン治世の初期にはマインツ大司教が後見人となってチェコで活動している。すでにコスマスの時代から宮廷の要職に外国人が就くことへの反対表明はみられたが、ここにきてよそ者に対する領地や官職の授与をめぐって君主と貴族の対立が再燃する。ただし、それ以前とは異なる様相もみられることを確認していこう。

一三一〇年の即位にあたってチェコの貴族はヨハンにいくつかの条件を提示し、彼はそれを受諾して誓約をおこなった。その項目のひとつに、領邦のいかなる役職にも「外国人 alienigena は任命しない」というものがある。それだけ貴族たちは政治的決定へ参加し続けることに大きな関心を向けていたのである(薩摩 一九九一：一〇六—一〇八頁)。

ところが前述のように、ヨハンの顧問にはマインツ大司教がついていただけではなく、帝国出身司教や伯たちが「王国のあらゆることに」助言を与えていた。国政から除外されたと感じたチェコの貴族たちは、一三一〇年代に二度の反乱をおこし、その結果、マインツ大司教や伯たちはチェコから退去している。さらに一三一八年に国王と貴族のあいだで和解が成立し、「外国人 externus および新来者 advena にいかなる職禄も与えない」ことが再確認された。この点はチェコ貴族にとって譲れない一線だったらしく、ヨハンの息子カレル／カール四世（Karel / Karl IV 一三一六―七八年、在位一三四六―七八年）が一三五五年に編纂させた『カレルの法典』（法典自体は領邦議会で却下）、さらにカレルの息子ヴァーツラフ四世／ヴェンツェル（Václav IV / Wenzel 一三六一―一四一九年、在位一三七八―一四一九年）が一三九四年に貴族と結んだ和解の条文にも明記されている。ここで制限の対象となっているのは「外国人」であって「ドイツ人」ではないが、ヨハンの事例では「ライン地方出身者」とあり、当時の政治状況からいっても、実際に宮廷に席を占めていた人々の顔ぶれからいっても、帝国出身者が念頭に置かれていることは間違いない。

それでは、この禁止条項は実効性があったのだろうか。実は、ヨハンの宮廷には以後も帝国からきた伯の姿が確認できる。ただし、そうした人物はチェコの有力貴族と婚姻関係を結んでいること、彼らは同盟を結んでほかの帝国出身者を襲撃していること、国王から授封されてチェコで封臣化していることを指摘できる（藤井 二〇一五：四七四―四七六頁）。つまり、君主によって招かれ、もっぱらその保護下で活動し、いずれ帝国に戻っていく者とは異なり、チェコ社会への定着を彼らは選択していた。『カレルの法典』でも、王国官職に就くことができる条件として、「チェコ語 lingua Bohemica」を習得していることと、王国に世襲所領を所有していることがあげられている。そして、チェコ定住を条件とすることは、次のヴァーツラフ四世の時代にもみられる。王国共同体のメンバーシップとして、貴族はチェコ語のみならず、領域との結びつきを重視する姿勢を強めていった。

## 領邦への帰属意識

チェコに定着したドイツ人を区別する見方は、一四世紀前半に執筆された『ズブラスラフ年代記』においてもみられる。この年代記は『ダリミル年代記』と同じように、一三一〇年前後の動乱を経験した人物が作者となっているが、明確な違いもある。それは、作者が王立のズブラスラフ修道院院長として国王顧問をつとめる聖職者であること、さらには帝国出身のドイツ語話者であることである。したがって、『ズブラスラフ年代記』は、共同体の外から移り住んだ者の視点を読み取ることができる最初の史料となる。作者は、『ダリミル年代記』とは異なり、国内のチェコ人とドイツ人の対立には沈黙しつつ、一二七〇年代にチェコへ進駐してきた兵を、ドイツ人ではなくザクセン人と表現する。そして自身の暮らすチェコへの帰属意識を明確にもち、自らを王国共同体の成員として位置付けていた(Nodl 2006: 78-83)。こうした民族意識の基準は、ドイツ人植民の二世代目、三世代目にも共通する感覚であったと考えられる。帝国出身ではあっても、実質的にはさまざまな地域からばらばらに移住してきた彼らは、移民としての共通神話をもたず、独自の民族を形成するにはいたらなかった。そのため、彼らが成員となりうる共同体は、新たな故郷となった領邦ボヘミアないしモラヴィアをおいて他になかったのである。

『ズブラスラフ年代記』の作者は、チェコの住民という意味で「われわれ」チェコ人を認識する一方で、「彼ら」としてドイツ人を対置していたわけではない。中世人はドイツ語が地域により大きく異なっており、領邦ごとの個性が強いことを十分認識していた。同年代記だけではなく、一四世紀にチェコで著された年代記は基本的に、「ドイツ人」ではなく、「ザクセン人」や「オーストリア人」などの表現を使う傾向にある。この背景としては、帝国各地、とりわけ東方において君主による所領の一円化が進行し、領邦形成が進展したことを指摘しておく必要がある。ただし、「ドイツ人」という表現が消滅するわけではない。たとえ出身領邦を正確に把握していたとしても、非難する文脈ではあえて「ドイツ人」と記述する事例が散見する。たとえば、カレルの命によって執筆された『プルカヴァ年代記』

では、先述の『ダリミル年代記』の記述と同じように、一三世紀後半の国王不在期に進駐してきたブランデンブルク辺境伯の軍は「ザクセン人 Saxones」と認識される一方で、「ドイツ人 Theutonici」の傲慢や圧政について語られている。人々の集団を把握するさいの枠組みとして領邦が重要性を増しつつも、チェコの年代記叙述において否定的に定型化された「ドイツ人」の使用は継続していた。

カレルの時代に作成された年代記は『プルカヴァ年代記』以外に四つあるが、それらすべての執筆過程に君主カレルの意向が作用しているとされる。これらの年代記は、一三世紀以前の情報を『コスマス年代記』や『ダリミル年代記』、『ズブラスラフ年代記』に依拠している。しかし、先述の公妃ボジェナのエピソードのようにドイツ人/ドイツ語話者を敵視する脚色は、かなりの部分がそぎ落とされている。「ドイツ人の圧政」を報告した『プルカヴァ年代記』も、実は、一四世紀以降の出来事に関してはあまりネガティヴな場面で「ドイツ人」を使用していない。こうした記述の変更には君主の政策意図を読み取ることができる(藤井 二〇〇七:三〇—三一頁)。カレルは皇帝カール四世として帝国を統治しており、決してチェコだけの君主なのではなかった。また、プラハは一時的にせよ帝国の中心都市として機能するコスモポリタンへと変貌していた。したがって、カレルは自身の支配領域に共住する「チェコ人」と「ドイツ人」の対立を激化させるような事態は避けなければならない。そのことが、ドイツ人を悪者とするような描写の抑制につながったと考えられる。年代記作者は出身領邦こそを記述すべき属性とみなしていたのである。

さて、先にみた『カレルの法典』は王国官職に任官可能な者を限定していた。そこではたしかに引き続き言語が重視されていた。しかし、この時期にそれよりも目立つのは、領邦への定住、つまり領域との一体化が重要性を増していくことである。チェコ人に関するこうした法的定義を、カレルは年代記編纂による記憶の伝承作業を通じて後押ししていた。

## 民族的守護聖人の崇敬

文化的要素で言語以外に重要となるのが信仰である。聖ヴァーツラフ崇敬の始まりについては先述したが、カレルは『聖ヴァーツラフ伝』を自身で執筆するほど、母を通じてつながる祖先に尊崇の念を抱いていた。ヴァーツラフに奉献された教会は彼の治世にさらに増加する。また、当初は教会や支配階層に主導されていた崇敬は、この時代になると階層的にも広がりをみせていた。一三世紀まで武装して戦場に姿を現していたこの聖人がおこす奇跡は、一四世紀の年代記では再び病気の治癒が、しかも一般民衆を相手とするパターンが増えているのである(藤井 二〇一二：一一一—一一三頁)。『プルカヴァ年代記』と同じく一四世紀後半に作成された『フランチシェク年代記』には、次のようなエピソードが採録されている。一三三八年の「聖ヴァーツラフの移送日」の前夜、職人たちが祝日を祝うべきかどうか相談していた。それを聞いていた一人が聖人を冒瀆すると、たちまち彼は話すことができなくなり、ほかの感覚も失い始めた。それをみた仲間は、慌てて聖ヴァーツラフの墓へ彼を運んで祈禱を依頼し、供物を捧げた。そして聖人の頭蓋骨を彼の上にかざすと、その者はようやく声と健康を取り戻した。そして「(彼および仲間の)ドイツ人たちTheutonici も我らの聖人 noster patronus を大いに崇敬するようになった」という。ここでは信仰を基準とした「われわれ」チェコ人と「彼ら」ドイツ人の対比が、都市の職人層のあいだで示されている。さらに、この信仰によって結びつく共同体はドイツ系住民も参入が可能であったらしい。ただし、聖ヴァーツラフ崇敬を受け入れた彼らがその後「チェコ人」と呼ばれるようになったのかどうかは、この年代記の記述からは判断することができない。

カレルは聖ヴァーツラフ崇敬を、聖人伝とは別の形でも表現していた。それが「聖ヴァーツラフの王冠」の作製である。先述のように、ボヘミアとモラヴィアを支配するチェコの君主に対して、一三世紀末から北東のシレジア諸侯も臣従するようになった。さらにカレル治世には北西の上・下ルサチア(ラウジッツ)も獲得し、これらの諸邦を統合する必要に迫られていた。ところが、すでに三〇〇年にわたって歴史を共有しているボヘミアとモラヴィアでさえも上位の地理概念――バイエルンやザクセンに対する「ドイツ」のような――をもたず、並列の関係にあった。そこへ歴史も言語も異なる領邦をも接合することになり、すべてを結び付ける核として聖人崇敬を利用したのである。この王冠は前記五つの諸邦からなる「聖ヴァーツラフの王冠諸邦」が不可分であることの象徴として、教皇のお墨付きも得た。しかし、カレル治世もそれ以後も、五つの領邦すべてを含む民族意識が醸成され、表明されることはなかった。国制的にはともかくとして、エスニックな集団を創出するにはいたらなかった。

以上のように、一四世紀のチェコではチェコ人の基準が多様化していた。ここで重要なのは言語に加えて領域であった。支配階層は領邦の集会に参加し、政治的交渉をおこなうことで自身の権利を確保していたが、そもそも領邦自体が集会に参加する者たちの範囲によってその境界を確定させていったのである。集会参加者は、文化的要因で結びつくチェコ人を主体としつつ、それとは異なる論理で政治的なチェコ人を形成していく。こうして重層的な「チェコ人」が立ち現れてくる。また、王朝の交代は宮廷やプラハなどの都市の国際化をいっそう促進した。既存の支配階層は内政問題では反発しつつも、帝国統治に協力し、帝国集会へ参加する者もみられた。君主ばかりでなく、貴族にとっても帝国との関係は切り離せないものとなっていたことが、次の時代に彼らの行動へ影響するのである。

## 六、フス派運動と「チェコ人」――一五世紀

一四一五年、教会大分裂の解決を本題とするコンスタンツ公会議で、一人の教会改革者が異端の烙印を押され、火刑に処された。ヤン・フス(Jan Hus　一三六九頃―一四一五年)である。彼の死は、カトリック教会および皇帝ジギスムント／ジクムント(Sigismund / Zikmund　一三六八―一四三七年、在位一四一一―三七年)に対するチェコの人々の反発を呼

び起こし、その四年後に穏健な国王ヴァーツラフ四世が男子なく死去すると、フスの支持者＝フス派は王弟としてチェコ王位の継承権をもつジギスムントに対して蜂起した。これ以降、一五年以上にわたって戦争が継続する。このフス派運動は、一九世紀に民族主義者が光をあてて以降、ナショナルな性格を与えられてきた。この運動が民族的とされるのは、フス派を支持した領域がほぼチェコに限定されていること、彼らの教義伝達のさいに俗語、つまりはチェコ語が重要視されたことに起因する。また、フス派運動が展開する前史として、プラハ大学におけるチェコ系「同郷団 natio」とドイツ系「同郷団」の対立もあった。しかし、最初に述べたように、この時期のチェコ人意識を近代のネイションへと連続して捉える見方は現在では否定されている。

フス派をチェコ人固有の信仰・思想と理解することは、以下の点で問題がある。第一に、フス派の教義がチェコの外側にあまり浸透しなかったことは確かであるが、チェコ内部で等しく受け入れられたわけではないことも事実だからである。この運動はプラハを中心とするいくつかのボヘミア都市が主導しており、モラヴィアは基本的にカトリック教会に忠誠を誓っていた。また、ボヘミアでも、西部のプルゼニュなどはカトリックにとどまっていた。第二に、フス派がチェコ語で説教や執筆活動をおこなったことは重要だが、チェコ人説教師がラテン語やドイツ語でも活動していたことを看過するわけにはいかない。そのため、カトリック信仰を維持したチェコ系住民とは逆に、フス派に参加するドイツ系住民も多数おり、フス派を「チェコ人」の宗教運動であるとは断定しがたいのである。なお、中世後期の民衆的宗教運動は一般的に、教会聖職者のラテン語による説教を介さずに、自ら俗語で聖書を理解することを目指した。したがって、俗語の重視にチェコの固有性を認めることはできない。また、フス派運動は、フスに先行するチェコ人説教師の教説を受け継ぐと同時に、イングランドのジョン・ウィクリフ (John Wycliffe 一三三〇頃―八四年) の思想にも影響を受けており、他地域で展開していた教会改革運動とも通底していた。

一方で、単にチェコ語を重視したのみならず、チェコ人の定義としてチェコ語を強調する言説が、チェコ人説教師から現れてくる点は見逃すことができない。フスとともにコンスタンツ公会議で異端判決を受け、翌年に彼の後を追うことになったプラハのイェロニーム(Jeroným 一三八〇頃―一四一六年)は、チェコ人を「言語と血統と信仰」によって定義した。このときイェロニームが想定した「血統性と正しき信仰をもつ」チェコ人は、貴族から農民までも含んでいた(浅野 一九九五:二二頁)。あくまで理念的なものではあるが、はじめてすべての階層が「チェコ人」の対象となったことは特筆すべきである。彼の説教の対象も支配階層には限定されていない。ところで、すでにみてきたように、チェコに移住したドイツ人がチェコ語を修得することは可能である。そのため、イェロニームは「純粋なチェコ人purus Boemus」を「チェコ人の両親から生まれた者」とし、さらに信仰を条件に加えている(Šmahel 2000: 45-47)。もはや民族は単一の基準で捉えられるものではなかった。

それでは支配階層の認識はどのように変容したのだろうか。貴族にとってチェコ語は引き続き重要であり、彼らはフス処刑後にコンスタンツ公会議へ送付した書簡において、チェコ語説教の禁止は「チェコ語への侮辱」と強く抗議している。さらに、一五世紀にはチェコ語が領邦議会で用いられるばかりでなく、帝国との外交交渉においても使用され、チェコの独自性を主張するための手段となっている点に注目したい(ポリーフカ 二〇〇六:一七一―一七二頁)。フス派戦争中に帝国都市ニュルンベルクとのフェーデ(私戦:自力救済権に基づく実力行使)に陥ったチェコ貴族は、ドイツ語を理解できたにもかかわらず、チェコの貴族共同体の一員であることを強調するために一貫してチェコ語で帝国宛の書簡を作成していた。フェーデの仲裁を依頼されたチェコ貴族は、相互にチェコ語書簡でやり取りし、共同体成員としての絆を確かめ合っている。彼らにとって言語はチェコの独自性を際立たせるための道具なのであった。その一方で、チェコ貴族はカトリックとフス派の双方にまたがっていた。つまり、信仰の絆を、チェコの支配階層としての共同体意識が上回っていたということになる。少なくとも貴族層は、自身の帰属する共同体のレベルを戦略的に使い分けていたのである。なお、これらの事件の展開は、チェコ貴族が帝国との多様な回路をもつことを示している。

カレル以来の帝国政治との関わりはもはや不可逆的なところまですすんでおり、彼らはあくまで帝国内部での独自性を主張していたのであった。

本節の最後に、一四世紀後半に執筆され、一四三〇年代にジギスムントのチェコ王位継承に反対して編まれたパンフレットから、『ドイツ人についての良き教えの書』の言説を引用しよう。作者は判明していないが、研究者の多くはチェコ系市民とみている。このテキストは、『ダリミル年代記』と同じくチェコ語中心主義をとりつつドイツ人を批判するのだが、同時に属地主義も読み取れる点で異なっている。作者は、ドイツ語を話していても「地元生まれindigena」であればよいが、「外国生まれalienigena」が優遇されるのは許せないと述べる。ドイツ語話者であってもチェコ生まれの者、チェコの慣習を受容する者は区別するなど、当時の社会状況、すなわちチェコ人とドイツ人の混住の進行と定着という現状に即して、「われわれ」と「彼ら」の線引きをなしているのである(藤井 二〇一四:八六頁)。

一二世紀にはじまったドイツ人植民運動に端を発した帝国出身者の移住は、世代を経て、移住者の子孫と彼らを受け入れた側の双方において、共同体の枠組みに対する認識を変容させていった。一四世紀初頭の段階では『ズブラスラフ年代記』の作者のようなドイツ語話者の立場から定住者の承認が表明されていただけであったが、さらに一世紀ほどたってチェコ系住民からも移住者を包摂する言説がみられるようになったのである。それは宮廷レベルでも、市政レベルでも共通していた。

## 七、むすびにかえて

ここまで確認してきたように、中世盛期から後期にかけて、チェコでは帝国および移住してくるドイツ語話者をおもな「彼ら」として、「われわれ」意識を展開させていった。この意識は決して不変のものではなく、社会の変化に応じて基準やその担い手を拡大・多様化させていく。中世チェコで確認された基準は、「言語」、「領域」、「信仰」、「血統」などであった。これらのうち前三者はドイツからの移民でも自らの属性とすることができた。では、最後の血統はどうだろうか。

第五節で確認したように、一四世紀のチェコ宮廷では、言語と定住をキーワードとして繰り返し外来者の排除が議論されてきた。しかし、一三九〇年代に国王ヴァーツラフ四世と対立して外国人の官職就任に反対した貴族同盟には、ヨハン時代に帝国からチェコへ到来した貴族家系が複数含まれていた。つまり、「外国人」として警戒され、排除されようとしていた帝国出身者の一部の子孫は、チェコ化して自他ともに認める「チェコの高貴な領主」家系となり、新参者の排除を目指す側に立場を移行させていたのである(藤井 二〇一五：四八三―四八四頁)。少なくとも貴族層では、チェコに移住し、その慣習を受け入れて土着化した者については、さかのぼれば外国に出自があったとしても、血統的にチェコ人とみなされるようになっていた。こうした態度は、やがて市民階層にも広まっていったと考えられる。

この後、紆余曲折を経て、「聖ヴァーツラフの王冠」は一六世紀にハプスブルク家のもとへ落着した。さらに、三十年戦争のきっかけとなったビーラー・ホラ(白山)の戦い(一六一八年)でフス派貴族が完敗すると、貴族層が大幅に入れ替えられ、ハプスブルク家のウィーン宮廷が主導するなかで再カトリック化がすすめられた。その結果、チェコの貴族もウィーンに出仕し、エリアス的な宮廷社会の規範に沿ったふるまいを旨とするようになる。そこでは、言語や文化による特異性の主張はむしろ忌避すべきであった。

チェコで再び民族意識が表出するのは、一八世紀後半にハプスブルク家君主が啓蒙主義的政策を推進するなかで、中央と地方という対立構造が生まれてからのことである。中央集権化に抵抗する貴族層は、勃興してきた市民層を支援して、自らの特権を立証するために地域の歴史と言語を彼らに研究させた。その結果、たとえばフス派運動はチェコ人の過去の偉大な事績として認定され、フス派が俗語翻訳した『クラリツェ聖書』は近代チェコ語の手本となった。

こうして紐帯の基盤となる歴史と文化を復興させたこと、その担い手として市民層を本格的に迎え入れたことによって、「エトニ」は政治化し、領域住民の全階層を含む「ネイション」となっていく(スミス 一九九九:一八二—一八六頁)。しかし、ここで成立した近代ネイションは、言語と血統を基準としてドイツ系住民を峻別し、排除するものであった(チェコでは信仰はネイションに結びつかなかった)。ここでいう血統が疑似科学的な観念であったことは敢えて指摘するまでもないだろう。それをふまえてもなお、排除をうたいつつも、実際には複数あらわれる要素のいずれもが越境可能であった中世エトニとは、本質的に異なるものであった。

**参考文献**

浅野啓子(一九九五)「プラハのイェロニーム——中世後期チェコ改革運動におけるその役割」『史観』一三二号。

江川溫(一九九五)「民族意識の発展」『西欧中世史』下巻、ミネルヴァ書房。

江川溫(一九九八)「ヨーロッパの成長」『岩波講座 世界歴史』第八巻、岩波書店。

薩摩秀登(一九九一)『王権と貴族——中世チェコにみる中欧の国家』日本エディタースクール出版部。

薩摩秀登(一九九七)「中世チェコにおける「ドイツ人」観」『歴史学研究』七〇三号。

薩摩秀登(一九九八)『プラハの異端者たち——中世チェコのフス派にみる宗教改革』現代書館。

スミス、アントニー(一九九九)『ネイションとエスニシティ——歴史社会学的考察』巣山靖司ほか訳、名古屋大学出版会。

藤井真生(二〇〇二)「中世チェコにおける王国共同体概念——『ダリミル年代記』の検討を中心に」『史林』八五巻一号。

藤井真生(二〇〇七)「カレル四世時代の年代記にみる「チェコ人」意識——チェコの「ドイツ人」との対比から」『西洋史学』二二七号。

藤井真生(二〇一二)「聖ヴァーツラフ崇敬の形成と利用」『秀明大学紀要』九号。

藤井真生(二〇一四)「ドイツ人についての良き教えの書」『人文論集(静岡大学人文社会科学部)』六五巻二号。

藤井真生(二〇一五)「外国人には官職を与えるな——中世後期チェコにおける貴族共同体のアイデンティティ」『コミュニケーショ

ンから読む中近世ヨーロッパ史――紛争と秩序のタペストリー』ミネルヴァ書房。

ポリーフカ、ミロスラフ（二〇〇六）「帝国都市ニュルンベルクとのフェーデに見るチェコ貴族の自意識」『紛争のなかのヨーロッパ中世』藤井真生訳、京都大学学術出版会。

三佐川亮宏（二〇一三）『ドイツ史の始まり――中世ローマ帝国とドイツ人のエトノス生成』創文社。

Graus, František (1966), "Die Bildung eines Nationalbewußtseins im mittelalterlichen Böhmen", *Historica*, 13.

Hosák, Ladislav (1970), "K svatováclavským patrociním na Moravě", *Časopis Matice Moravské*, 89.

Klaniczay, Gábor (2002), *Holy rulers and blessed princesses: dynastic cults in medieval central Europe*, Cambridge, Cambridge University Press.

Nodl, Martin (2006), *Tři studie o době Karka IV.*, Praha, Argo.

Scales, Len (1999), "At the margin of community: Germans in pre-Hussite Bohemia", *Transactions of the Royal Historical Society*, 9.

Šmahel, František (2000), *Idea národa v husitských Čechách*, Praha, Argo.

Žemlička, Josef (1999), "Markomané, Němci a středověká kolonizace", *Český časopis hisotický*, 97.

コラム | *Column*

# 史実とフィクションのあわいを探る

## ——歴史解釈としての映画の可能性

図師宣忠

過去を描いた映像作品から私たちは何かを学ぶことができるだろうか。歴史映画は、ともすれば「史実」に忠実かどうかで評価され、定評のある作品は娯楽の域を超えて、高校や大学など歴史教育の場で活用されたりもする。しかし、歴史映画とはいったい何をどのように表現しているのか。そもそも映画に歴史は語れるのか。ここでは、歴史叙述と映画との異同を確認することで、映像メディアを通じて提示される過去/歴史をどのように捉えればよいのかを考えてみたい。

ヘイドン・ホワイトは一九八八年の『アメリカン・ヒストリカル・レビュー』誌上のフォーラムにおいて、「歴史とそれに対する私たちの考えを、視覚イメージや映画のような語り口で表現すること」を「歴史映写」historiophoryと名づけて、「歴史叙述」historiographyに対比し、歴史家が著述を通じて歴史を語るのと同じように、映画制作者は映像メディアを通して過去の世界を語りうるとした。なるほど歴史とは、たんなる過去の事実の叙述ではなく、私たちが過去の「痕跡」にさまざまな意味を付与したストーリーなのだとすれば、歴史叙述も歴史映画も言語と映像という別こそあれ、過去の世界にそれぞれ違う角度から迫っているということになろう。

それでは、言葉で歴史を表現する歴史叙述と比べて、映像を通じた歴史の語りにはどのような特徴があるのだろうか。テクストにおいては読者が想像を働かせる余地があり、積極的に本の内的世界を築き上げる。一方で、そうした部分を鮮やかに描き出す映画にあっては、自由裁量の余地は限定され、観客は映画の内的世界から受け取ったものを消化しようとする。このような言語によるコード化と映像によるコード化の違いは、歴史叙述と歴史映画の違いを考える上でも重要な位置を占めている。ダニエル・ヴィーニュ監督の映画『マルタン・ゲールの帰還』(一九八二年)で歴史考証の顧問をつとめたナタリー・Z・デーヴィスは、歴史映画の制作を「思考の実験」と呼び、映画を通じての歴史の語りは劇的でありながら過去の記録に忠実なものにもなりうるとする。歴史家が行っている作業自体も過去の「構築」だということを踏まえれば、映像と音声を融合させた映画は、歴史の一つの見方を斬新な観点から提示するメディアと捉えられるのだ。

たとえば、サイレント映画『裁かるゝジャンヌ』(一九二八年)のカール・テオドール・ドライヤー監督は、ジャンヌ・ダルクの裁判記録を編纂したピエール・シャンピオンに歴史考証の助言を求め、史料に忠実でありながら、クローズアップの技法を巧みに用いて、史料からは直接的には浮かび上がってこないジャンヌの恐怖や逡巡をも可視化し、ジャンヌ・

ダルク裁判の情景を見事に描いた。また、ウンベルト・エーコの小説を原作としたジャン＝ジャック・アノー監督の映画『薔薇の名前』(一九八六年)でも、ジャック・ル＝ゴフを中心にジャン＝クロード・シュミットやミシェル・パストゥローなど錚々たるメンバーが中世研究の専門家として関わり、綿密な時代考証が行われている。天井から吊り下げられた三重構造の華麗な燭台、風呂用の巨大な浴槽、オーク材で作られた教会本堂の椅子、写字室の机、彩色写本など、細部にこだわり歴史的信憑性を徹底的に追求した本作品は、中世の雰囲気を醸し出すことに成功した迫真の中世映画である。

とはいえ、いかに専門家による歴史考証が入ったとしても、決して過去の世界がそのまま忠実に再現されているわけではないことには注意しておきたい。映画制作の現場では、史料以外の要素も歴史の語りに影響を及ぼしており、歴史映画を「読む」ためには、創造、脚色、推論、解釈といった映像制作の独自の特質を踏まえる必要がある。映画監督は歴史を題材としつつも、それに芸術的な形を与え、多くの観客の心を動かすべく語る。そこには脚本家や原作としての小説の著者によるテクストも関わってくる。また、役者による演技の解釈、音響、照明から空間の見せ方や画面の構成に至るまで、映画とはさまざまなスタッフがそれぞれの役割を果たす共同作業の成果なのだ。こうして歴史映画における過去の世界は、テクストと映像制作という二重のフィルターをくぐって、観客のもとに届くことになる。ピーター・バークが指摘するように、映像化された歴史には書かれた歴史と同様、解釈する行為が伴うということを忘れてはならない。

E・H・カーは、遠い過去の世界を解き明かすには「想像的理解」が必要だと説いた。映画には、文章で表現されるのとは違った風に、歴史に対する「想像力」をかきたてる力がある。過去をあたかも現在のように見せ、スクリーンいっぱいに過去の時代の精神をみなぎらせることのできる映画の可能性は計り知れない。「映画に歴史は語れるのか」――。言語論的転回を経た現在、過去の「痕跡」は多様な史料に求められるようになり、それぞれの史料の読み解きも深化している。そうした中、歴史映画は逆に私たちに問いを投げかける。そもそも「歴史とは何か」と――。私たちはなぜ／どのようにして歴史を学ぶのか。歴史叙述と映画における歴史の描き方の違いを楽しみながら、その根源的な問いに向き合いたい。

デーヴィス、ナタリー・Z(二〇〇七)『歴史叙述としての映画――描かれた奴隷たち』中條献訳、岩波書店。
バーク、ピーター(二〇〇七)『時代の目撃者――資料としての視覚イメージを利用した歴史研究』諸川春樹訳、中央公論美術出版。

問題群｜*Inquiry*

# 西アジアの軍人奴隷政権

五十嵐大介

西暦一〇〇〇年前後から一五〇〇年ごろまでの約五〇〇年間は、中期(Middle Period)あるいは中世(medieval)イスラーム時代と呼ばれる。この時代の歴史的特徴は多岐にわたるが、国家のあり方についていえば、主としてトルコ系の騎馬遊牧民出身の軍人集団が支配層を構成したことが第一に指摘される。こうした軍人支配層は、集団として西アジアに進出してきた部族集団とその指導者たちの他、グラーム(ghulām)やマムルーク(mamlūk)と呼ばれる、奴隷身分出身の軍人たちを含んでいた。イスラーム時代の西アジアにおいて、有力者が自身の奴隷や解放奴隷を政治や軍事など様々な分野で活用することは以前から見られたが(第八巻「展望」)、九世紀以降になると、騎馬や弓射技術に長け軍人としての資質に優れたトルコ系奴隷を大規模に購入し、軍事ユニットとして育成・編成するやり方が、為政者が軍事力を組織する重要な手法となった[1]。

中期の西アジアにおいて、こうした軍人奴隷たちの存在はごくありふれたものとなった。彼らの軍事的政治的役割が拡大するに従い、軍人奴隷やその息子が地方総督やアミール(将軍)として実権を掌握して独立し、王朝を樹立することも生じた。こうした軍人奴隷政権の代表的な存在が、エジプト・シリアを二六〇年以上にわたり支配し、メッカ・メディナの二聖都を保護下に置き、西アジア・イスラーム圏の中心的国家として繁栄したマムルーク朝(一二五〇―一五一七年)である。本稿では、このマムルーク朝をこの時代の西アジアの軍人奴隷政権の一例として、その仕組みについて以下の点に注目しながら論じていく。初めに、マムルーク朝の成立を、この時代と地域の歴史的展開の中に位置づける。そのうえで、スルターン位の継承方法に注目したマムルーク朝国家の時代的変化、マムルークたちの間に結ばれた多様な人間関係、そしてマムルークを国家の中核とする政治権力体制の形成過程(マムルーク化 Mamlukization)とその背景について考察する。以上を通じて、マムルーク朝国家の在り様とマムルークたちの政治社会について新たな視角を提示したい。

## 一、中期西アジアの軍人政権と軍人奴隷

この時代の軍人支配層は、土着のアラブ系やイラン系ムスリム住人とは言語的にも民族的にも文化的にも遊離した、外来の支配者集団であったが、彼らの支配を成り立たせる基盤となったのが、イクター制であった。国家が持つ農村からの徴税権を軍事奉仕の対価として軍人に委ねるイクター制は、九四五年にブワイフ朝(九三二―一〇六二年)支配下のイラクで導入された後、西アジア一帯を征服したセルジューク朝(一〇三八―一一九四年)のもとで整備され、その支配領域各地で施行された。以降、イクター制はセルジューク朝の後継国家にも継承され、国家の軍事・財政・行政制度はこれを軸として形成された。社会全体に目を向ければ、イクター保有を通じて農村を支配下に入れた軍人層は、農村から得られる富を都市に環流させる力を独占し、その再配分を通じて都市の食糧供給・公共事業・経済活動・宗教活動に多大な影響力を及ぼしたのである(五十嵐 二〇一一:四―五頁)。

他方で、在地社会とのチャンネルを持たない異邦人であった軍人支配層が、その支配を安定させるには、在地社会の名士層(アーヤーン)として一般民衆に対して影響力を有していたウラマー(イスラーム知識人)を取り込むことが必要不可欠であった。このための重要なツールとなったのがワクフ(寄進)である。軍人層はイクター制を通じて獲得した

富を、ワクフ制度を通じて宗教・教育施設の建設や運営に費やすことで、ウラマーの学術活動や社会生活を経済的に保護・支援した。ウラマーの側は、地域社会の防衛と治安維持に必要な軍事力と、経済活動を動かし社会の営みを支える経済力において軍人支配層に依存したが、他方で異邦人の軍人による支配にイスラーム的な正統性と合法性を付与し、彼らと民衆との間を仲介する役割を果たしたのである(バーキー 二〇一三:二一章)。

こうしたイクター制に基づいた軍人支配体制が西アジア社会において広く根付いていくのが、一一世紀のセルジューク朝による西アジア征服以後のことである。アラル海東部で遊牧生活を営んでいたトルコ系のセルジューク族は、一〇世紀ごろにイスラームを受容した後、マー・ワラー・アンナフルからホラーサーン地方へと進出し、一〇三八年にニーシャープールを征服して王朝を樹立した。セルジューク朝はその後イランからイラクへと勢力を伸ばし、ついにはアナトリア・シリアにまで及ぶ広大な領域を支配下に組み込んだ。セルジューク朝の領土は三代目スルターン、マリク・シャー(在位一〇七二―九二年)の没後、政治的に分裂するが、その基本的な国家体制は、各地に分立した後継国家に引き継がれていった。

こうしたセルジューク朝後継国家群の中には、トルコ系の軍人奴隷やその子孫が支配する政権が数多く存在した。王朝成立当初は部族連合の長として、同じトルコ系遊牧部族の軍事力に依拠していたセルジューク朝のスルターンは、彼らをコントロールすることの難しさから、次第に同じトルコ系の軍人奴隷軍団を重用するようになった(Peacock 2015: 224-225)。トルコ系軍人奴隷を購入して軍団として編成することは、彼らの軍事能力や忠誠心の強さといった点を抜きにしても、金銭によって望む規模の兵士を必要に応じて集めることができたという意味で、兵士のリクルート手段として使い勝手がよいものであった(Tor 2011: 788)。こうしたトルコ系軍人奴隷は、スルターンのみならず、大小のアミールやその他政府の高官も用いた。そしてセルジューク朝の分裂後、軍人奴隷が、セルジューク王家の王子の後見人たるアターベク(atābek)の称号をもって実権を掌握し、各地に独立政権を樹立した。これらは総称してアターベク諸士朝と呼ばれ、マリク・シャーの甥ドゥカークのアターベク、トゥグタキーンが樹立したダマスクスのブーリー朝(一一〇四―五四年)、マリク・シャーの軍人奴隷アークスンクルの息子ザンギーがモースルに興したザンギー朝(一一二七―一二五一年)、アゼルバイジャンのイルデギズ朝(一一四五―一二二五年)などが含まれる(大塚 二〇一九:六三―六八頁)。ただし、セルジューク朝後継国家群は、イクター制を基礎に置き、セルジューク朝の諸制度を引き継いでいる点で共通しており、君主が軍人奴隷か否かにより国家の仕組みや性格が大きく異なることはなかった。

## 二、マムルーク朝の成立

一一世紀末に聖地イェルサレムを目指して西欧から到来した十字軍は、マリク・シャー没後のセルジューク朝の政治的混乱の中、シリア・パレスチナの沿岸部に殖民し、西欧ラテン・カトリック圏と密接な関係を維持する四つの十字軍国家をつくりだした。混沌とした状況の中、「ジハード」(聖戦)を旗印に諸勢力を糾合し、軍事活動を拡大することでセルジューク朝の権威から独立した強力な国家を形成したのがザンギー朝、およびその後継国家アイユーブ朝(一一六九―一二五〇年)であった。アイユーブ朝の創始者サラーフ・アッディーン(サラディン)は、エジプトとシリアの大部分を統一し、イェルサレムを含む十字軍諸国の領土の多くを征服した。しかし、アイユーブ朝はその後も西欧から定期的に到来する新たな十字軍に悩まされた。一二四〇年にエジプトで即位したサーリフ(サラーフ・アッディーンの弟アーディルの孫)は、ダマスクスに拠って反乱を起こした彼の叔父とイェルサレム王国との連合軍を一二四四年ラフォルビーの戦いで打ち破り、イェルサレム王国に壊滅的な打撃を与えた。しかしこの勝利は西欧側のさらなるリアクションを生み、フランス王ルイ九世の十字軍の原因ともなった。

このような政治軍事情勢の中、サーリフが力を入れたのが、マムルーク軍団の大規模な編成であった。彼のマムルークたちは、主君の王号「サーリフ」(有徳王)に因み、総称してサーリヒーヤと呼ばれたが、その中でも数が多く特に重視されたのがバフリーヤ軍団で、その名は彼らがナイル川(バフル)の中州に建てられた兵舎に駐屯していたことに由来する。彼らが後にマムルーク朝を樹立する中心的役割を担うのだが、サーリフの軍隊は必ずしもマムルークのみに依存していたわけではない。彼は他にもフワーリズミーヤと呼ばれるホラズム・シャー朝の残党や、クルド系の部族集団カイマリーヤといった東方・北方からシリアへと到来した亡命軍事集団を自軍に取り込み、軍隊の大きな柱とした。これらの軍人登用策には、中央ユーラシアにおけるモンゴル帝国の伸長が深く関わっていた。チンギス・カンに率いられ勃興したモンゴル帝国は、一三世紀を通じてユーラシア中央部を軍事的に席巻した。一二一九年から二〇年にかけ、東方イスラーム世界の雄であったホラズム・シャー朝をまたたくまに壊滅させ、マー・ワラー・アンナフルを支配下に組み込んだ。一二三六年に始まるバトゥの西方遠征では、ヴォルガ・ブルガール地方からキプチャク平原全体がモンゴルによって支配されるようになった。フワーリズミーヤもカイマリーヤも、モンゴルの圧迫を逃れ、流れてきた集団であり、モンゴル支配領域から軍事集団がシリア・エジプトへ亡命し、登用されることはマムルーク朝時代になっても続いた。マムルークについては、そもそもエジプトやシリアはトルコ系奴隷の供給地に近い中央アジアの奴隷市場からは距離的に遠く、アイユーブ朝の軍隊にはトルコ系マムルーク以外にも、アイユーブ王家と同族であるクルド系の軍人一族や部族・地域集団など、多様な集団が含まれていた。サーリフが大規模なマムルーク軍団を組織することが可能になったのは、モンゴルによるキプチャク平原の征服により、黒海沿岸部からアナトリア、アレッポへと至る奴隷供給ルートが開拓され、トルコ系キプチャク族が奴隷として西アジアの奴隷市場に大量に供給されたためであった(Humphreys 1977: 96-97)。その意味で、サーリフ期からマムルーク朝体制の形成に至る過程は、モンゴルが引き起こしたユーラシア規模の人的流動性の高まりと不可分なものであったといえよう。

一二四八年、サーリフはエジプトのデルタ地方にあるマンスーラの町でルイ九世率いる十字軍の軍勢と対峙中に急逝した。危機の中、サーリフの奴隷出身の王妃シャジャルッドゥッルを中心に団結を維持したエジプト軍は、マンスーラの戦いで十字軍を撃破し、最終的にはルイ九世を捕虜にする大勝利を収めた。こうしてからくも危機を脱したエジプトでは、サーリフの唯一の遺児トゥーラーン・シャーが即位するが、亡父の親衛隊バフリーヤ軍団との対立が深まった。一二五〇年、トゥーラーン・シャーはバフリーヤ軍団によって殺害され、バフリーヤを含むサーリヒーヤ・マムルークたちと、サーリフに仕えた非マムルークのアミールたちが、シャジャルッドゥッルをスルターンに擁立し、サーリヒーヤのマムルークであるがバフリーヤには属さない古参のマムルーク軍人アイバクをアターベクに選出した。しかし、このエジプトでの政変に対してシリア各地のアイユーブ家諸侯はこぞって反発し、エジプト侵攻を企てた。このためバフリーヤを含むエジプト政権の指導者たちは、「女性では国土と王権を保持できない」としてシャジャルッドゥッルを廃位し、代わってアイバクをスルターンの座につけた。しかし反発は依然激しく、アイユーブ家の人物を擁立することで批判をかわそうと、バフリーヤが中心となって、後宮で生活していたアイユーブ家の幼少の王子ムーサーをスルターンの座に据え、アイバクを再びアターベクに戻した。このムーサーを廃し、アイバクが自らスルターンの座に返り咲くのは、クラーの戦いでシリア軍を打ち破ってエジプト軍を勝利に導いたバフリーヤの領袖アクターイを誅殺し、バフリーヤとの政争に勝利して権威を確立した一二五四年一月のことである(Levanoni 1990)。

このように、サーリフのマムルークたちが中心となって成立したマムルーク朝であるが、マムルークのみが支配層を占めていた訳でも、軍人奴隷という出自がことさら重視された訳でもなかった。先述のように、一三世紀を通じて、モンゴルの支配領域からシリア・エジプトへ流入した亡命軍事集団は重要な兵力として用いられ、その指導者が重用されることも少なくなかった(中町 二〇一五)。マムルークが軍と国家の中枢を占め、彼らの間からスルターンが継続的に即位する体制が整うのは、後述のように一五世紀になってからである。

## 三、スルターン位の継承ルール

マムルーク朝支配体制は、時期によっていくつかの段階に分けることができる。どのような部分に注目するかによって、その分け方は勿論、王朝の性格そのものに対する見方も変わってくる。最も一般的なものが、前期のトルコ・マムルーク朝(バフリー・マムルーク朝:一二五〇―一三八二年)と、後期のチェルケス・マムルーク朝(ブルジー・マムルーク朝:一三八二―一五一七年)に分ける見方である。これは、前者においてはトルコ系、後者においてはチェルケス系のマムルークとその子孫がスルターン位を占めたという、君主の「民族性」(jinsīya)に基づいた分け方で、同時代の歴史家の見方に準じたものである(2)。

一方、スルターンがマムルークであったか否かにこだわらず、どのイエ(household)に属していたかという視点から見れば、①サーリフ家支配期(一二五〇―七九年)、②カラーウーン家支配期(一二七九―一三八二年)、③バルクーク家支配期(一三八二―一四六八年)、④カーイトバーイ家支配期(一四六八―一五一七年)と分けることができよう。サーリフ家支配期は、サーリフのイエの構成員(主人の血縁者、姻族、およびマムルーク)がスルターン位を占めた時期であり、バイバルス一世の治世において国家体制の基礎が固められた。カラーウーン家支配期は、サーリフのマムルークであったカラーウーンが即位した後、彼のイエの構成員がスルターンとなった時期で、カラーウーンの息子ナースィル・ムハンマド一世の治世第三期以後は、彼の息子・孫がスルターン位を継承した。この二つの時期は、いずれも「始祖」サーリフとカラーウーンとの繋がりが支配の正統性を支えていた。サーリフ家支配期には、首都カイロの中心部バイナルカスラインにサーリフが建設したサーリヒーヤ学院に彼の墓廟が付設され、アミールに就任したマムルークは、王城からパレードでそこへ下り、サーリフの墓前で就任式を挙行した。カラーウーン家支配期になると、カラーウーン

**表1　マムルーク朝スルターン一覧（括弧内は在位年，○は非マムルーク）**

シャジャルッドゥッル Shajar al-Durr（一二五〇）
ムイッズ・アイバク al-Muʿizz Aybak（一二五〇—五七）
○マンスール・アリー一世 al-Manṣūr ʿAlī b. Aybak（一二五七—五九）
ムザッファル・クトゥズ al-Muẓafar Quṭuz（一二五九—六〇）
ザーヒル・バイバルス一世 al-Ẓāhir Baybars（一二六〇—七七）
○サイード・バラカハーン al-Saʿīd Baraka Khān（一二七七—七九）
○アーディル・サラーミシュ al-ʿĀdil Salāmish（一二七九）
マンスール・カラーウーン al-Manṣūr Qalāwūn（一二七九—九〇）
○アシュラフ・ハリール al-Ashraf Khalīl b. Qalāwūn（一二九〇—九三）
○ナースィル・ムハンマド一世 al-Nāṣir Muḥammad b. Qalāwūn（第一期一二九三—九四）
アーディル・キトブガー al-ʿĀdil Kitbughā（一二九四—九六）
マンスール・ラージーン al-Manṣūr Lājīn（一二九六—九九）
○ナースィル・ムハンマド一世（第二期一二九九—一三〇九）
ムザッファル・バイバルス二世 al-Muẓaffar Baybars（一三〇九—一〇）
○ナースィル・ムハンマド一世（第三期一三一〇—四一）
○マンスール・アブー・バクル al-Manṣūr Abū Bakr b. Muḥammad（一三四一）
○アシュラフ・クジュク al-Ashraf Kujuk b. Muḥammad（一三四一—四二）
○ナースィル・アフマド一世 al-Nāṣir Aḥmad b. Muḥammad（一三四二）
○サーリフ・イスマーイール al-Ṣāliḥ Ismāʿīl b. Muḥammad（一三四二—四五）
○カーミル・シャアバーン一世 al-Kāmil Shaʿbān b. Muḥammad（一三四五—四六）
○ムザッファル・ハーッジー一世 al-Muẓaffar Ḥājjī b. Muḥammad（一三四六—四七）
○ナースィル・ハサン al-Nāṣir Ḥasan b. Muḥammad（第一期一三四七—五一）
○サーリフ・サーリフ al-Ṣāliḥ Ṣāliḥ b. Muḥammad（一三五一—五四）
○ナースィル・ハサン al-Nāṣir Ḥasan b. Muḥammad（第二期一三五四—六一）
○マンスール・ムハンマド二世 al-Manṣūr Muḥammad b. al-Muẓaffar Ḥājjī（一三六一—六三）
○アシュラフ・シャアバーン二世 al-Ashraf Shaʿbān b. Ḥusayn b. Muḥammad（一三六三—七七）
○マンスール・アリー二世 al-Manṣūr ʿAlī b. Shaʿbān（一三七七—八一）
○サーリフ・ハーッジー二世 al-Ṣāliḥ Ḥājjī b. Shaʿbān（第一期一三八一—八二）
ザーヒル・バルクーク al-Ẓāhir Barqūq（第一期一三八二—八九）
○マンスール・ハーッジー二世（第二期一三八九—九〇）※サーリフから改称
ザーヒル・バルクーク（第二期一三九〇—九九）
○ナースィル・ファラジュ al-Nāṣir Faraj b. Barqūq（第一期一三九九—一四〇五）
○マンスール・アブドゥルアズィーズ al-Manṣūr ʿAbd al-ʿAzīz（一四〇五）
○ナースィル・ファラジュ（第二期一四〇五—一二）
○ムスタイーン al-Mustaʿīn bi-Allāh（一四一二）※アッバース家カリフ
ムアイヤド・シャイフ al-Muʾayyad Shaykh（一四一二—二一）
○ムザッファル・アフマド二世 al-Muẓaffar Aḥmad b. Shaykh（一四二一）
ザーヒル・タタル al-Ẓāhir Ṭaṭar（一四二一）
○サーリフ・ムハンマド三世 al-Ṣāliḥ Muḥammad b. Ṭaṭar（一四二一—二二）
アシュラフ・バルスバーイ al-Ashraf Barsbāy（一四二二—三八）
○アズィーズ・ユースフ al-ʿAzīz Yūsuf b. Barsbāy（一四三八）
ザーヒル・ジャクマク al-Ẓāhir Jaqmaq（一四三八—五三）
○マンスール・ウスマーン al-Manṣūr ʿUthmān b. Jaqmaq（一四五三）
アシュラフ・イーナール al-Ashraf Īnāl（一四五三—六一）
○ムアイヤド・アフマド三世 al-Muʾayyad Aḥmad b. Īnāl（一四六一）
ザーヒル・フシュカダム al-Ẓāhir Khushqadam（一四六一—六七）
ザーヒル・ヤルバーイ（ビルバーイ）al-Ẓāhir Yalbāy（Bilbāy）（一四六七）
ザーヒル・ティムルブガー al-Ẓāhir Timurbughā（一四六八）
アシュラフ・カーイトバーイ al-Ashraf Qāytbāy（一四六八—九六）
○ナースィル・ムハンマド四世 al-Nāṣir Muḥammad b. Qāytbāy（一四九六—九八）
ザーヒル・カーンスーフ al-Ẓāhir Qānṣūh（一四九八—九九）
アシュラフ・ジャーンブラート al-Ashraf Jānbulāṭ（一四九九—一五〇一）
アーディル・トゥーマーンバーイ一世 al-ʿĀdil Ṭūmānbāy（一五〇一）
アシュラフ・カーンスーフ・ガウリー al-Ashraf Qānṣūh al-Ghawrī（一五〇一—一六）
アシュラフ・トゥーマーンバーイ二世 al-Ashraf Ṭūmānbāy（一五一六—一七）

がサーリヒーヤ学院の対面に建設し、マドラサ(学院)・病院・自身と一族の墓廟を併設したマンスーリーヤ複合施設に儀礼の場所が移された(Van Steenbergen 2013: 232-241)。

バルクーク家支配期は、一般的にチェルケス・マムルーク朝の初代スルターンとされるバルクークがカラーウーン家のスルターンを廃して自ら即位したことに始まり、彼以降、スルターン位はバルクークのイエの出身者によって継承された。一四六一年にバルクークのマムルークとして最後のスルターンとなるイーナールが死去すると、スルターン位はバルクークのマムルークの第一世代から、第一世代のスルターンたちのマムルークである第二世代へと移った。この第二世代のスルターンたちの治世は不安定なものが続いたが、その中からスルターンとなり、行財政改革を実行し長期政権を築いたのが、カーイトバーイである。彼以降スルターン位は彼のイエの出身者が占めることとなり、それが王朝滅亡まで続いた。

実力主義か世襲主義かという視点から、スルターン位への就任方法に注目すると、フェス(A. Fuess)の分類に従って、第一期:「トルコの法」(asat al-turk)時代(一二五〇―一三一〇年)、第二期:カラーウーン世襲王朝の時代(一三一〇―八二年)、第三期:王朝主義と実力主義の混合期(一三八二―一四一二年)、第四期:「ムルク・アキーム」(mulk al-ʿaqīm)時代(一四一二―一五一七年)と分けることができよう(Fuess 2013: 99-101)。第一期は、君主を殺害した人物が君主の座を得ることが「トルコの法」であるというトルコ・遊牧民的な王権概念に基づき、有力軍人が実力でスルターン位を獲得した時代である。この時代の前半はサーリヒーヤ同士、特にバフリーヤと非バフリーヤの間での権力抗争を軸として進んだ。バフリーヤの指導者バイバルス一世がスルターンとなってバフリーヤの優位を確立し、彼の死後は同じバフリーヤの有力者カラーウーンがバイバルス一世の息子たちを放逐し政権を引き継いだ。カラーウーンの死後は、その息子で後継者であったハリールは殺害され、カラーウーンのマムルーク軍団(マンスーリーヤ)出身の有力アミールたちがスルターン位を争った。

第二期は、カラーウーンの息子ナースィル・ムハンマド一世の治世第三期に始まる。マンスーリーヤの有力者たちとの権力争いに勝利し実力でスルターン位を獲得したナースィルは、制度的・財政的諸改革を通じて、マムルーク朝時代を通じても稀な絶対的な権力を確立した。彼の約三〇年におよぶ治世の中でナースィルの権威は確固としたものとなり、彼の死後、彼の息子と孫たちが血縁に基づいて即位する、世襲王朝の形態をとった。ナースィルは彼の娘をマムルークやその息子と結婚させることで、彼らを王家の一員として組み込んだ。「少なくともナースィルの治世第三期の始まりからチェルケス・マムルーク朝まで、マムルーク朝は一つの王家とその親族と姻族によって支配されていた」のである(Yosef 2012: 60)。

第三期は、王権の正統性が、第二期の世襲から、第四期の実力主義へと変わる移行期と位置付けられる。一三八二年、マムルークのバルクークが、ナースィルの孫にあたるサーリフ・ハーッジー二世を廃位し、自らスルターンとなった。彼は、カラーウーン家の傀儡(かいらい)スルターンのもとで、軍人たちの中の最有力者がアターベクの地位につき実権を振るう、ナースィル没後の政治体制を打破し、実力によってスルターンになった訳だが、彼はカラーウーン家に代わる自らの血統に基づいた新王朝の樹立を意図し、ナースィル期の王朝儀礼を廃止・変更するなどして、権威の置き換えを積極的に試みた(Hasebe 2009: 322-323)。しかし、彼の息子で後継者となったファラジュの治世は、父のマムルークたちとの権力抗争で安定せず、最終的にファラジュは殺害され、バルクークの王朝建設の試みは失敗に終わるのである。

第四期の「ムルク・アキーム」とは、「王権は子を産まない」という意味の、当時の王権意識を表す標語で、有力マムルークが血縁によらず実力でスルターン位に就くことが不文律として確立した時期である。ファラジュの殺害後、(スルターン自身の希望はともかく)スルターン位の世襲はマムルークたちの間で事実上放棄された。この時代、スルターンが死去すると、その息子が満場一致でスルターン位を継いだが、彼の地位が名目的かつ一時的な措置であることは自明視されていた。その間に有力マムルーク同士による支持者の獲得・同盟・武力衝突などを通した政治抗争が繰り広げられ、最終的に勝ち抜き、支持を得た人物が、改めてスルターン位に就くこととなった。シーベルトによれば、この時代のスルターン位は、「インフォーマルな選挙君主制」(Sievert 2014: 111)となったのである。

以上のように、スルターン位継承方法のどの部分に注目するかにより、マムルーク朝の王朝としての性格も変わって見えてくるだろう。第一の見方を取れば、軍人支配層の民族性に基づく連帯と相互対立が、第二の見方では支配王家の世代交代が、第三の見方では実力主義と世襲主義との緊張関係が、王朝の変化をもたらす動因としてクローズアップされる。マムルークがスルターン位に就くという部分にどこまで重きを置くかという点もまた、この王朝の性格をどのように考えるかという問題と深く関わっているのである。

## 四、軍人奴隷制と奴隷家族――主人―奴隷関係と同僚関係の理念型とその実態

マムルークたちは、キプチャク平原やカフカス地方の遊牧/半遊牧地帯で戦争捕虜となるか、家族によって売却されるなどして奴隷となった。一二六〇年代以降、黒海から地中海へと続く海上交易がマムルーク朝への奴隷の主要な供給ルートとなり、マムルークたちはジェノヴァやヴェネツィアの商人やムスリム商人の手を経て、マムルーク朝の御用商人によって購入された(3)。エジプトに運ばれ、スルターンによって購入されたマムルークたちは、ムスリムに改宗した後、軍事学校でアラビア語の読み書きや『クルアーン』(『コーラン』)の読誦といった教養教育と、弓術、馬術、槍術などの騎士道(フルースィーヤ)の訓練を受けた。訓練課程の修了後、彼らは晴れて奴隷身分から解放され、武具と馬を拝領し、スルターンの近衛軍団に編入された。マムルークたちは主人の尊称(ラカブ)に由来するニスバ(由来名)を名乗った。例えば、マンスール(勝利王)という尊称をもつカラーウーンのマムルークは、自身の名前(イスム)に

加えて一人一人が「マンスーリー」というニスバをもち、集団としては「マンスーリーヤ」と呼ばれることになる。アミールの保有したマムルークたちも、アミールたちのイエにおいて同様の教育と訓練を受けたものと思われる(佐藤一九九一：一二五—一二九頁)。

マムルークたちは奴隷となったことで故郷との繋がりを絶たれ、それまでに築いてきたあらゆる人間関係を喪失した。彼らにとって、自分を購入、教育、解放してくれた主人(ウスターズ)との主従関係と、同じ主人に養成された同僚マムルーク(フシュダーシーヤ)同士の横の繋がりが、マムルークとしての第二の人生の中で自身が持つ唯一且つ決定的に重要な人間関係であり、前者は父子関係、後者は兄弟関係にも準えられる強固な連帯意識を育んだ。こうした意識と関係性に支えられた「奴隷家族」(slave family, Mamluk family)は、主人の死後もまとまりを維持し、政治集団として自分たちの集団利益を追求する派閥(Mamluk faction)を形成した。スルターンの代ごとに形成されたこうしたマムルークの諸派閥が並立し、自派出身の有力アミールを支えながら互いに自派の権益拡大を目指して政治抗争を繰り広げた。スルターンはこうした派閥間の調停者・権益の配分者としての役割が期待された。

こうしたマムルークたちの政治社会関係の中で、生物学的な親子関係や血縁関係は二次的な重要性しか持たず、彼らの政治的地位や官職、イクターなどは子供に世襲されることはなかった。マムルークの子供と子孫はアウラード・アンナース(「貴顕の子供たち」の意)と呼ばれ、理念的にはハルカ騎士団と呼ばれる非マムルーク軍団に属したが、実際に軍務に就く者は限られ、軍隊や政権の中核からは排除された。奴隷の出自をもつマムルークたちのみが「一代貴族」(one-generation nobility)として王朝の支配的地位を占めることができた。王朝の支配層は、奴隷購入を通じて外部からリクルートされ維持されたのである。

以上のような、疑似家族関係と一代貴族性をマムルーク支配層の構成原理と政治構造の基礎とする見方は、マムルーク朝研究の泰斗アヤロンが打ち立て、ホルトやアーウィンらがそれに依拠した政治史研究を深めることで、定説として長く受け入れられてきた。(4) しかし近年はこのようなアヤロン的マムルーク朝史観(アヤロニズム)に対して見直しが進められ(五十嵐 二〇二〇:二〇九―二一一頁)、マムルーク同士の関係性や政治過程は、こうした「理念型」にとどまるものではなく、より複雑で弾力性に富んでいたことが明らかにされている。

マムルークたちの主人に対する忠誠心の強さと、主人のマムルークに対する血縁に準ずる愛情については、疑問を挙げればきりがない。イスラーム法上は、奴隷の元主人と解放奴隷との間には、前者が後者を保護し、後者が前者に奉仕する、ワラー(walāʾ)と呼ばれる法的関係が生じるが、それが疑似家族関係に基づいた強固な忠誠心をもたらし得たかは、別の問題である。現実に、マムルークたちの主人に対する反乱はしばしば見られたし、そもそも、主人から特別な寵愛を受け、側に仕えることを許されたごく少数を除いて、数百―数千人におよぶマムルークたち全員に対して、主人が「子供に準じる愛情」を感じていたとは考え難い。マムルークの側も、ほとんど言葉を交わしたこともない主人に対して精神的な親近感や特別な忠誠心を持ち得たかは大いに疑問である。(5)

フシュダーシーヤも一枚岩のまとまりではなく、多層的な構造をもっていた。出身地やエスニシティごとに分けられた訓練所内の繋がり、先輩マムルーク(aghā)が後輩(inī)の面倒を見るという慣習から生まれるアガ・イニー関係は、個人間のより密接な関係性をつくった。またスルターンが死去した後、そのマムルークたちの一部は新スルターンの近衛軍団にとどまったが、多くはそこを離れることを強いられ、それぞれ別のアミールに仕えることとなった。彼らは仕える主人を替えながら、新たな主人となったアミールの出世により自身も引き上げられたり、あるいは近衛軍団に再編入されるなど、多様なコースを歩んだ。このようなキャリアの変転の中で様々な人間関係を構築し、それが政治的資源となったのである。レヴァノーニが「フシュダーシーヤを中心的かつ唯一の統一要因とする統治候補者を中心に形成された連合(hizb)は一つもなかった」と述べるように、マムルークたちの政治的なグループは、このような多様な結びつきの中で築かれたのである(Levanoni 2004)。

## 五、婚姻関係と親族関係

マムルークたちはまた、姻戚関係を通じて相互に結びつきを築くことに努め、それは政治的にも重要な機能を持った。特に、歴代のスルターンたちは、前任者の一族と姻戚関係を結び、支配の正統性を確立しようと試みた。バルクークの血筋に基づくスルターン位継承に終止符を打ち、「ムルク・アキーム期」の先鞭をつけたムアイヤド・シャイフであったが、彼は即位に際しバルクークの娘を妃とした。シャイフ没後に即位したタタルは、シャイフの第二夫人で嫡子アフマド(二世)の母親と結婚した。タタルの没後に即位したバルスバーイはタタルの娘と結婚し、彼の死後即位したジャクマクは、彼の妃の一人と結婚した(Fuess 2017: 206-212)。スルターンたちは、前任のスルターンと姻戚関係にあったがゆえにその地位についた訳ではないが、権力抗争を勝ち上がり実力で即位した彼らにとっても、前任者と姻戚関係を結ぶことが、地位に正統性を与える一つの手段であったことは確かである。

婚姻を通じた人間関係の構築に努めたのは、スルターン以外のマムルークたちも同様であった。マムルークが自身の娘を別のマムルークと結婚させる、あるいは子供同士を結婚させることは、政治的な意味もあった。しかし後述のようにマムルークたちの子供の数は多くはなく、姻戚関係を発展させることには限界があった。その一方で、マムルークたちに一族の女性を嫁がせることで、王朝の政治社会において隠然たる影響力を及ぼす一族も登場した。ここでは、一族から三人のスルターン妃を出したハーッスバク家(al-Khāṣṣbakīya)について見てみよう(Igarashi 2022)。この一族は女系でバイバルス一世へと連なる血筋を持つが、名祖となるハーッスバクという名のマムルークについては詳しいことはわかっていない。ハーッスバクの息子でありながら軍人としてのキャリアを歩まず、ハナフィー派の学者として名を馳せたムハンマド・イブン・ハーッスバク(一四一〇年没)以後、この一族について知られるようになる。ムハンマドの孫娘ザイナブは、イーナールがスルターンとなる以前、まだ一介のアミールであった時分に彼と結婚し、彼が即位した後も唯一の妃として王宮で隠然たる権力を振るった。イーナールとザイナブの間に生まれた長男アフマド(三世)の娘はカーイトバーイの腹心の官房長(dawādār al-kabīr)ヤシュバク(Yashbak min Mahdī)の妻となった。アフマドの二人の妹は、父のマムルークで近臣として重用された官房次長(dawādār al-thānī)ブルドバク(Burdbak al-Ashrafī)と官房長ユーヌス(Yūnus al-Dawādār)とそれぞれ結婚した。

カーイトバーイが即位前に結婚し、生涯にわたり唯一の妻としたのが、ザイナブの兄弟アリーの孫娘ファーティマである。彼女は夫の長い治世を通じ、大量の資産を獲得し、ワクフとしたことが知られている。カーイトバーイの死後、ファーティマはトゥーマーンバーイ一世と再婚した。彼女の妹は、カーイトバーイの親族で彼に重用された官房長アークビルディー(Āqbirdī al-Ashrafī)と結婚し、間に生まれた娘の結婚相手が、マムルーク朝最後のスルターン、トゥーマーンバーイ二世である。イーナールとザイナブの息子でスルターンとなったアフマド三世や、名目的に百騎長位を与えられていた彼の弟を除き、この一族の男性成員で、国家の要職にあった人物はいない。他方で、この一族の女性と結婚したマムルークの数は、管見の限り二〇人に達している。一族の女性をマムルークたちに嫁がせることで、この一族はマムルーク朝の政治社会で影響力と富を獲得したのみならず、姻戚関係を通じてマムルークたちを結びつける結節点としての役割も果たしたのである。

また、マムルークたちを、故郷との繋がりを絶たれ、それまでの人間関係を喪失した、完全なる異邦人と見なす考えも、近年は疑問が呈されている。一四世紀には、カラーウーン家と姻戚関係を結び王家の一員に組み込まれた一部の有力アミールたちは、故郷に人を送り、親族をエジプトに呼び寄せる特権を持った(Yosef 2012: 57)。バルクークも、アターベクとして実権を掌握すると、一三八〇年、自身をエジプトに連れてきた奴隷商人ウスマーンを通じ、父と二人の姉妹、および数人の甥とその他の親族を集団で招来した(Broadbridge 2011: 10-13)。このように故郷から親族を呼び寄せることは、一四世紀までは一部の高位のマムルークだけに許される特権であった。しかし一五世紀になると、互いに親族関係にあるマムルークたちが数多く見られるようになる。彼らは出世したマムルークによって招聘されたというよりは、同時期あるいは別の時期に、同じように奴隷身分の状態で、奴隷商人の手によってマムルーク朝へと到来した（Yosef 2012: 61-63）。また、マムルークとして支配層に加えるために、故郷の家族の側が積極的に子供を売り渡すことも見られた（佐藤 一九九一：一二四頁）。前出の官房長アークビルディーは、カーイトバーイの親族であったが本人にはその存在を知られておらず、別のアミールが彼をカーイトバーイに引き合わせたことで、その目に留まって重用されることになった（*Majma'* 2: 571）。王朝末期の有力アミール・クルクマース（Qurqumās）のワクフ文書には、エジプトにいる彼の兄弟ウルマース（Ulmās）とその子孫をワクフの受益者に指定することに加え、「チェルケスの土地」（Bilād Jarkas）にいるクルクマースの全弟ダバシャン（Dabashan? 正確な読み方は不明）がエジプトに到来してイスラームに改宗した場合は、彼にウルマースと同等の権利を与えると規定する（Waqf deed of Amir Qurqumās : 33-34）。彼が故郷にいる兄弟に関心を抱き続けていること、そして、その兄弟がマムルークとしてエジプトに到来する可能性が少なからずあったことを示していよう。

## 六、「マムルーク化」とその背景

国家の枢要部をマムルークたちが独占し、地位や権力の世襲が排除され、マムルークが実力によってスルターンとなることが常態化した状態を、軍人奴隷制に基づいたマムルーク朝の政治権力体制のある種の到達点とするならば、それはアヤロンが考えたように王朝成立とともに出現した訳ではない。ファン・ステーンベルヘンはそれが成立するに至る過程を「マムルーク化」（Mamlukization of the Mamluk state）と呼び、カラーウーン家の世襲王権が衰えた後、一五世紀に進展したと考える(五十嵐 二〇二〇：二一一頁)。しかし王朝の「マムルーク化」は、より長いスパンで紆余曲折を経ながら次第に進んでいった。バイバルス一世期には、王城内にマムルークの訓練所が開設され、奴隷を軍人として組織的に教育・訓練するシステムが整えられるとともに、ビザンツ帝国やジェノヴァとの外交を通じて黒海—地中海を通る奴隷交易ルートの整備が始まった。カラーウーン期には、文官の長であったワズィール(宰相)職にもマムルークが就任するようになり、行政面での軍人の優位性と指導的立場が明確化した。ナースィル・ムハンマド一世治世第三期には、農地の面積と収穫高を再調査するナースィル検地が実施され、それに基づいたイクターの再配分を通じ、マムルークのイクター規模が優遇され、非マムルーク軍人に対する優位性が経済面でも確立した。ハサンの治世第一期には、カラーウーン家の傀儡スルターンのもと、有力アミールが御前会議に参集し、行政を担う集団指導体制が生まれ、アミールたちの序列一位にあたるアターベクがスルターンに代わって実際の政務を取り仕切る「アターベク体制」へと発展した。アターベクとなったバルクークは、カラーウーン家のスルターンを廃し自ら即位することで、マムルークのスルターン位就任に再び道を開いた。また彼は、政治集団化したマムルークの近衛軍団への俸給支払いを安定化させるため新たな財務官庁(ムフラド庁)を設立し、以後これを中心に財務制度と地方行政制度の再編が進んだ。一四一二年のファラジュの殺害とともに王権の世襲観念は排除され、マムルークがスルターン位につく「ムルク・アキーム」の原則が確立した(佐藤 一九九一：一三三—一四二頁、五十嵐 二〇一一：一、二章、Haarmann 2001: 22-24)。フシュダーシーヤ関係を「兄弟」(akh)のような血縁家族を指す用語で表すことや、アガ・イニー関係が語られるようになるなど、マムルーク同士の疑似家族関係が重要性を増すのもこの頃である(Yosef 2013: 352-355)。

これらは決して「マムルーク化」を直接の目的として行われた、連続した政策ではない。歴代のスルターンはこうした制度改革を、あくまで自らの政治権力を強化・安定化させる目的で行った。血縁や姻戚関係が重視されなかった訳でも、非マムルーク軍人が完全に排除された訳でもなかった。ハサンやシャアバーン二世の治世には、アウラード・アンナースがアミールとして積極的に取り立てられ、高位のアミール位の多くを占めたこともあった。しかし、結果として、一五世紀において王朝の「マムルーク化」が一定の「完成」を見たことは確かである。続いて問うべきは、その要因をどのように考えるべきか、という点であろう。それについては様々な議論が行われてきたが(五十嵐二〇二〇:二〇九―二一二頁)、ここではマムルークたちの家族形態とその変化という面から考察してみよう。

近年の研究成果を踏まえれば、そもそもマムルークたちは子供の数が絶対的に少なく、特に一五世紀にはそれがより顕著であった。ウィンターによれば、王朝末期のダマスクスのマムルークの家族の規模は一般人よりも小さく、子供の数は一人か二人がほとんどで、三人以上は非常に稀であるという(Winter 2004: 314)。子供を残さないマムルークも少なくなかった。このような「少子化」の理由の一つとして、一四世紀半ば以降の度重なるペストの流行が直接間接に及ぼした影響を無視することはできない。一三四八年にエジプト・シリアで大流行し、その高い致死率から甚大な被害をもたらしたペストは、以後風土病化し、およそ八―九年に一度の割合で流行を繰り返し、人口動態や農業生産、都市の手工業など社会のあらゆる側面、さらには人々の心性にも、長期にわたって多大な影響を与えた。ペストの流行は、元々高かった乳幼児の死亡率をさらに悪化させ、スルターンやマムルークの子供たちが一度に大勢犠牲になることもしばしば見られた。マムルーク自身も、外から奴隷として到来したため免疫がなく、ペストが流行するたびに大勢が犠牲になった(Ayalon 1946: 69-70)。

それに加え、一四世紀から一五世紀にかけて生じた家族形態の変化、すなわち、①マムルークたちの結婚年齢の高齢化、②一夫一婦制の主流化、③女奴隷/妾の数の減少の影響も指摘できよう。ヨセフによれば、カラーウーン家支配期においては、スルターンの寵愛を受け、その娘を与えられて王家の一員に迎えられたマムルークたちは、若くして結婚し子供をもうけることができた。対照的に、その他の大多数のマムルークたちの結婚は遅く、最初の子供を三〇歳以前に持つことはほとんどなかった。チェルケス・マムルーク朝期にはさらに高年齢化し、マムルークのアミールが長子を得たのは通常三五歳以後、スルターンの場合は四五歳以後であったという(Yosef 2012: 59 note 11)。彼はその理由として、チェルケス系マムルークがトルコ系に比べ劣位に置かれ、奴隷身分からの解放が遅かったためと考えるが、それではチェルケス系マムルークが中心となった一五世紀の状況の説明にはならないだろう。むしろ、軍人の昇進の年功序列化[6]により、アミールとなって自身のイエを形成し妻子を持つ年齢が遅くなったと考えるのがより適切であろう。いずれにせよ、このことは子供を持つ年齢が高くなり、その分、子供の数も限られることを意味した。

イスラーム法上、男性は四人まで妻を持てたが、一五世紀のエジプト・シリアにおいては、社会全体で一夫多妻が忌避され、一夫一婦制が主流となった。それでもスルターンのみは、即位した後には複数の妻を持ったものの、一五世紀後半になるとその波はスルターンの後宮にも現れた。イーナールは即位前に結婚したザイナブを生涯唯一の妻としたことは前述したが、スルターンの奴隷の妾が子を産んだとしても、彼女を奴隷身分から解放し正式な妻とすることもなくなった。カーイトバーイは、アミール時代から連れ添った妻ファーティマを生涯唯一の妻とし、晩年になって奴隷の妾を持ち後継ぎとなる息子(ムハンマド四世)をもうけたものの、彼女を正式な妻とはしなかった(Rapoport 2007: 30-32)。正式な妻とは別に、奴隷の妾を持つケースもあったが、その数も一四世紀から一五世紀にかけ減少を見せた。ラポポルトによれば、一四世紀前半が軍人のイエにおける女奴隷/妾の数のピークであり、スルターンはもとよりアミールでも数十人におよぶ妾を持つこともあったが、一五世紀になるとその数の減少が顕著になり、スルターンですら妾を持たないこともあった。マムルークたちと同様に異邦人であった女奴隷もまた、ペスト流行時には大きな犠牲を出した。妾制度の衰退もまた、ペストの影響を受けていたことは確かである(Rapoport 2007: 9-10, 13-14)。

これらはいずれも、マムルークの少子化と密接に関係したと考えられる。それが疑似家族関係の発展を促し、一五世紀の「マムルーク化」につながった、と結論付けるのは言い過ぎかもしれないが、その背後にあり、影響を与えた因子の一つであることは間違いないだろう。

## おわりに

マムルーク朝はこれまで、一代貴族性と疑似家族関係を基調とするイスラーム的軍人奴隷制度の特徴が、最も深く国家と政治の諸分野に浸透した王朝と見なされてきた。しかし本稿で見たように、その内実は、必ずしもそればかりに規定されていた訳ではなかった。世襲原理に根差したカラーウーン家の王朝的支配は一〇〇年以上続いたし、疑似家族関係は血縁・姻戚関係と必ずしも対立するものではなく、むしろ両者は併存し、時に補完・補強し合った。故郷や原家族との結びつきですら完全に喪失した訳でなく、エジプトにおいて家族が再統合されることもしばしば見られた。マムルークたちは、奴隷とされることで強制的に作られた疑似家族関係のみに縛られた訳ではなく、結婚や血縁といった人間社会に普遍的に見られる関係性を自分たちの手で主体的に(再)構築した。王朝の「マムルーク化」は、彼らが意図的に創り上げたというよりは、彼らを取り巻く政治的、社会的、あるいは環境的文脈の中で形成され、変容し、できあがっていったのである。アヤロンの提示した、マムルーク朝のマムルークを理想形とする軍人奴隷モデルは、これまで他の時代や地域の事例に安易に当てはめられてきたとして近年批判されているが、マムルーク朝史の分野でも見直しが進められている。アヤロン・モデルを軍人奴隷制度の「あるべき型」とするのではなく、より実態に即した分析を深めていくことが、今求められているのである。

**注**

(1) 彼らの多くは奴隷身分から解放されたが、ここでは法的に奴隷身分にあるか否かを問わず、軍人とすることを目的に購入された(元)奴隷たちを「軍人奴隷」と呼ぶ。
(2) 他方で、同時代の歴史家は「トルコ人/チェルケス人の王朝(Dawlat al-Atrāk, Dawlat al-Jarākisa)」と呼んでおり、これを現代の研究者が「トルコ/チェルケス・マムルーク」朝と呼ぶことについては批判がある(五十嵐 二〇二〇:二一一頁)。
(3) 黒海沿岸部からエジプトに至る奴隷供給ルートは、当初陸路が中心であったが、一二六一年のビザンツ勢力のコンスタンティノープル奪還とラテン帝国滅亡後、ジェノヴァが黒海貿易に参画し、黒海から地中海を経由する海上ルートが主軸となった(Ehrenkreutz 1981)。
(4) アヤロンの研究は膨大な数があるが、全体像を扱ったものとしては(Ayalon 1994)を見よ。このような立場に基づいた政治史研究として、(Holt 1986: 138-141; Irwin 1986)など。
(5) セルジューク朝のマムルークを研究したトーアも同様の指摘をしている(Tor 2011)。またヨセフは、親子関係に準えられる主人のマムルークに対する「愛情」は、あくまで実子がいない場合の代替に過ぎないと述べる(Yosef 2016: 560-567)。
(6) スルターン・シャイフは厳格な段階的昇進制度を導入した。その後一五世紀には軍人の官職の序列が固定化し、マムルークたちは年功序列で徐々に昇進した(Irwin 1986: 236)。

## 参考文献


五十嵐大介(二〇一一)『中世イスラーム国家の財政と寄進——後期マムルーク朝の研究』刀水書房。

五十嵐大介(二〇二〇)「マムルーク朝政治史と国家論に関する近年の研究動向——ファン・ステーンベルヘンの研究から」『オリエント』六三巻二号。

大塚修(二〇一九)「セルジューク朝の覇権とイスラーム信仰圏の分岐」千葉敏之編『一一八七年 巨大信仰圏の出現』山川出版社。

佐藤次高(一九九一)『マムルーク——異教の世界からきたイスラムの支配者たち』東京大学出版会。

中町信孝(二〇一五)「マムルーク朝初期の軍隊とモンゴル系亡命軍事集団(ワーフィディーヤ)」『史潮』七七。

バーキー、ジョナサン(二〇一三)『イスラームの形成——宗教的アイデンティティーと権威の変遷』野本晋ほか訳、慶應義塾大学出版会。

Ayalon, D. (1946), "The Plague and Its Effects upon the Mamlūk Army", *Journal of the Royal Asiatic Society*, 1.

Ayalon, D. (1994), "Mamlūk: Military Slavery in Egypt and Syria", *Islam and Abode of War*, Aldershot, Variorum, article II.

Broadbridge, A. F. (2011), "Sending Home for Mom and Dad: The Extended Family Impulse in Mamluk Politics", *Mamlūk Studies Review*, 15.

Ehrenkreutz, A. S. (1981), "Strategic Implications of the Slave Trade between Genoa and Mamluk Egypt in the Second Half of the Thirteenth Century", A. Udovitch (ed.), *The Islamic Middle East, 700-1900*, Princeton, Darwin.

Fuess, A. (2013), "Mamluk Politics", S. Conermann (ed.), *Ubi sumus? Quo vademus? Mamluk Studies: State of the Art*, Göttingen, Bonn University Press.

Fuess, A. (2017), "Legitimacy through Female Lineage? The Role of In-Laws (*aṣhār*) in the Royal Mamluk Households of the Fifteenth Century", *Eurasian Studies*, 15.

Haarmann, U. (2001), "The Mamluk System of Rule in the Eyes of Western Travelers", *Mamlūk Studies Review*, 5.

Hasebe, F. (2009), "Sultan Barqūq and His Complaining Subjects in the Royal Stables", *Al-Masāq*, 21-3.

Holt, P. M. (1986), *The Age of the Crusades: The Near East from the Eleventh Century to 1517*, London, Longman.

Humphreys, R. S. (1977), "The Emergence of the Mamluk Army", *Studia Islamica*, 45, 46.

Igarashi, D. (2022), "'*Who should benefit from my Waqf?*' Mamluks' Views on Progeny, Lineage, and Family Based on Their *Waqf* Stipulations", A. Kollatz (ed.), *Mamluk Descendants : In Search for the Awlād al-nās*, Göttingen, Bonn University Press.

Irwin, R. (1986), "Factions in Medieval Egypt", *Journal of the Royal Asiatic Society of Great Britain and Ireland*, 2.

Levanoni, A. (1990), "The Mamluk's Ascent to Power in Egypt", *Studia Islamica*, 72.

Levanoni, A. (2004), "The Sultan's Laqab: A Sign of a New Order in Mamluk Factionalism?", M. Winter and A. Levanoni (eds.), *The Mamluks in Egyptian and Syrian Politics and Society*, Leiden, Brill.

Peacock, A. C. S. (2015), *The Great Seljuk Empire*, Edinburgh, Edinburgh University Press.

Rapoport, Y. (2007), "Women and Gender in Mamluk Society: An Overview", *Mamlūk Studies Review*, 11-2.

Sievert, H. (2014), "Family, Friend or Foe? Factions, Households and Interpersonal Relations in Mamluk Egypt and Syria", S. Conermann (ed.), *Everything is on the Move: The Mamluk Empire as a Node in (Trans-) Regional Networks*, Göttingen, Bonn University Press.

Tor, D. G. (2011), "*Mamlūk* Loyalty: Evidence from the Late Seljuq Period", *Asiatische Studien / Études Asiatiques*, 65-3.

Van Steenbergen, J. (2013), "Ritual, Politics and the City in Mamluk Cairo: The Bayna l-Qaṣrayn as a Dynamic 'lieu de mémoire' (1250-1382)", A. Beihammer et al. (eds.), *Court Ceremonies and Rituals of Power in Byzantium and the Medieval Mediterranean: Comparative Perspectives*, Leiden, Brill.

Winter, M. (2004), "Mamluks and Their Households in Late Mamluk Damascus: A *Waqf* Study", M. Winter and A. Levanoni (eds.), *The Mamluks in Egyptian and Syrian Politics and Society*, Leiden, Brill.

Yosef, K. (2012), "Mamluks and Their Relatives in the Period of the Mamluk Sultanate (1250-1517)", *Mamlūk Studies Review*, 16.

Yosef, K. (2013), "*Ikhwa*, *Muwākhūn* and *Khushdāshiyya* in the Mamluk Sultanate", *Jerusalem Studies in Arabic and Islam*, 40.

Yosef, K. (2016), "Masters and Slaves: Substitute Kinship in the Mamlūk Sultanate", U. Vermeulen et al. (eds.), *Egypt and Syria in the Fatimid, Ayyubid and Mamluk Eras VIII*, Leuven, Peeters.

【史料と略号】

*Majma*ʿ: ʿAbd al-Bāsiṭ al-Malaṭī, *al-Majmaʿ al-mufannan bi-al-muʿjam al-muʿanwan*, (ed.) ʿAbd Allāh Muḥammad Kandarī, 2 vols., Beirut, 2011.

Waqf deed of Amir Qurqumās: Cairo, Wizārat al-Awqāf, doc. no. 901 qadīm.

# 焦　点 | *Focus*

焦点｜Focus

# 異文化の交差点としての北欧

小澤　実

## 一、中世北欧世界の形成

### 「ヴァイキングの秩序」の解体

キリスト教世界の中核であるローマやコンスタンティノープルから僻遠の地に位置するのが北欧である。その結果として、キリスト教の導入もキリスト教国家の成立も、ヨーロッパ半島の中で最も遅かった地域でもあった。そのために長らく北欧は、キリスト教とその社会システムの拡大という観点からヨーロッパ中世史を見た場合(バートレット二〇〇三)、ヨーロッパ中世世界の中で最も後れた辺境であると見做されてきた。それどころか、八世紀半ばから一一世紀半ばにかけてユーラシア西部を席巻した北欧人(ヴァイキング)は、キリスト教世界を略奪する異教徒にしてヨーロッパを破壊する外敵であるという評価を受けてきた。

しかし近年の研究は、初期中世の北欧人がヨーロッパ半島のみならずユーラシア西部の歴史構造に大きな変革をもたらすことを明らかにした(Brink and Price 2008; Jesch 2015; Price 2019; Jón Viðar Sigurðsson 2022)。スカンディナヴィア南部に集中して居住する彼らは、八世紀半ばに起こったユーラシア西部における政治経済上の大変動に呼応し(三浦二〇二〇)、ブリテン諸島やフランク王国をはじめとしてヨーロッパ半島各地を略奪するとともに、北大西洋からカスピ海周辺に至るまで広く植民を行い、そうした各地の植民地とスカンディナヴィア南部を繋ぐネットワークを構築した。このような北欧人のネットワークは、卓抜した航海技術と船舶により、ユーラシア西部に「ヴァイキング世界」というべき空間を現出させた(小澤 二〇二〇b)。

北欧人は、銀を交換手段とし、古北欧語とルーン文字を共通のコミュニケーション手段とし、共通様式の武器・装飾品・生活具・石碑・船舶製作などを産業化することで、「ヴァイキング世界」の一体性を高めた。彼らは、無人の地や海岸沿いに小さな共同体を作るだけではなく、ブリテン中北部のヨーク=ダブリン王国、フランス北部のノルマンディ公領、ロシア平原のルーシ国家のように、独自の政治体を立ちあげ、従来その地にあった政治秩序を大きく変えることもあった。そのような動きはイングランド、デンマーク、ノルウェー三国の王位を兼ねたクヌートの時代に頂点に達した(Bolton 2009)。神聖ローマ皇帝に娘を嫁がせローマ教皇とも交渉するこのヴァイキングの王は、一一世紀前半におけるヨーロッパ政治秩序のキーパーソンであった。彼らの動向がキリスト教世界の国際政治を規定するという「ヴァイキングの秩序」が出来した(小澤ほか 二〇〇九)。しかしこの「ヴァイキングの秩序」は、一〇三五年のクヌート王の死後、急速に瓦解した。

### 三つの海上王国

なぜ「ヴァイキングの秩序」は解体したのか。政治面や経済面など複数の側面からアプローチできるが、最大の理由は北欧がキリスト教を受け入れたことにあった。一〇世紀半ば以降、デンマーク・ノルウェー・スウェーデンの支配者は宣教を受け入れ、現地におけるキリスト教化が急速に進展した(Berend 2007)。バートレットの観点からいえば、ラテン・カトリック世界の一部に北欧も組み込まれた。

一〇世紀から一一世紀にかけてのヨーロッパは、信仰意識が高まり、内的にも外的にもキリスト教化が一層進展する時期であった。西欧に限ってみても、各地の修道院における改革運動、神の平和運動の常態化、教皇庁における精神改革、十字軍の宣言と東方への奔流など、信仰心への訴求を源泉としたキリスト教世界の刷新と拡大が進行していた(池上 一九九九)。北欧もこのような動きと無関係ではなかった。北欧の諸王は教皇グレゴリウス七世らと頻繁に書簡を交換したり十字軍に関心を示したりすることで、キリスト教世界の一部としての自己主張を盛んに行った(Cowdrey 1998)。「ヴァイキングの秩序」が解体する中で、デンマーク・ノルウェー・スウェーデンという一〇世紀後半に生成した北欧三国は、キリスト教国家として独自の展開を遂げていった。

北海とバルト海に挟まれた北欧三国は常に海域に向き合う空間であった。一二世紀から一三世紀にかけて、各国の王権は、内的には対抗者との間で内戦を繰り返す一方で、ルンド、ニダロス、ウップサラに大司教座を設置し、他のラテン・カトリック諸国と並ぶ中世国家体制を築き上げた(成川 二〇一一、Bagge 2014)。より特徴的であるのは、各国が、海外領土の獲得を試みたことである。デンマークは、ポンメルンとエストニアを、ノルウェーはグリーンランドに至るまでの北大西洋諸島を、スウェーデンはフィンランドを支配下に置いた(Harrison 2002; Imsen 2014; Heebøll-Holm 2019)。本国から役人が派遣され、各国の大司教座の属司教が設置され、物資や文化の交流が促進された。「ヴァイキングの秩序」以来北欧は、海上移動を重視し支配領域を海の彼方に拡大することで、海上王国という支配構造を成立させた。

### キリスト教世界の辺境

北欧三国は、中世後期に入り、周辺諸国との関係の変化、ハンザとの交易や交渉、「黒死病」による社会全体への衝撃を経て、新しい段階に入った(Helle 2003)。一三八〇年にホーコン六世が死去したのち、デンマーク王位を継承していた幼少の息子はノルウェー王位も継承した。そのとき、摂政として実質的に統治にあたっていたのが王母マルグレーテである。彼女の指導のもと、一三九七年には北欧三国が単一君主を王として戴く同君連合体制が、バルト海に面したカルマルでの文書締結を経て成立した（Harrison 2020）。途中、スウェーデンの離脱が何度か画策されるものの、この体制はスウェーデンにヴァーサ朝が成立する一五二一年まで一〇〇年以上継続した。それは、三国の継承問題やパワーバランスのみならず、モスクワ大公国の台頭、ドイツ騎士修道会の拡大、ポーランドとリトアニアとの同君連合の成立、ハンザの外交体制の強化、百年戦争を経たブリテン諸島の変動など、中世後期の北ヨーロッパにおける支配システムの構造変化の一部であり、「礫岩国家体制」という近世ヨーロッパの支配構造へつながった（Gustafsson 2006; 古谷・近藤 二〇一六）。

キリスト教の拡大や受容を基軸とした従来の研究では、北欧それ自体を「ヨーロッパの辺境」として、ヨーロッパ史の中で第二義的に位置付けしてきたことは否めない。しかし北ヨーロッパ、さらに言えばユーラシア西部における「ヴァイキングの秩序」の解体以降も、中世北欧は、周辺諸国との関係の中で、独自の役割を果たしてきた。本稿では、「辺境の軍事力」「辺境のリソース」「辺境の記憶」という三つの視点を導入し、北欧をグローバルな歴史空間の中に位置付けたい。

## 二、辺境の軍事力――ヴァリャーギから十字軍へ

### 東方ヴァイキングからヴァリャーギへ

ヴァイキング、ルーシ、ヴァリャーギは、史料上も研究史上もしばしば同一視されるが、区分されるべき存在である（Sverrir Jakobsson 2020）。八世紀半ば以降、交易などを目的に東方へ拡大した、とりわけスウェーデンを出自とする

北欧人を私たちは東方ヴァイキングと呼ぶ。彼らの活動基盤は基本的に所有農場のある北欧だが、バルト海沿岸部からロシア平原にかけて、交易を主目的とした都市的集落を形成することもあった。ルーシとは、東方ヴァイキングに一部起源を持ちつつも、人口の多数を占める現地東スラヴ人らを核として北欧系と物理的・生物学的・文化的に融合するエトノス生成をへた結果、新たな集団アイデンティティを備えた集団を指す(小澤ほか 二〇〇九)。ヴァリャーギは、そうした東方ヴァイキングやルーシの中で、とりわけビザンツ(東ローマ)帝国との関係を深めた集団を指す。

北欧で発見される考古遺物などからビザンツ帝国と北欧との関係は七世紀ごろまで遡る(Shepard 2016)。当初ルーシは、ロシア平原の河川を移動して黒海を越え、コンスタンティノープルやビザンツ帝国領に略奪のための襲撃を繰り返していた。状況が変化するのは一〇世紀である。ルーシ集団は、ビザンツ帝国と通商条約を結び、定期的な交易を行うようになった。主たる輸出品は奴隷や毛皮であったと推測される。それと引き換えにルーシらが手に入れたのは、絹製品をはじめとする奢侈品であった。それらは今なおヴァイキングやルーシの墓地の副葬品から発掘されるし(Vedeler 2014)、アッバース朝の外交使節イブン・ファドラーンによれば、ルーシ貴人の火葬儀礼には「ルーム製の絹」つまりビザンツ帝国からの絹製品が用いられていた(ファドラーン 二〇〇九)。ロシア平原に定着したルーシやおそらくはそのルーシを通じて産品を入手していた北欧現地のヴァイキングは、「ミクラガルズ」(大きな町の意)と呼ばれる大都市コンスタンティノープルを首府とするビザンツ帝国の魅力を認識していたであろう。

## ビザンツ皇帝に仕える北欧人

ルーシは八世紀以降、バルト海から黒海に至るロシア平原の各地に防備された都市的集落を建設し、それを中核として諸集団に貢納を要求することを通じ周囲の空間を支配する体制を築いた。バルト海から河川網をたどり、ノヴゴロド、グニェズドヴォ、キエフなどに防備施設を構えたルーシは、九世後半以降、コンスタンティノープルに対し、たびたび襲撃を仕掛けた。しかしその後、一時的な略奪よりも、定期的な交易を行った方が安定的に収入を得られると判断したルーシは、ビザンツ帝国との間に九〇七、九一一、九四四年と三度にわたる交易協定を取り結び、ルーシがコンスタンティノープルで定期的に取引を行うことを皇帝に認めさせた(小澤 二〇一五)。

その一方で、商人としてコンスタンティノープルを訪れていたルーシは、やがてビザンツ帝国軍の一部を担うようになった(ラーション 二〇〇八)。それまでもビザンツ帝国の遠征や防衛に参加する東方ヴァイキングやルーシは存在したが、一一世紀前半よりビザンツ帝国の「臣下」と見做される北欧人も増加した(Sverrir Jakobsson 2017)。ヴァリャーギとして最も著名な事例はノルウェー王ハーラル三世苛烈王であろう。一三世紀の歴史記述『ヘイムスクリングラ』によれば、一〇三〇年のスティクレスタの戦いで勝利したデンマーク王クヌートがノルウェーを支配した時、ハーラルは姻戚関係のあるキエフ公の宮廷に亡命した。その後、ハーラルは従士とともにビザンツ帝国に渡り、皇帝軍の一部として、帝国の対イスラーム戦争、シチリア島への遠征、ブルガリア戦役などに参加した、と伝えられている。彼は極端な事例であるとしても、ビザンツ側の年代記やスウェーデンのルーン石碑には、ビザンツ帝国内での戦闘に従事したヴァリャーギの記録が数多く残されているため、彼らは帝国において一定程度の役割を果たしていたと推測できる。北欧で出土する一〇世紀から一一世紀のビザンツ貨は、略奪や交易という入手経路に加えて、帝国軍に従事したヴァリャーギに対する俸給も想定すべきである(Androshchuk 2019)。

### 十字軍への移行

ビザンツ帝国に傭兵として仕えるヴァリャーギは、一二〇四年のコンスタンティノープルの陥落を境にほぼ消滅した。他方で、そうした北欧での東方への流れが緩やかになる一二世紀以降、北欧人の軍事技能は、東方世界における傭兵としてだけではなく、北欧を大きく作り替える建設作業にも投下されていた。すなわち、聖地十字軍とバルト海十字軍という、異教徒の改宗と土地の収奪を目的とした遠征である(Christiansen 1997)。とりわけ一一四七年以降十字軍の動きは激化し、デンマークはバルト海南岸部とエストニアを、スウェーデンはフィンランドを接収した。その後バルト海十字軍には、ポーランドやドイツ騎士修道会も参加し、一三八六年にはリトアニア大公国をカトリックへ改宗させた。

こうした動きの背後には、モンゴル帝国の成立と動向が大きく関与していた。一三世紀に成立したモンゴル帝国は、ヨーロッパ世界の一部であったロシアを支配下に置き、東欧を席巻した(Jackson 2018)。このような動きはヨーロッパ側のリアクションも引き起こした。とりわけ、一二世紀に東方世界に強い関心を示していた教皇庁は、東方世界に関する情報収集に努め、一三世紀半ば以降は修道士らを使節としてモンゴル宮廷へ派遣した(Richard 2019)。他方でキリスト教世界の一体化も求め、一〇五四年以来分裂していたギリシア正教会との合同も模索し、教皇が主宰した公会議では協議がなされた(橋川 二〇〇八)。教皇庁は、このような全キリスト教的活動を効果的に進めるために、書簡と使節を通じたコミュニケーション・システムを構築した(Jensen et al. 2011; Bystad et al. 2012)。とりわけ異教徒との戦いの橋頭堡となる北欧やイベリア半島の君主に対しては、積極的にコンタクトが図られた。北欧のバルト海十字軍による「辺境の軍事力」は、領土を求める国家的要求であるとともに、教皇庁によるキリスト教世界の拡大と統一という動きの一環である。私たちはもう一歩進み、そうした動きを引き越こしたモンゴル帝国によるユーラシアの一体化を思い起こさねばならない。

## 三、辺境のリソース——極域の動物資源

### 辺境の辺境

奴隷を最大の輸出品とするヴァイキング時代の経済構造は、一一世紀半ばに「ヴァイキングの秩序」が解体して以降、変容した。ドイツ北方の都市が中核的役割を果たすハンザ・ネットワークが、ヴァイキング経済の後にイングランドからロシアまでの北海・バルト海ネットワークを支配することは周知の事実であるが(ドランジェ 二〇一六)、北欧もまた、この中に組み込まれる一方で、独自の経済ネットワークを構築しつつあった。一〇世紀に始まった北欧三国の海上王国体制は、おおよそ一三世紀半ばにはほぼ完成していた。デンマークはルンド大司教座―コペンハーゲン―ロスキレ、ノルウェーはニダロス大司教座―ベルゲン―オスロ、スウェーデンはウップサラ大司教座―ストックホルム―ヴィスビーという政治・経済・信仰の中心をつなぐラインが確定した。他方で北欧は、このような政治的活動領域の外部に広大な世界を擁していた。グリーンランド以西の世界、ノルウェー北部の北極圏、スウェーデン北部の山地である。

このような北欧の辺境は無意味な空間ではない。それどころか北欧にとって重要なリソースをもたらす経済空間の一部であり、そこに居住するサーミら先住民との交渉を通じて、中世において独自の意義を与えていた。北欧人は、辺境に前線基地を作ることで、現地の自然リソースの生態や地形や気候を知悉する先住民からリソースを入手し、それを北欧に、そして交易を通じてヨーロッパに輸出した。とりわけ、巨大な産業となっていたのは、九世紀の古英語版オロシウスにもみえるように、スカンディナヴィア半島の北極圏で獲得できる毛皮である(Keller 2010)。ヴァイキング時代には、奴隷と並ぶ収入獲得手段であった毛皮は、その後中世を通じてもノルウェーの収入源となった。毛皮

の重要性は言うまでもないが、「辺境のリソース」はそれだけにとどまらない。ここではグリーンランドを事例として、中世特有の「辺境のリソース」を考えてみたい。

## グリーンランドの動物資源

九世紀にノルウェー・ヴァイキングが拡大することで、ブリテン諸島北部の沿岸部と北大西洋諸島は北欧人が定住する空間となった[1]。九八五年に植民されたとされるグリーンランドは、厳しい自然条件のなか、一五世紀に放棄されるまでは西居住地と東居住地の二つのコミュニティが機能していた(ダイアモンド 二〇一三、Nedkvitne 2019)。このようにグリーンランドは、特殊な自然条件ゆえに、他の北欧地域とは異なった経済リソースの提供が可能であった(成川訳 二〇一〇)。

第一に猛禽である(Narikawa 2007)。鷹狩りは、ヨーロッパやイスラーム世界において、王侯貴族の嗜みとして重視されていた行為であり、北欧の辺境はそのタカの産地として知られていた。神聖ローマ皇帝フリードリヒ二世の『鷹狩りの書』や一三世紀のノルウェー王ホーコン四世がイングランド王ヘンリ三世に送った書簡に見られるように、アイスランド産のタカが著名であったが、一三世紀半ばにノルウェー王の子弟に向けて執筆された『王の鏡』が証言するように、グリーンランド産のタカも知られていた。

第二にシロクマである。先述したホーコン四世はタカとともにシロクマも贈っている(Paravicini 2003)。一三世紀に執筆された短話『ヴェストフィヨルドのアウズンの話』は、アイスランドにおけるシロクマの位置を知るための貴重な史料である(Miller 2008)。そこには貧しいアウズンが、グリーンランドでシロクマを入手し、それを一一世紀のデンマーク王スヴェン・エストリズセンに贈ることで、ローマ巡礼のための資金を獲得するという逸話が記されている。二〇〇年前のことを記述しているため事実であるかどうかは留保するが、少なくとも、一三世紀アイスランドの価値観でも、シロクマは王に献上しなんらかの見返りを得られるほどの奢侈品であることは読み取ってよい。

第三にセイウチである(小澤 二〇二〇 a)。セイウチはユーラシア北部からアメリカ大陸にかけての北極圏に広く生息する海獣である。それらの牙は、北ヨーロッパでは入手困難な象牙の代用として取引された(Seaver 2009)。近年の研究によれば、ヨーロッパ各地にある九〇〇年から一四〇〇年ごろまでに作成されたセイウチの牙製の彫刻作品の遺伝子検査をしたところ、ほぼ全てにグリーンランド産の牙が用いられていたことが明らかとなった(Barrett et al. 2020)。最も著名なものは、スコットランド沿岸部のルイス島で出土したチェス駒である(Caldwell et al. 2014)。ベルゲンで加工された可能性が指摘されるこの産品は、セイウチの牙という原料の希少性に加えて、一二世紀ノルウェー人の持っていた高度なデザインセンスと彫刻技術が反映された芸術作品といってもよい。

以上確認してきた、辺境に生息する動物をリソースとする北欧の特産物は、それらが北欧の外部に輸出され北欧産と認知されることによって、北欧という存在が「辺境のリソース」を供給する特別な空間という認識をヨーロッパに与えた。商人のみならず国王もそのような「辺境のリソース」を宮廷間の取引材料としていたという事実は、北欧諸国がこれら「辺境のリソース」を独占的に確保するために、短期的に見れば放置して然るべき極域やグリーンランド以西の辺境の維持を重視していたことを裏付けている。

## 四、辺境の記憶——ノルウェー併合後のアイスランド

### 『イングヴァールのサガ』と「ヴィンランド・サガ」

中世アイスランドが「サガ」と総称される、中世アイスランド語で書かれた特異な文献を大量に生産したことはよく知られている。一二世紀から一四世紀のアイスランドで二〇〇程度の様々な類型が存在し、それらが数千の写本の

中に書き留められて伝存している(Schier 1970)。ここでは、『イングヴァールのサガ』と「ヴィンランド・サガ」と呼ばれる二つの「サガ」に注目したい。

『イングヴァールのサガ』は、一二世紀後半のアイスランドの学僧オッド・スノーラソンによって書き留められたラテン語テキストが原型と考えられている(菅原訳 一九八八)。現存する最古のテキストは一五世紀初頭のものであり、その元になったテキストの成立は早く見積もっても一三世紀、場合によっては一四世紀と考える学者もいる。そこでは、一一世紀のスウェーデン出身のヴァイキングであるエームンド、イングヴァール、スヴェンの三代記であり、ロシア、ビザンツ帝国、さらにはエジプトやシルキシヴという東方国での彼らとその従士らの活躍が描出されている。他方で「ヴィンランド・サガ」は、『赤毛のエイリークのサガ』と『グリーンランド人のサガ』の二つをあわせた総称である(清水訳 二〇〇一、谷口訳 一九九二)。前者は一四世紀初頭に執筆された『ハウク本』や『スカールホルト本』に収録されており、後者は一三七五年の『フラート島本』に収められている。いずれも、アイスランドを出発してグリーンランドを発見し植民した赤毛のエイリーク率いるヴァイキングの活動、グリーンランドからさらにその西方の世界の発見、つまり現在のニューファンドランド島に相当するヴィンランドを発見したレイフ・エーリクソンとトルフィン・カルルセヴニの活動を扱っている。

いずれのサガも空想的内容を多分に含んだ冒険譚だが、一定程度以上の事実がその物語の核になっている。イングヴァールは一一世紀に実在したスウェーデン・ヴァイキングの一人である(ラーション 二〇〇四)。彼とともに東方で活動した内容を伝える死者記念碑であるルーン石碑は、現在二十半ば程度確認される(Gritton 2020)。石碑によれば、彼とともにあったヴァイキングのあるものは富とともにスウェーデンに帰還し、あるものは旅先で死に、あるものは現地にとどまった。北欧社会における移動性の高さを考えるならば、イングヴァールに関する集合記憶が、早い段階でアイスランドでも共有されていたと考えてもよい(Waßenhoven 2007; Scheel 2015)。他方で「ヴィンランド・サガ」

が伝えるヴァイキングによるアメリカ渡航は長年疑問視されてきた。しかし考古学ならびに自然科学の進展により、カナダのニューファンドランド島のランス・オ・メドウズで発見されたヴァイキングの入植遺跡が、一〇二一年に遡ることがわかっている(Lewis-Simpson 2003; Kuitems 2022)。

以上確認したように、『イングヴァールのサガ』も「ヴィンランド・サガ」も、その物語の核には事実が存在した。しかし、ルーン石碑や考古遺物が伝える事実と、サガとの間には大きな懸隔がある。そこで両者の媒介となるのが、北欧人の活動圏外に存在する異集団である。『イングヴァールのサガ』には、ビザンツ帝国よりさらに先の中東と想定される世界も描かれており、そこにはシルキシヴという女王の国も登場する。[2] 彼女は最初にイングヴァールと出会い、のちにその息子スヴェンと結婚する。スヴェンは司祭を連れてゆき、通訳を通じて交渉を行い、女王をキリスト教に改宗させている。この異教の女王は『旧約聖書』に見えるシバの女王の伝承をモチーフとしていると推測される。他方で「ヴィンランド・サガ」には、北欧人集団が上陸したヴィンランドで「スクレリング」(皮を着た人の意)という先住民と登場する場面がある。『赤毛のエイリークのサガ』によれば、この先住民集団は、当初北欧人に敵対的であったが、両者の間で取引が成立するまでに至った。紀元一〇〇〇年以降数百年という時期は、西方から移動してきたトゥーレ人がパレオ・エスキモー文化の担い手であるドーセット人に置き換わりつつあった民族移動期であることを踏まえると(Manchester et al. 2009)、「ヴィンランド・サガ」には、まさに数百年にわたる民族集団同士の邂逅(かいこう)の記憶が記録されていると考えることができる。

## 異境の発見

東西二つの方向に拡大したヴァイキングを扱ったこれらの「サガ」を、冒険譚もしくは異文化接触の記録と見做した場合、いずれも事実を核とする一方で、異教の女王やスクレリングのような異集団との接触と交渉が描かれている。

サガの聞き手にしてみれば、この一連の冒険譚は、自分たちの活動圏外に異境があることを認識させるヒストリオグラフィーであった。当時のアイスランド人は、こうした異境記述を歴史でもあり物語でもある「語られたもの＝サガ」として受け入れていた。

このような異境記述が受け入れられるには十分な理由があった。一二六二年以降、アイスランドを含む北大西洋島嶼はノルウェー王権の支配下に入った。この政治環境の変化は、サガにも大きな変化をもたらした。一三世紀半ばごろまでのアイスランドでは主としてヴァイキング時代を扱う「家族のサガ」や君主の事績を記録する「王のサガ」が生産されていたが、それ以降、ヨーロッパ本土との繋がりが強くなるとともに、本土宮廷での流行に合わせたサガが執筆されるようになった(Ármann Jakobsson 2017)。古代の伝説を描いた「古代のサガ」、騎士道物語の翻訳やそれに着想を得た「騎士のサガ」、宮廷で人気ある物語を翻案した「メルヒェンのサガ」などは、中世後期ヨーロッパの宮廷での流行を共有する物語でもあった(Glauser 1983)。つまりノルウェー支配以降のアイスランドは、記憶や娯楽という点でも一層のヨーロッパ化が進展していった。『イングヴァールのサガ』や「ヴィンランド・サガ」もこの時代の産物である。

『イングヴァールのサガ』がモチーフとしている、東方世界に赴きそこで未知なる存在に出会うという物語は、中世後期に全ヨーロッパで流行(はや)った物語形式である。「スクレリング」と邂逅する「ヴィンランド・サガ」もまた、同様の構造を持つ物語形式であるとする研究もある(Grove 2009)。驚異譚と呼ばれるこのジャンルは、マルコ・ポーロ『世界の記述』(東方見聞録)やジョン・マンディヴィル『東方の驚異』のように、キリスト教世界の外部に存在する驚くべき世界を読者に伝える語りの構造と機能を持っていた(山中 二〇一五)。それは、外の世界に対する畏怖を引き起こすとともに、好奇心と富に対する関心を高めた。アジアやアメリカの「発見」を支える要素として、異境を発見しそこへ拡大しようとする中世後期のヨーロッパ人の世界観、メンタリティ、そして好奇心があることはつとに指摘される(樺山 一九九五)。一〇世紀から一一世紀にかけて中東やアメリカという僻遠の地で起こった事実をめぐる「辺境の記憶」が、中世後期のアイスランドで異境発見の物語に結晶化された。アイスランドという辺境で生産される中世後期のサガは、アイスランド、北欧、ヨーロッパ、そして中東や新大陸との接触を証言し、同時代と後世に伝達する媒体でもあった。

## おわりに――中世グローバル・ヒストリーと北欧

ユーラシア西部の政治経済構造に大きな変革を迫ったヴァイキング時代が一一世紀半ばで終焉したのち、北欧三国は、ラテン・カトリック圏の一部に組み込まれ、辺境の中世キリスト教国家として、他の西洋諸国と類似した動きを示したというのが一般的理解である。しかし、「辺境の軍事力」「辺境のリソース」「辺境の記憶」という三つの視点を通じてみた中世北欧は、ただ中央に従属する辺境というだけではなく、辺境であることを十分に生かした独自の地位をヨーロッパ半島に築いていた。

ジャネット・アブー＝ルゴドは、中世のグローバル化とシステム化を論じた『ヨーロッパ覇権以前』において、モンゴル帝国によるユーラシアの一体化を論じた(アブー＝ルゴド 二〇〇一)。彼女は、モンゴル帝国の台頭により、それまでユーラシア各地で別個に機能していた八つのサブシステムが一体化をしたという図式を提示した。それ自体は、一五世紀以前のグローバル化の動きを考える上で不可欠の見方であるが、彼女の視野から北欧は抜け落ちていた。しかしすでに見てきたように、筆者も含む近年の研究では、ヴァイキングの拡大に始まる北欧人の活動は、北欧もまた中世の変容とグローバル化に貢献し、また諸民族の移動、諸宗教の生成、諸文化の交換を通じた中世のグローバル化によって北欧世界それ自体の変容が起こっていたことを跡付けつつある(Ashley 2016; Symes 2021)。

この理解を受け入れるとすれば、中世北欧は、一方的にヨーロッパ中核部のリソースを受容するだけの辺境でもなく、ヨーロッパの他地域から切り離された辺境でもない。むしろ新大陸に至る北大西洋世界、西欧、中欧、ビザンツ、中東、そして遊牧世界の広がるユーラシア西部と向き合うという政治地理学上の位置により、北欧は、政治・経済・文化の結節点にして濾過装置として、中世世界で大きな役割を担っていたことを認識せねばならない。そのように認識することで、中世グローバル・ヒストリーの時間的空間的枠組みに変更を迫ることも可能になるだろう(小澤 二〇二〇 c、Holmes and Standen 2018; Heng 2021; Preiser-Kapeller 2021; Borgolte 2022)。

**注**

(1) ノルウェーは、一二六三年にスコットランドと取り交わしたパース条約とほぼ同年にアイスランドとの間で結んだ取り決めによって、ブリテン諸島北部沿岸部への権益を手放すとともに、北大西洋諸島を支配下におさめた(Grohse 2017)。北大西洋諸島の併合の理由はいくつか考えられるが、その結果として、ノルウェーでは入手できない「辺境のリソース」の入手が容易となった。

(2) 東方ヴァイキング・ルーシ・ヴァリャーギは、アラビア語史料やジョージア語史料にも記録されている。他方で北欧やヴァイキングの交易地でもディルハムはもとより中東産のビーズなども出土している(Brink and Price 2008)。加えてスウェーデンのビルカで発見されたアフガニスタン製の仏像をはじめ、中央アジア、さらにその先のアジアとの交易と人的交流を想定する研究も進んでいる(Myrdal 2020; Jarman 2021)。

**参考文献**

アブー＝ルゴド、J・L(二〇〇一)『ヨーロッパ覇権以前——もうひとつの世界システム』上・下、佐藤次高他訳、岩波書店(岩波現代文庫、二〇二二年)。
池上俊一(一九九九)『ロマネスク世界論』名古屋大学出版会。

イブン・ファドラーン(二〇〇九)『ヴォルガ・ブルガール旅行記』家島彦一訳注、平凡社東洋文庫。

小澤実・薩摩秀登・林邦夫(二〇〇九)『辺境のダイナミズム』岩波書店。

小澤実(二〇一五)「交渉するヴァイキング商人――一〇世紀におけるビザンツ帝国とルーシの交易協定の検討から」斯波照雄・玉木俊明編『北海・バルト海の商業世界』悠書館。

小澤実(二〇二〇a)「ヴァイキングが切り開いた北極圏交易――セイウチの牙をめぐるグローバルな経済構造」秋道智彌・角南篤編『海とヒトの関係学③ 海はだれのものか』西日本出版社。

小澤実(二〇二〇b)「ネットワーク化されたスカンディナヴィア世界における海上「帝国」の形成――船舶、交易中心地、イェリング王権」『西洋史研究』新輯四九号。

小澤実(二〇二〇c)「中世グローバルヒストリーの潮流」『史苑』八〇巻二号。

樺山紘一(一九九五)『異境の発見』東京大学出版会。

清水育男訳(二〇〇一)「〈赤毛〉のエイリークルのサガ」菅原邦城・早野勝巳・清水育男訳『アイスランドのサガ中篇集』東海大学出版会。

菅原邦城訳(一九八八)「遠征王ユングヴァルのサガ」『世界口承文芸研究』八号。

ダイアモンド、ジャレド(二〇一二)『文明崩壊――滅亡と存続の命運を分けるもの』上・下、楡井浩一訳、草思社文庫。

谷口幸男訳(一九九一)「グリーンランド人のサガ」日本アイスランド学会編訳『サガ選集』東海大学出版会。

ドランジェ、フィリップ(二〇一六)『ハンザ 一二―一七世紀』高橋理監訳、みすず書房。

成川岳大訳注(二〇一〇)「イーヴァル・バルザルソン『グリーンランドの記述』本文日本語訳及び解題」『北欧史研究』二七号。

成川岳大(二〇一一)「一二世紀スカンディナヴィア世界における「宣教大司教座」としてのルンド」『史学雑誌』一二〇巻一二号。

橋川裕之(二〇〇八)「魂を脅かす平和――ビザンツの正教信仰とリヨン教会合同」『洛北史学』一〇号。

バートレット、ロバート(二〇〇三)『ヨーロッパの形成――九五〇年―一三五〇年における征服、植民、文化変容』伊藤誓・磯山甚一訳、法政大学出版局。

古谷大輔・近藤和彦編(二〇一六)『礫岩のようなヨーロッパ』山川出版社。

三浦徹編(二〇二〇)『七五〇年 普遍世界の鼎立』〈歴史の転換期〉3、山川出版社。

山中由里子編(二〇一五)『〈驚異〉の文化史――中東とヨーロッパを中心に』名古屋大学出版会。
ラーション、マッツ・G(二〇〇四)『悲劇のヴァイキング遠征――東方探検家イングヴァールの足跡 一〇三六―一〇四一』荒川明久訳、新宿書房。
ラーション、マッツ・G(二〇〇八)『ヴァリャーギ――ビザンツの北欧人親衛隊』荒川明久訳、国際語学社。
Androshchuk, Fedir (2019), "When and how were Byzantine miliaresia brought to Scandinavia?", O. Heilo and I. Nilsson (eds.), *Constantinople as Center and Crossroad*, Istanbul, The Swedish Research Institute in Istanbul.
Ashley, Scott (2013), "How Icelanders experienced Byzantium, real and imagined", C. Nesbett and M. Jackson (eds.), *Experiencing Byzantium*, London and New York, Routledge.
Ármann Jakobsson and Sverrir Jakobsson (eds.) (2017), *The Routledge Research Companion to the Medieval Icelandic Sagas*, London and New York, Routledge.
Bagge, Sverre (2014), *Cross & Scepter: The Rise of the Scandinavian Kingdoms from the Vikings to the Reformation*, Princeton, NJ, University of Princeton Press.
Barrett, James H., et al. (2020), "Ecological globalisation, serial depletion and the medieval trade of walrus rostra", *Quaternary Science Reviews*, 229-1.
Berend, Nora (ed.) (2007), *Christianization and the Rise of Christian Monarchy: Scandinavia, Central Europe and Rus' c. 900-1200*, Cambridge, Cambridge U.P.
Bolton, Timothy (2009), *The Empire of Cnut the Great*, Boston and Leiden, E. J. Brill.
Borgolte, Michael (2022), *Die Welten des Mittelalters*, München, Beck.
Brink, Stefan, and Neil Price (eds.) (2008), *The Viking World*, London and New York, Routledge.
Bystad, Ane L., et al. (2012), *Jerusalem in the North: Denmark and the Baltic Crusades, 1100-1522*, Turnhout, Brepols.
Caldwell, David H., and Mark A. Hall (eds.) (2014), *The Lewis Chessmen: New Perspectives*, Edinburgh, National Museum of Scotland.
Christiansen, Eric (1997), *The Northern Crusades*, 2nd ed., London, Penguin Books.
Cowdrey, H. E. J. (1998), *Pope Gregory VII, 1073-1085*, Oxford, Oxford U.P.

Douglas Price, H. (2015), *Ancient Scandinavia: An Archaeological History from the First Humans to the Vikings*, Oxford, Oxford U.P.

Franklin, Simon, and Jonathan Shepard (1996), *The Emergence of Rus: 750–1200*, London, Longman.

Glauser, Jürg (1983), *Isländische Märchensagas*, Basel, Helbing & Lichtenhahn.

Gritton, Jim (2020), "*Yngvars saga víðförla* and the Ingvar Runestones: A Question of Evidence", *Apardjón: Journal for Scandinavian Studies*, vol. 1.

Grohse, Ian Peter (2017), *Frontiers for Peace in the Medieval North: The Norwegian-Scotish Frontier, c. 1260–1470*, Boston and Leiden, E. J. Brill.

Grove, Jonathan (2009), "The place of Greenland in medieval Icelandic saga narrative", *Journal of the North Atlantic*, 2.

Gustafsson, Harald (2006), "A state that failed? On the Union of Kalmar, especially its dissolution", *Scandinavian Journal of History*, vol. 31 no. 3–4.

Harrison, Dick (2002), *Sveriges historia medeltiden*, Stockholm, Liber.

Harrison, Dick (2020), *Kalmarunionen*, Lund, Historiska media.

Heebøll-Holm, Thomas K. (2019), "Medieval Denmark as a Maritime Empire", R. Strootman et al. (eds.), *Empires of the Sea: Maritime Power Networks in World History*, Boston and Leiden, E. J. Brill.

Helle, Knut (ed.) (2003), *The Cambridge History of Scandinavia, vol. 1: Prehistory to 1520*, Cambridge, Cambridge U.P.

Heng, Geraldine (2021), *The Global Middle Ages: An Introduction,* Cambridge, Cambridge U.P.

Holmes, Catherine, and Naomi Standen (eds.) (2018), *The Global Middle Ages*, Oxford, Oxford U.P.

Imsen, Steinar (2014), *Rex Insularum: The King of Norway and his "Skattlands" as a Political System c.1260–c.1450*, Oslo, Fagbokforlaget.

Jackson, Peter (2018), *The Mongols and the West: 1221–1410*, 2nd ed., Abingdon, Routledge.

Jarman, Cat (2021), *River Kings: A New History of the Vikings from Scandinavia to the Silk Roads*, London, William Collins.

Jensen, Carsten S., Kurt V. Jensen, and John H. Lind (2011), "Communicating crusades and crusading communications in the Baltic region", *Scandinavian Economic History Review*, vol. 49, no. 2.

Jesch, Judith (2015), *The Viking Diaspora*, London and New York, Routledge.

Jón Viðar Sigurðsson (2022), *Scandinavia in the Age of Vikings*, Ithaca, Cornell U.P.

Keller, Christian (2010), "Furs, fish, and ivory: medieval Norsemen at the Arctic fringe", *Journal of the North Atlantic*, vol. 3.

Kuitems, Margot, et al. (2022), "Evidence for European presence in the Americas in ad 1021", *Nature*, 601.

Lewis-Simpson, Shannon (ed.) (2003), *Vínland Revisited: The Norse World at the Turn of the First Millenium*, St. John's, Historic Sites Association.

Manchester, Herbert, et al. (eds.) (2009), *The Northern World AD 900-1400*, Salt Lake City, The University of Utah Press.

Miller, William Ian (2008), *Audun and the Polar Bear: The Luck, Law, and Largesse in a Medieval Tale of Risky Business*, Boston and Leiden, E. J. Brill.

Myrdal, Eva (ed.) (2020), *Asia and Scandinavia: New Perspectives on the Early Medieval Silk Roads*, Stockholm, Museum of Far Eastern Antiquities.

Narikawa, Takahiro (2007), "Falcon: A well-known product of the North in the middle ages?", *Vellum: Nytt tidsskrift om vikingtid og middelalder*, vol. 1.

Nedkvitne, Arnved (2019), *Norse Greenland: Viking Peasants in the Arctic*, London, Routledge.

Paravicini, Werner (2003), "Tiere aus dem Norden", *Deutsches Archiv für Erforschung des Mittelalters*, vol. 59.

Price, Neil (2019), *Children of Ash and Elm: A History of the Vikings*, London, Penguin Books.

Preiser-Kapeller, Johannes (2021), *Der Lange Sommer und die Kleine Eiszeit: Klima, Pandemien und der Wandel der Alten Welt von 500 bis 1500 n. Chr.*, Wien, Mandelbaum.

Richard, Jean (2019), *La papauté et les missions d'Orient au Moyen Âge (XIII$^{e}$-XV$^{e}$ siècles)*, 3$^{rd}$ ed., Rome, École française de Rome.

Scheel, Roland (2015), *Skandinavien und Byzanz*, 2 vols., Frankfurt am Main, V&R.

Schier, Kurt (1970), *Sagaliteratur*, Stuttgart, Metzler.

Seaver, Kirsten A. (2009), "Desirable teeth: the medieval trade in Arctic and African ivory", *Journal of Global History*, vol. 4.

Shepard, Jonathan (2016), "Small worlds, the general synopsis, and the British 'way from the Varangians to the Greeks'", F. Androshchuk et al. (eds.), *Byzantium and the Viking World*, Uppsala, Uppsala universitet.

Star, Bastiaan, et al. (2018), "Ancient DNA reveals the chronology of walrus ivory trade from Norse Greenland", *Proceedings of the Royal Society*

*B*, 285.

Symes, Carol (ed.) (2021), *The Global North: Spaces, Connections, and Networks before 1600*, Leeds, ARC.

Sverrir Jakobsson (2017), "Emperors and vassals. Scandinavian kings and the Byzantine emperor", *Byzantinische Zeitschrift*, vol. 110, no. 3.

Sverrir Jakobsson (2020), *The Varangians: In God's Holy Fire*, New York, Palgrave Macmillan.

Vedeler, Marianne (2014), *Silk for the Vikings*, Oxford, Oxbow.

Waßenhoven, Dominik (2007), *Skandinavier unterwegs in Europa (1000-1250)*, Berlin, Akademie Verlag.

焦点 Focus

# レコンキスタの実像
## ――征服後の都市空間にみる文化的融合

黒田祐我

### はじめに

八世紀の初頭、ウマイヤ朝の最西端支配域としてアンダルスがイベリア半島に成立した。この後、アッバース朝の成立と並行して、独立王朝として後ウマイヤ朝が興る。この動きに与しない自立勢力が複数、同半島の北部に自然発生し、これらが次第に勢威と統治領域を拡大させていく。いわゆるキリスト教諸国の成立である。この自立勢力のうちのひとつにすぎなかったアストゥリアス王国は、支配領域を拡大させてレオン王国、そしてカスティーリャ王国の名のもとに漸次統合され、後代に「レコンキスタ」と総称されることになるイデオロギーを掲げながら、アンダルスに対する略奪と征服、入植活動を正当化していった。

イベリア半島で実施されたこの征服活動を、現在のスペイン・ポルトガルへと繋がる単なる「国民的運動」に収斂させることは、もはやできない。[1] それは、西欧中世世界の成熟と拡大の動きと深く連動しながら、しかしその世界の枠内に収まりきらないイベリア半島独自の文化と心性を中世後期から近世、そして現代にわたってもたらす原因であったと理解せねばならない。本稿は、「レコンキスタ」と総称されてきたこの征服活動の主役を担ったカスティーリャ王国のたどった歴史を軸に、この活動が進展していくのに伴って生み出されていった都市空間の変容を例として、その実相に触れようとするものである。

## 一、教会へと転用されたモスク

一〇三一年に後ウマイヤ朝が滅亡した後、半島の北に分立したキリスト教諸国が精力的に展開したアンダルスに対する軍事活動は、西欧中世の十字軍運動の西方戦線と位置付けられうる。十字軍やジハード(聖戦)といった各々の神の名のもとに異教徒勢力と衝突する「聖戦」が同時多発的に実践されたこの時代、戦争を経て都市・拠点を征服した後、この獲得した領域に残された宗教建築物としてのモスクは、どのように扱われたのであろうか。

征服後の都市や拠点を自らの領域に十全に組み込むためには、適切な戦後処理と空間の再編が必要となる。アンダルスが支配宗教としてイスラームを奉ずる領域である以上、この戦いは宗教間の対立となるはずであり、征服後のトポスを「キリスト教化」する必要が生じる。すなわちそれは、異なる支配宗教と異なる言語、ひいては異なる文明へと領域の所属を変更する手続きであった。征服後の都市空間を再編成する手段のひとつは、既存の建造物を完全に破壊して新たに建てなおす方法であろう。もうひとつは、既存の建造物を再利用する方法である。中世イベリア半島の征服では、主に後者の方法が採られたのである。

一〇八五年の五月、降伏協定を介してカスティーリャ=レオン王アルフォンソ六世(在位一〇六五―一一〇九年)が征服したトレードでは、征服当初、都市内に残留したムスリム(ムデハル)共同体が、都市中心部に立つ大モスクの所有権を有していた。しかし征服から一年を経た頃、元クリュニー修道士でトレード選出大司教ベルナルドと王妃コンスタンサをはじめとする「フランス人」入植者が国王不在時の深夜、この大モスク(maiorem mezquitam)に押入り、「ムハンマドの汚辱を除去してキリスト教信仰の諸祭壇を立て、信徒を招集するための鐘を高塔に配置した」。これは降伏協定違反に当たるため、国王は激怒して事件の首謀者ふたりを火刑に処そうとしたものの、復讐の連鎖に発展することを恐れたムデハルらの嘆願を聞き入れて、そのまま教会として留めおいた、このように歴史書は語る(Fernández Valverde 1987: 205-207)。おそらくこの事件の後、正式な献堂式が執り行われたことが一〇八六年一二月一八日付の文書から分かる。同文書によると、国王臨席のもと王国聖職者団との合議のうえ「彼らの権能によって悪魔から救出された家が、神のための聖なる教会へと捧げられ」、ベルナルドが正式に大司教として任じられた後、教会が聖母マリア、聖ペテロ、聖ステファヌス、他の諸聖人に献納されている(2)(García Luján 1982: 15-20)。

トレード征服後の再編の経緯でまず指摘すべきは、大モスクとして使われてきた建造物がそのまま一二二六年まで再利用され続けた事実である。大モスクのみならず、多くの教区教会も、かつてのモスクの遺構が再利用されたことが分かっている。また大モスクが保有していた動産と不動産が、トレード大司教区教会に一括して譲渡されている点も興味深い(Fernández Valverde 1987: 294; García Luján 1982: 15-20; Calvo Capilla 1999: 299-330)。

アラゴン王も、一一世紀の末から一二世紀の前半にかけてエブロ川流域の征服・入植活動を精力的に推進したが、同流域の征服過程においてムデハルがそのまま残留する事例が多数確認されている。残存する降伏協定内容の条項をみると、ムデハルの自治権に配慮する傾向が確かに強い。しかし一年後に大モスクを含む町の中心街区を明け渡すことを命じるとともに、トレードと同様、征服後にモスクを教会へと転用する事例が一般化している。都市部であれ農村部であれ、有用なモスクはすべて接収されて王権の管轄下におかれた後、司教や修道院など教会勢力に寄贈されて大聖堂や教区教会として再利用された。それ以外のモスクは、自治権を持つムデハル共同体の管轄にとどめおくか、あるいは特定の個人に不動産として売却あるいは譲渡された。ウエスカ(一〇九六年征服)、バルバストロ(一一〇〇年征服)、サラゴーサ(一一一八年征服)、トゥデーラ(一一一九年征服)などで、大モスクの教会への転用の際に執り行われる儀礼も、トレードのそれと類似していたと推測される(Buresi 2000: 334-336)。

一一四〇年代、アンダルスを支配していたムラービト朝の瓦解に伴う混乱期、カスティーリャ＝レオン、同王国から分離独立したポルトガル、そしてカタルーニャと同君連合を形成したアラゴン連合王国の各々が再び軍事活動を活発化させたが、新たに征服された都市や拠点で、やはりモスクを一定の儀式を済ませた後で教会として再利用している。(3)

この時期における断片的な史料から、転用の際に実施される儀式をおおむね復元できる。まず聖職者らが行列をなして大モスクに入場した後、聖水を振りまき、祭壇や聖遺物を配置して当該空間から「ムハンマドの穢れを除去」する。この後にミサを挙行し「テ・デウム」などの聖歌が歌われる。そして当該区域の聖職者の長(司教や大司教など)が叙任され、かつてモスクであった教会に王が諸財産を寄進する、という流れである。さらに信徒に征服後の都市空間の変化を認知させるべく、ミナレット(尖塔)に鐘が設置され、南向きに建てられたモスクの内部を配置換えして、東を向いた教会へとするために建造物の正門の位置も変更された。

しかし注意すべきは、モスクをそのまま教会として使い続けるということが、中世のイベリア半島史で近年強調されているような宗教的寛容の証拠ではない点である。イスラーム世界と恒常的に接触するイベリア半島、とりわけ最前線領域に居住するキリスト教徒入植者にとって、教会という存在は、まさに自らのアイデンティティの拠り所となる象徴的な建造物であった。征服後の都市や拠点の再編成において大モスクの接収と教会としての転用は、キリスト教の勝利と優位へと至るプロセスそのものを再現しながら、当該領域が西欧世界へと組み込まれたことを可視化する役割を担っていた。キリスト教諸国の為政者は、キリスト教徒臣民とともに、ムスリム臣民としてのムデハルを支配領域内に抱え込むからこそ、なおのことキリスト教こそが都市景観の主役であることを明示せねばならなかった。ムスリムの「穢れ」を除去してそのまま教会として転用されたモスクは、征服者・被征服者の双方に各々の社会的立場を納得させる格好の素材と考えられ、ゆえに積極的に再利用されたのではあるまいか。

しかしだからといって、宗教的シンボルであるモスクという建築物そのものに対する軽蔑や敵視には一切つながってはいない。町の中心に聳え立つ荘厳な大モスクは、キリスト教徒にとって賛美の対象ですらありえた。イスラーム世界の核となる都市において、モスクは宗教的・社会的な中心地であり、水利に配慮され、都市内で最もアクセスのしやすい生活の中心に配置されている。同じく都市化を経験する西欧中世で、征服後の社会運営上でも、モスクを教会としてそのまま使い続けることは実益を兼ねていたのである。(4)

もうひとつの顕著な特徴は、モスクに付属していた動産・不動産や諸収入源もセットで、新設されたばかりの大聖堂や教区教会に授与されている事実である。たとえば一一三一年、アラゴン王アルフォンソ一世(在位一一〇四—三四年)は、アルハファリン修道院長サンチョに対し「貴殿が教会とするそのモスクを、その竈、その領地とともに、貴殿に譲渡する」と確約する(Lema Pueyo 1990: n. 237)。トレードでもみられたこのような財産譲渡行為は、アンダルス時代のモスクの運営に設定されていたワクフ(宗教寄進)財を受け継いでいると考えられ、この意味では、アンダルス時代の権利関係を尊重しながら、征服後の教会が運営されていることになろう。つまり、かつてのアンダルス時代の財産状況を正確に理解しているムデハルや、アラビア語による伝承や記録情報を的確に収集できるモサラベ(アンダルス治下に暮らしたキリスト教徒)やユダヤ人などの仲介役が、征服後の都市整備に不可欠となるわけである。キリスト教を掲げる征服活動が成功した結果、逆説的にも征服領域の運営のために「敵」であったアンダルス時代の状況を知る人材がかえって必要になるという面白い矛盾が、ここにはっきりと現れている。

## 二、ハイブリッドな都市景観の形成

一二世紀の後半から一三世紀の初頭にかけては、ムラービト朝に代わってアンダルスを併合し西地中海で覇を唱えたムワッヒド朝に対して、一進一退の攻防が繰り広げられた。ムワッヒド朝は一二一二年のラス・ナバス・デ・トローサ会戦で敗北した後、カリフ位の継承をめぐる内紛によって瓦解していくなか、歴史上「大レコンキスタ」と称される征服活動が十字軍の名の下で遂行されていくことになる。この征服過程においても状況は同じであった。

一二一三年、ラス・ナバス戦勝利の立役者、カスティーリャ王アルフォンソ八世(在位一一五八―一二一四年)がアルカラスを征服後、従軍していたトレード大司教ヒメネス・デ・ラーダ(在位一二〇九―四七年)はじめ聖職者団は、モスクであった建物をサン・イグナシオ教会として「そこで神の典礼を執り行い聖なる昇天祭を挙行した」(Menéndez Pidal 1906: 705-706)。一二二六年、カスティーリャ王フェルナンド三世(在位一二一七―五二年)によるカピーリャ城砦・村落の征服の際にも、トレード大司教、パレンシア司教ほか聖職者たちは、「われらが主イエス・キリストと彼の勝利の十字架の力を通してモーロ人のモスクからムハンマドの迷信という汚辱を除去」して教会をキリストに捧げた後、ミサを挙行している(Charlo Brea 1997: 94)。

一二三六年、後ウマイヤ朝時代の都であったコルドバが降伏すると、最初に聖職者団が入城してミナレットに十字架の旗を立てた後、大モスクに入り「モスクから教会にするためにムハンマドの迷信と汚辱が除去されて、塩の入った聖水が散布されて場が聖化され、かつて悪魔の住処であったところがイエス・キリストの教会となり、彼の栄光の生みの親〔聖母マリア〕の名が唱和された」。王はこの後、都市へと入城して、大聖堂へと転用された場で他の貴族や兵たちとともにミサを行い、トレード大司教によってコルドバ司教が叙任されて、司教座に諸収入を授与し、それを特許状で保障している(Menéndez Pidal 1906: 733-734; Fernández Valverde 1987: 299; Charlo Brea 1997: 116-117; Falque Rey 2003: 341)。

一二四六年、ナスル朝の創始者ムハンマド一世の服従にともない、都市ハエンが降伏した際も同様の経緯である。大モスクへと入り、これを聖母マリアへ捧げる教会として聖別し、コルドバ司教がミサをあげた後でハエン司教座を設立し諸特権を授与する。一二四八年の末に征服されたセビーリャでは、事前の降伏協定の約定に従って降伏住民の退去がまず実施され、大モスクを教会として再利用する儀礼を実施し、大司教座を再興し聖母マリア教会とした後、諸特権の授与と大司教の叙任が続く。大モスクの遺構は一五世紀以降、現在もゴシック様式として世界最大規模を誇る大聖堂建築へと建て替えられていったが、征服時にも賛美の対象とされているムワッヒド朝時代のミナレット、すなわちヒラルダの塔は、当時の威容を現在まで受け継いでいる(Menéndez Pidal 1906: 746-747, 767-769)。

「大レコンキスタ」期にカスティーリャ王国が推進した征服活動においても、一一世紀末から一二世紀にかけての征服時と同様、聖職者が主宰する儀式を経たうえで、モスクの遺構を教会としてそのまま再利用する事例が数多く登場する。とはいえ、以前と少々異なる傾向として指摘すべきは、聖母マリアの名を冠する教会として聖別される事例が圧倒的に多い点である。半島南部アンダルスの中枢領域を十二分に「キリスト教化」させるため、意図的に聖母との緊密なパイプを構築しようとしたと考えられる(5)。

しかしながら一三世紀には、もうひとつ別の変化の兆しも現れる。モスクを再利用し続けるのをやめ、北フランスで始まる新たなゴシック様式で大聖堂を建て直す事例が散見されるからである。教皇権の絶頂を経験し、十字軍が至る所で展開され異教徒と異端の殲滅に邁進したとされるこの時代、それはイベリア半島の「不寛容」の幕開けを意味するのであろうか。

元来イベリア半島北部のキリスト教諸国では、アンダルス領域への遠征で獲得された戦利品を、意図的にキリスト教の祭具として再利用する習慣が広くみられた。とりわけ一三世紀から中世後期にかけて、カスティーリャ王国の有力者らは、アンダルスで製作されたアラビア語の彫刻や刺繍の入った品を、聖遺物入れ、儀礼・祭祀の衣服、あるいは埋葬布としてこぞって用いた。この流行は、アンダルス産物品の質の高さと美的感覚に対する賞賛の念から生じただけではなく、キリスト教のイスラームに対する勝利を具現化する役割をも担っていた。政治的・宗教的な観点からモスクをはじめとするアンダルスの遺構を意図的に残そうとしたことについては既に述べたが、とりわけカスティーリャ王国は、意図的にアンダルスの物質文化や建築様式を組み込もうとする傾向が強い(Pick 2004: 104-108; Judith Feliciano 2005: 101-131; Ruiz Souza 2012: 125-134)。一三世紀を代表するカスティーリャ王国のふたりの人物に着目しながら、イベリア半島固有の、とりわけ「レコンキスタ」理念を掲げるカスティーリャ王国の統治理念と、都市計画との関連性を次に紹介したい。

アンダルスの「記憶」を継承する理念を掲げ、これに対応した都市計画を考えたのが、教皇特使として対アンダルス十字軍を遊説し、対アンダルス戦争の最前線で陣頭指揮をとり続けたトレード大司教ヒメネス・デ・ラーダである。征服後一五〇年近くのあいだ再利用してきた大モスク建築を取り壊し、ゴシック様式によるトレード大聖堂の総建て替え事業(一二二六年に着工)が、まさに彼の抱く理想、すなわち西ゴート王国の歴史との直接接続と、西欧中世的な十字軍思想に基づくキリスト教の称揚に裏打ちされていたことは間違いない。しかしこの一方で、ヒメネス・デ・ラーダはアラビア語史書から知見を得て『ヒスパニア事績録』と『アラブ人の歴史』というふたつの歴史書を執筆し、アンダルス史を含むイベリア半島全体の歴史を叙述しなおすことで、キリスト教会の支配のもとで非キリスト教徒を包摂したカスティーリャ王国統治の未来を提示した。彼の歴史認識において主役を担うべき王国の首座都市トレードでは、ゴシック建築様式の大聖堂が聳え立つ一方で、モサラベの保有した豊かな文化的伝統を称揚する目的で、サン・ロマン教会が新たに建造された。これは、アンダルスで培われた建築文化を取り入れながら、モサラベの母語アラビア語による装飾がふんだんにほどこされた教会である[**図1**](Pick 2004: 69-92; Dodds 2007: 215-244)。

「大レコンキスタ」の立役者であったフェルナンド三世の後を継いだアルフォンソ一〇世(在位一二五二―八四年)もまた独自の帝国理念を抱き、これを実現しようとした。彼は、まず父王が征服した広大な領域アンダルシーアの再編に着手する。戦争と征服活動で荒廃した領域に入植者を募り、最前線地帯は騎士修道会に防備を委ねるなど、「キリスト教化」を旨とする領域編成を最優先した。都市部からムデハルは強制退去させられ、一二六四年に勃発したムデハル蜂起の結果、農村部でもムデハルの多くが自発的・強制的に退去あるいはキリスト教へと改宗した。よってアンダルシーアで、アンダルス時代との人的、社会的、法的な連続性はほとんどないのである。しかしアンダルス的な要素が完全に排除されたかというと、決してそうではない。セビーリャやコルドバの事例が典型であるが、建築文化や都市機構の面における連続性が確実に存在した。

**図1** サン・ロマン教会(トレード)の内部(筆者撮影)

神聖ローマ皇帝位を望み、立候補した彼にとって都市セビーリャは「ヨーロッパの中でのキリスト教の都」となるべき拠点である。しかし彼の抱いていた帝国理念は、神聖ローマ皇帝のそれとは大きく異なっていた。かつてカスティーリャ゠レオンに存在した「二宗教皇帝理念」を土台に、西地中海世界の南側に君臨したムワッヒド朝の知的営為と繁栄を引き継ぐべくマグリブへの進出事業を同時に進めるアルフォンソ一〇世にとって、ミナレットから鐘楼へと役割を替えて再利用されたヒラルダの塔は、イスラームに対する勝利の称揚を可視化すると同時に、美しい建築文化を自らの「帝国」内で血肉とする度量の深さを内外にアピールする役割をも果たした。ローマ法を土台とした『七部法典』を編纂し、俗語(カスティーリャ語)による歴史叙述をいち早く推し進め、古代ローマ帝国から、西ゴート、そしてマグリブ・アンダルスをも包摂したカスティーリャ独自の「帝国」の建設を夢見たのが、彼であった。(6)

彼のこの政治的野心を端的に表現しているのが、大モスクを転用したセビーリャ大聖堂内に作らせた父王の墓廟である。四つの言語(ラテン語、アラビア語、ヘブライ語、カスティーリャ語)で生前の業績が要約された墓碑銘では、西暦、ヒジュラ暦、ユダヤ暦、そしてイベリア半島固有のヒスパニア暦が使いわけられている。複数の言語を用い、異なる文化的背景を持つ臣民を束ねるイベリア半島に君臨する「皇帝」として、父の偉業を讃えようとしたのである(Nickson 2015: 170-186; Ruiz Souza 2019: 121-138)。

このカスティーリャ王国の動きと比べ、アラゴン連合王国の動向は対照的であった。確かに一三世紀に征服されたバレンシアでムデハル臣民の人口比率は特筆して高く、まさに異教徒との共存が保たれてはいた。しかしローマ教皇庁をはじめとする西欧中世世界の「中心」により近いアラゴン連合王国は、「キリスト教化」に敏感にならざるを得なかったのであろうか、モスクは教会として再利用されず、早々にロマネスクやゴシックといった西欧建築様式の教会へと建て替えられることが多かったとされる。

## 三、中世後期の「境域」——カスティーリャ王国とナスル朝の建築文化にみる文化変容

一三世紀の半ば、アンダルスとして命脈を保つことができたのは、実質ナスル朝グラナダ王国領域のみとなった。同王朝は、カスティーリャ王の家臣として時に振る舞いつつ友好関係を維持しようとした。小競り合いは常に生じえたものの、全面的な王国間戦争に発展することは稀となった。一四世紀になると、寒冷化と飢饉、「黒死病」に伴う

政治・社会不安と連動しながら、ユダヤ人迫害の激化に象徴される危機の時代を迎える。西欧中世はイスラーム世界に対し無関心となり、外に対して自らを閉ざしてしまう「内省の時代」を迎えた。

とはいえ、他者に対する迫害意識の高まる中世後期ではあるが、対アンダルス関係で何らかの大きな変化がもたらされたとは言えない。むしろ逆に一四世紀半ばのカスティーリャ王国内部で勃発したトラスタマラ内戦、英仏百年戦争と連動したイベリア半島内外の政治勢力間での度重なる戦争のかたわらで、アンダルスとの関係は以前にまして良好なものとなった。

ナスル朝スルターンのムハンマド五世(在位一三五四—五九年、一三六二—九一年)と盟友関係にあったカスティーリャ王ペドロ一世(在位一三五〇—六九年)は、父王アルフォンソ一一世(在位一三一二—五〇年)がマグリブのマリーン朝に対する戦勝を祈念し建造させた在トルデシーリャス宮殿を完成させる(現在はサンタ・クララ修道院)。またセビーリャのアルカサル(王宮)として名高い宮殿の中核を建造させたのもペドロ一世であるが、このどちらの宮殿にも、同時代のナスル朝のアンダルス建築・美術様式がふんだんに盛り込まれている[図2]。彼もアルフォンソ一〇世と同じく、ローマ時代・西ゴート王国時代の建築材を再利用しながら、アラビア語とカスティーリャ語の双方の銘を刻み、カスティーリャ=レオンのシンボル(城塞と獅子)をちりばめた独自の建築物を完成させた。

**図2**　アルカサル内，ペドロ1世宮殿(セビーリャ)の入口(筆者撮影)

ちょうど同時期のセビーリャでは、一三五六年の八月二四日に勃発した地震で多くの教会が損害を受け、建築ラッシュが起きていたが、新たに建てられた教会群はゴシック様式とアンダルス様式を取り込んだ、いわゆるムデハル様式に区分される建築物である。中世後期は、カスティーリャのみならず、アラゴン連合王国でも「征服者」と「被征服者」の双方の建築文化を融合させ、地域色豊かなムデハル様式の建築が乱立した時代であった。繰り返しになるが、ムデハル様式で教会を建て直した理由は、アンダルスの洗練された美術・建築様式への単純な憧憬ではなく、ましてやイスラームに対する寛容精神でもなく、経済効率性と利便性であった点には注意が必要である(Paulino Montero 2019: 139-160)。

興味深いことに、ナスル朝グラナダ王国でも、ムハンマド五世の長い治世期において「西欧化」が進行した。アルハンブラ宮殿内、ライオンの中庭の東に位置する「諸王の間」(Sala de los reyes)の天井には、マグリブ・アンダルスでは非常に珍しい人物画が描かれている。解釈についての論争はいまだ決着がついていないが、これらは西欧の中世騎士道や君主鑑(君主教育手引き書)といった題材と深く関連しているとされる。中世後期で中断されたかに見える「文明間の対話」は、宗教教義や政治外交的な次元とは別枠で、双方向的に生じていたのである(Dodds 2008: 267-302; Echevarría 2008: 199-218; Luyster 2008: 341-367)。

一五世紀になると、いわゆる「封建制の危機」からいち早く脱却したカスティーリャ王国では対外政策が再び活況を呈し、身分制議会の演説や歴史叙述で対アンダルス戦争が声高に主張されだす時代を迎えた。しかし、断続的に実施されるこの戦争における方針も、征服後の都市や拠点に残されたモスクを教会として再利用する点も変わらない。たとえば一四一〇年九月の末に征服されたアンテケーラでは、降伏時の合意条項に従ってムスリム住民は駄獣の提供をうけて動産とともに退去した。拠点を確保するにあたって、まず十字架と聖遺物を帯同した聖職者団が行列を組織し、その最前列に十字軍旗、聖イシドールス旗、聖ヤコブの旗を立てて、その後に世俗諸侯と騎士らが続き、皆で賛美歌を歌いながら大モスクまで行進した。この後ミサを挙げて儀礼を済ませ、祭壇を聖別してサン・サルバドール教会と命名している(García 2017: vol. 1, 478-483)。

ナスル朝の滅亡へと至る「グラナダ戦争」(一四八二―九二年)でも状況は変わらない。最初の係争地アラマ(Alhama)の征服時には、大モスクを聖母マリア聖堂として聖別する儀礼をトレード大司教が執り行った。一四八六年に征服されたロハ、八五年のロンダ、八九年以降に征服されたグアディクス、バーサ、アルメリアにおいても同様である。九二年一月二日に実施された都市グラナダ開城降伏をもってナスル朝は滅亡し、これは同時に約八〇〇年間続いたアンダルスの歴史の終わりを意味した。しかし降伏協定は概ね、トレードやサラゴーサ征服時と同じ条項と条件から成り立っていた。征服後の処置に関しても同様であり、都市グラナダ内に数多く存在したモスクは、儀式を済ませた後に教会として再利用された[図3]。こうして設立された教会には、「確認のうえでモスクであった時代に保有していたすべての財産と収入」が授与されている。征服前のワクフ財との連続性は明らかであろう。都市景観と住民構成は一四九二年の前後で、ほとんど変わらなかったのである(Pulgar 1780: 188, 276; Espinar Moreno 1995: 767-785)。

**図3** サン・ホセ教会(グラナダ)に併設する11世紀のミナレット(筆者撮影)

## おわりに

大局的に見て一四九二年が歴史の分水嶺であったことは否定できない。アンダルスが消滅し、同年にはユダヤ教徒が追放された。近世ヨーロッパ政治体制が本格的に始動し、宗教改革を端緒とする宗派化が進展していくにつれて、中世の「あいまいさ」を許容する余地は確実に狭まっていった。一四九九年に始まるグラナダ暴動の結果、一五〇二年にカスティーリャ王国全土でムデハル強制改宗令が出されたことを端緒とし、ムデハルは新キリスト教徒（モリスコ）としての生活を余儀なくされていく。

これに伴って、モスクの遺構を再利用し続ける傾向も変化した。イスラームからキリスト教へと改宗させられたモリスコが、それまでのモスクを教会として再利用する場合もあった。しかし旧モスク建造物は、イスラームに対する勝利の証ではなくなり、それを用い続けるモリスコらの真の「カトリック化」を妨げる不埒な場と認識された。

とはいえ近世スペインの「不寛容」は、近年修正を余儀なくされている。コルドバのメスキータ自体、改築はされたが破壊されることはなく、後ウマイヤ朝時代の遺構を継承して今に至る。セビーリャのヒラルダの塔も然り。近世スペイン帝国の時代になっても、アンダルスで育まれた建築・美術様式が貴族の邸宅などで寵愛され続けたことは間違いない。

中世の地中海世界でせめぎあった三つの一神教の信徒たちは、信徒共同体間の区別を常に意識しながら、しかし互いを一定程度認めあい共存していた。こうして生み出された歴史は単純な宗教的合一に至らず、かといって全面的な拒絶・排除に収斂することもない。中世のイベリア半島の歴史では、宗教や政治軍事的な対立や軋轢（あつれき）と並行して社会的・文化的な共生と融合が生じ続けていた。異なる信仰と異なる政治文化を基盤とした、異なる社会システムに各々が属しながら、また各々の政治・宗教的思惑が異なりながらも、それでもなお建築モードや衣服、言語や生活習慣などは双方向的に浸透して混ざり合い、ひとつの「汎イベリア半島文化」、ひいては「西地中海圏文化」とでも呼ぶべきものを形成していた。

キリスト教かイスラームか、寛容か不寛容か、同化か排除か、という二項対立図式を前提とすると、歴史の実態を見誤ってしまう。暴力と共生、排除と包摂の両面をつねに持ち合わせていたのが、これまで単純に「レコンキスタ」と総称されてきた中世イベリア半島の征服・入植活動の真の実態だからである。本稿で素描してきたように、現在に至るまで保存し継承されてきた建築文化や都市景観こそが、この相容れないようにみえる両義性をこの上なく示唆してくれている。

## 注

(1)「レコンキスタ」という語彙は、一九世紀近代スペインの造語である。国民国家形成と中世スペイン史解釈との関連については(Ríos Saloma 2011)をまず参照のこと。

(2)一一世紀から一二世紀にかけての征服活動と降伏協定については(黒田 二〇一九)を参照。「大モスク」は、当該都市や拠点で、いわゆる金曜礼拝が行われるそれを指す。

(3)コルドバは一時的に征服され、かの有名なメスキータでは国王アルフォンソ七世臨席のもとで、トレード大司教がミサを挙げている(Menéndez Pidal 1906: 655)。

(4)たとえばウエスカの大モスクが教会に転用されるにあたって、文書はこの建物への賛美の念を隠していない(Ubieto Arteta 1951: 251-3)。コルドバの有名なメスキータに対する賛辞は、数多くの歴史書が盛り込んでいる。

(5)聖母マリアと征服活動との密接な関連性については(Remensnyder 2014)を参照。

(6)(González Jiménez 2004: 152-154)。カスティーリャ＝レオン独自の皇帝理念については(Sirantoine 2012)を参照。知的営為と統治理念とが相補い合う独自の伝統という観点からムワッヒド朝時代との連続性について指摘するのは(Fierro 2009: 175-198)である。

## 参考文献

黒田祐我(二〇一六)『レコンキスタの実像——中世後期カスティーリャ・グラナダ間における戦争と平和』刀水書房。

黒田祐我(二〇一九)「「レコンキスタ」における降伏文書」『歴史と地理——世界史の研究』七二四号。

Buresi, P. (2000), "Les conversions d'églises et de mosquées en Espagne aux XIe-XIIIe siècles", *Religion et société urbaine au Moyen Âge : études offertes à Jean-Louis Biget par sus élèves*, Paris, Publications de la Sorbonne.

Calvo Capilla, S. (1999), "La Mezquita de Bāb al-Mardūm y el proceso de consagración de pequeñas mezquitas en Toledo (s. XII-XIII)", *Al-*

*Qanṭara*, 20.

Charlo Brea, L. (ed.) (1997), *Chronica latina regum Castellae, in Chronica hispana Saeculi XIII*, Turnhout, Brepols.

Dodds, J. D. (2007), "Rodrigo, Reconquest, and Assimilation: Some Preliminary Thoughts about San Román", *Spanish Medieval Art: Recent Studies*, Princeton, Princeton University Press.

Dodds, J. D. (2008), "Hunting in the Borderlands", *Medieval Encounters*, 14.

Echevarría, A. (2008), "Painting Politics in the Alhambra", *Medieval Encounters*, 14.

Espinar Moreno, M., and J. J. Quesada Gómez (1995), "Mezquitas convertidas en iglesias en las comarcas de Guadix y Baza (1490-1501). Datos sobre el urbanismo mudéjar", *Actas del VI Simposio Internacional de Mudejarismo*, Teruel, Instituto de Estudios Turolenses.

Falque Rey, E. (ed.) (2003), *Chronicon Mundi*, Turnhout, Brepols.

Fernández Valverde, J. (ed.) (1987), *Historia de rebus hispanie sive historia gothica, de Roderici Ximenii de Rada*, Turnhout, Brepols.

Fierro, M. (2009), "Alfonso X 'The Wise': The Last Almohad Caliph?", *Medieval Encounters*, 15.

García, M. (ed.) (2017), *Crónica del rey Juan II de Castilla: Minoría y primeros años de reinado (1406-1420)*, 2 vols., Salamanca, Ediciones Universidad de Salamanca.

García Luján, J. A. (ed.) (1982), *Privilegios reales de la catedral de Toledo (1086-1462), Vol. II. Colección diplomática*, Toledo, Caja de ahorros provincial.

González Jiménez, M. (2004), *Alfonso X el Sabio*, Barcelona, Editorial Ariel S. A.

Harris, J. (1997), "Mosque to Church Conversions in the Spanish Reconquest", *Medieval Encounters*, 3.

Judith Feliciano, M. (2005), "Muslim Shrouds for Christian Kings?: A Reassessment of Andalusi Textiles in Thirteenth-Century Castilian Life and Ritual", *Under the Influence: Questioning the Comparative in Medieval Castile*, Leiden, Brill.

Lema Pueyo, J. A. (ed.) (1990), *Colección diplomática de Alfonso I de Aragón y Pamplona (1104-1134)*, San Sebastián (https://www.eusko-ikaskuntza.eus/es/publicaciones/coleccion-diplomatica-de-alfonso-i-de-aragon-y-pamplona-1104-1134/art-10060/) 最終閲覧日二〇二二年五月二四日。

Luyster, A. (2008), "Cross-cultural Style in the Alhambra: Textiles, Identity, and Origins", *Medieval Encounters*, 14.

Menéndez Pidal, R. (ed.) (1906), *Primera Crónica General: Estoria de España que mandó componer Alfonso el Sabio y se continuaba bajo Sancho IV en 1289, Tomo I. Texto*, Madrid, Bailly-Bailliere é Hijos.

Nickson, T. (2015), "Remembering Fernando: Multilingualism in Medieval Iberia", *Viewing Inscriptions in the Late Antique and Medieval World*, New York, Cambridge University Press.

Paulino Montero, E. (2019), "Reassessing the Artistic Choices of the Castilian Nobility at the End of the 14th Century", *Jews and Muslims Made Visible in Christian Iberia and Beyond, 14th to 18th Centuries: Another Image*, Leiden, Brill.

Pick, L. K. (2004), *Conflict and Coexistence: Archbishop Rodrigo and the Muslims and Jews of Medieval Spain*, Ann Arbor, University of Michigan Press.

Pulgar, H. del (1780), *Crónica de los Señores Reyes Católicos Don Fernando y Doña Isabel de Castilla y de Aragón*, Valencia, La imprenta de Benito Monfort.

Remensnyder, A. G. (2014), *La Conquistadora: The Virgin Mary at War and Peace in the Old and New Worlds*, Oxford, Oxford University Press.

Ríos Saloma, M. F. (2011), *La Reconquista: una construcción historiográfica (siglos XVI-XIX)*, Madrid, Marcial Pons Ediciones de Historia, S. A.

Ruiz Souza, J. C. (2012), "Castile and al-Andalus after 1212: Assimilation and Integration of Andalusi Architecture", *Journal of Medieval Iberian Studies*, 11.

Ruiz Souza, J. C. (2019), "Hispania, Al-Andalus, and the Crown of Castile: Architecture and Constructions of Identity", *Jews and Muslims Made Visible in Christian Iberia and Beyond, 14th to 18th Centuries: Another Image*, Leiden, Brill.

Sirantoine, H. (2012), *Imperator Hispaniae : les idéologies impériales dans le royaume de León (IXe-XIIe siècles)*, Madrid, Casa de Velázquez.

Ubieto Arteta, A. (ed.) (1951), *Colección diplomática de Pedro I de Aragón y Navarra*, Zaragoza, C. S. I. C.

コラム｜*Column*

# 西アジアのキリスト教をめぐる環境の変容

## ――バルヘブラエウスの生涯を例に

高橋英海

前近代の征服者たちは支配下の民族の歴史や文化には概して無関心であった。イスラーム教徒の史家たちもこの例に漏れずイスラーム教徒が征服した地域にいた土着のキリスト教徒の動向について多くは語らない。しかしながら、地中海東岸から現在のイラクに至る「肥沃な三日月」地帯はかつてキリスト教徒が人口の大半を占めていた地域であり、七世紀に一帯がイスラーム勢力に征服された後もこの状況が急変したわけではない。アラブ人からみて圧倒的な先進文化を有していたキリスト教徒たちはイスラーム文化の形成に大きく寄与したし、一〇〇〇年頃までは少なからぬ地域でキリスト教徒が人口の過半数を占めていたものと考えられる。その後、一一世紀から一四世紀にかけて、西方のラテン世界から来襲した軍勢が地中海東岸を占領しては去り、東方からはモンゴルの軍隊が押し寄せてくるなかで土着のキリスト教徒が置かれた立場も大きく変化した。ここでは、現在のトルコ南部やイラク北部に信徒を擁したキリスト教の宗派であるシリア正教会の高位聖職者であり、後期シリア語文学を代表する著作家でもあるバルヘブラエウス(一二二五／二六―八六年、シリア語名バル＝エブローョー、ここではよりよく知られたラテン語名を用いる)の生涯とその居住地に注目してキリスト教徒の置かれた状況の変容を垣間見てみたい。

バルヘブラエウスはアナトリア東部のメリテネ(現マラトヤ)で生まれた。一二四四年頃、メリテネ周辺へのモンゴル軍第一波の襲来を受けて、バルヘブラエウスは一家とともにアンティオキアに移住、その後、トリポリで医学を学んだことが知られる。一二四六年に二〇歳の若さでメリテネ付近の小都市グボスの司教に任命されたバルヘブラエウスは、アレッポ大司教を経て、一二六四年にキリキアのアルメニア王国の都シスで行われた選挙で「東方のマフリヨーノー」に選出された。マフリヨーノーとはシリア正教会内で最高指導者の総大司教に次ぐ地位であり、かつてのサーサーン朝ペルシアの領土、すなわち現在のイラク、イランなどを管轄地とした。以降、バルヘブラエウスは活動の場を東方に移し、モースルとその近郊のマール・マッタイ修道院を拠点として、アゼルバイジャンのマラーガ(現イラン領)で没するまでの期間をイール・ハーン朝の支配下で過ごした。聖書解釈や神学から哲学、歴史、文法学、詩歌に至る広範な分野にわたるバルヘブラエウスの著作のほぼすべてはマフリヨーノー在任中に著されたものである。

メリテネ周辺はかつてビザンツ帝国とイスラーム勢力の間の緩衝地帯だった地域である。一〇世紀後半、ギリシア正教を奉じるビザンツ帝国は国境防衛のために異端ではあるが同じキリスト教徒であるシリア正教会やアルメニア教会の信徒のメリテネ周辺への定住を容認した。この結果、シリア正教会の中心は南方のシリアからこの地域に移動し、一帯がルーム・セルジューク朝の支配下に置かれた後もその状況は続いていた。

　バルヘブラエウス一家が移住した頃のアンティオキアやトリポリはいまだフランク人(十字軍)の手中にあった。一一世紀末に地中海東岸を占領したフランク人は、かつてシリア正教を異端として迫害したビザンツ帝国とは異なり、土着のキリスト教徒とは概して良好な関係を保っており、その支配地はシリア正教徒にとっても住みやすい土地となっていた。しかしながら、フランク人はバルヘブラエウスがこの地を去ってしばらく後に地中海東岸の領土のほぼすべてを失うこととなる。

ナシールッディーン・トゥーシーのアラビア語数学書写本に記されたバルヘブラエウスのシリア語蔵書署名(ウスキュダル，ハジ・セリム・アガ図書館所蔵写本 Hacı Selim Ağa 734)

　キリスト教著作家バルヘブラエウスの作品群のもっとも大きな特徴は、イブン＝シーナーやガザーリーなどのイスラーム世界を代表する著作家たちのアラビア語の書物の影響を強く受けている点である。これはバルヘブラエウスが当時の世界の最高峰の学問を受容しようとした結果と言えよう。同時に、このようにアラビア語による学問の影響を受けつつもバルヘブラエウスがシリア語による著作活動に固執したこともまた注目される。その理由として、バルヘブラエウスがモンゴルの支配下でキリスト教とキリスト教の言語であるシリア語の復興を夢見ていたことが考えられる。イール・ハーン朝期の前半は、七世紀以来で初めて西アジアの広い地域がムスリムでない王朝の支配下に置かれた時期であり、また、イール・ハーン朝の王族にはケレイト部などのトルコ系キリスト教部族出身の女性たちがいたため、そのような希望もまったく非現実的なものではなかったと推測される。

　バルヘブラエウスの没後間もなくイール・ハーン朝の支配者たちがイスラーム教に改宗したことにより、キリスト教復興の夢は絶たれる。一時ではあれキリスト教徒が優遇されたことに対する反動もあり、キリスト教徒に対する迫害の勢いは増していった。かつてフランク人が支配したレバント地方でも同様の事態が生じていた。その結果、一四世紀中に西アジアのキリスト教は大きく衰退、一四世紀末にはティムールによる殺戮と教会や修道院の破壊がこの傾向に拍車をかけることとなる。

焦点 *Focus*

# 宗教寄進のストラテジー
## ——ワクフの比較研究

三浦　徹

### はじめに

宗教的な目的をもった寄進(寄付)は、時代や地域を越えて人類社会に広く見られる行為・事象である。一一世紀から一五世紀にかけての西アジアでは、ワクフとよばれる寄進が広く行われ、これによって建設・維持された施設や寄進財は、社会に欠かすことのできないインフラとなっていた。同時期のヨーロッパや中国や日本においても、宗教寄進が盛んに行われた。なぜ人々は、自分の財産を他者のために寄付したのだろうか。本稿では、ワクフの役割を寄進者と受益者の双方から検討し、他の地域と比較することによって、寄進という行為を根源的な問題に立ち返って考察する。

### 一、ワクフとはなにか

ワクフ waqf とは、アラビア語で「停止」を意味し、個人が所有する財産(私有財)について、そこから得られる収益を特定の目的に充て、所有権の移動(売買・相続・譲渡など)の権利を放棄することをさす(ハブス ḥabs ともよばれる)。イスラーム法では、所有権について、物自体に関わる権利(ラカバ)と、その物件を使用する権利(用益権、マンファア)の二つにわけており、物自体を処分する権利を放棄し、用益権から得られる収益を特定の目的に使用することから、一般的には、当該物件を寄進(寄付)する行為といえる。寄進される物件をワクフ財(マウクーフ)、使途(受益者)をワクフ対象(マウクーフ・アライヒ)とよんで区別する。ワクフの設定にあたっては、ワクフ物件が寄進者の私有財(ミルク)であること、目的(収益の使途)が慈善(善行)と認めうるものであることが条件となる。寄進にあたっては、通常は目的と財源を記した文書を作成し、証人やイスラーム法廷の裁判官によって確認される。ある財産が寄進されるとその効力は永久的で、撤回や破棄をすることはできない。慈善目的とは、宗教施設や水道・道路などの公共施設の建設や維持、救貧といったものである。ここで注目すべきことは、受益者として、寄進者の家族や子孫を設定することができることである。但し子孫がすべて死滅した場合のこととして、慈善とみとめうる受益者(たとえば宗教施設)を設定しておくことが条件となる。前者の慈善目的を第一とするタイプを慈善ワクフ、後者の第一の受益者を家族とするタイプを家族ワクフとよんで区別することがあるが、法学上は慈善が必要条件であり、また受益者の範囲について、寄進者を含めるかなど様々な学説が存在する。実際には、両方の使途を定める場合もあり、また子孫が死に絶えて慈善目的に使用された例もある。

寄進される財産は、通常は不動産であったが、動産も可能で、オスマン朝の一六世紀以降には現金のワクフが流行した。不動産(土地、建物など)の場合は、それを賃貸にだし、賃貸料が収益として、ワクフの目的に充てられた。現金の場合は、貸付しその利子にあたるものが収益となった(その際はイスラーム法の利子の禁止規定に抵触しない方法が用いられた)。賃借者の側からすれば、ワクフとされている物件は、所有権の移転が停止されているため、賃貸者が変わることはなく、安定した条件で賃借することができるというメリットがあった。ワクフ物件の管理のため、管財人

（ナーズィル、ムタワッリー）が任命され、設定文書にしたがって、ワクフ財の収益と支出を管理し、施設や財を維持する役割を担った（$EI^2$ 2000; 柳橋 二〇一二）。

## 二、ワクフの盛行

ワクフについては、預言者ムハンマドの伝承（ハディース）に、ウマル（のちの第二代カリフ、六四四年没）の質問に対して「その土地を固定し、そこから得られるものを施しなさい」と預言者が答え、ウマルが、土地を売買、譲渡、相続しないという条件のもとで、その収益を、貧民、親族、捕虜の釈放、神の道、客人のために用い、また土地の管理人がその一部を受益することを可とした、という先例が記されている。これをもとに法学書で議論がなされ、ハッサーフ（八七四年没）の『ワクフの諸規定』では家族に対するワクフの条件の検討が主となっている。

宗教目的によるワクフの寄進がいつ頃から定着したのか。もっとも一般的な宗教施設であるモスクは、七世紀から建設されているが、そのころはとくにワクフ財についての言及はみられない。ワクフと宗教施設との関係が明瞭になるのは、マドラサ（学院）の建設においてである。著名なのは、セルジューク朝（一〇三八―一一九四年）の宰相ニザーム・アルムルク（一〇九二年没）によるバグダードのニザーミーヤ学院の創設である。市場をワクフ財とし、設定文書では、マドラサはシャーフィイー法学派のワクフとされ、学院の教授、説教師、コーラン（クルアーン）読誦者、文法学者を置くことを規定し、ワクフ財から支給される給与が定められた（歴史学研究会 二〇〇九：一七九―一八〇頁）。同名のマドラサは、セルジューク朝の諸都市に建設され、また、バグダードには、一二世紀末までに二四のマドラサが建設された（Ephrat 2000: 28-29）。一二世紀末に西アジア各地を訪れたイブン・ジュバイル（一二一七年没）は、都市のワクフ施設の盛行を証言している。ダマスクスでは、ザンギー朝君主ヌール・アッディーン（一一七四年没）が、ウマイヤ・モスクにあるザーウィヤ(修道場)のために、二つの製粉所、七つの果樹園、未耕地、公衆浴場、複数の店舗を寄進し、年間の収益は五〇〇ディーナールにのぼるという。バグダードには、三〇のマドラサがあり、いずれも立派な宮殿のようであり、莫大なワクフ財があり、マドラサの教授の給与や学生の経費がまかなわれていた(イブン・ジュバイル 二〇一六:三巻一六六―一六七頁、二巻三三三頁)。一四世紀には、イル・ハーン朝の宰相ラシード・アッディーン(一三一八年没)によって、タブリーズ郊外に巨大な複合施設が建設され、本人が書いたワクフ寄進文書が残されている。当該施設は、ラシードの廟、金曜モスク、写本室、管理人などの住宅、病院、修道場、救貧院などからなっており、全体は「ラシード区」と呼ばれている。ワクフ財は、タブリーズ近郊やアゼルバイジャン、ヤズド、ハマダーンなどのイラン諸地域の農地が主体となっていた。教授やコーラン朗唱者などの雇用者と受益者(一五〇名)のほか、旅行者(三〇名)、貧者(一〇〇名)を受入れ、マドラサの学生や修道場のスーフィーには住居が与えられた。支出については、総収入から必要経費を控除した残額のうち、半分がラシードの一族で分割され、残りがワクフ施設の支出に回された。(後藤 二〇〇一、Hoffmann 2000; 2014)

**表1**は、地誌資料などにもとづき、一二―一七世紀の五つの都市における宗教施設と経済施設の数をまとめたものである。宗教施設は、ワクフによって建設・運営される。ダマスクスでは、一三世紀から一六世紀にかけて、モスクもマドラサも修道場もいずれもその数が約一・五倍に増えている。それらの運営を支えるのがワクフ財となった経済施設であり、公衆浴場のように、市場や隊商宿も増加したと考えてよいだろう。一三二八年にダマスクスを訪れたイブン・バットゥータ(一三六八/六九年没)は、「ダマスクスには、数え切れないほど多くの種類と数のワクフがあり、その支出は計り知れない。ダマスクスの住民は互いに争うようにモスクや修道場やマドラサや墓廟の建設を行う」(歴史学研究会 二〇〇九:二二三―二二四頁)と、ワクフがブームとなっていたことを証言している。西方のアンダルス(イスラーム政権下のイベリア半島)においても、一二世紀から一五世紀にかけて慈善目的のワクフの数の増加が確認され、

**表1　都市の宗教・経済施設**(筆者作成)

| | | ダマスクス | | カイロ | イスファハーン | フェス | ヘラート |
|---|---|---|---|---|---|---|---|
| | | 13世紀中頃 | 16世紀初め | 15世紀前半 | 17世紀後半 | 12世紀後半 | 16世紀初め |
| 宗教施設 | モスク | 660 | 1000以上 | 52 | 162 | 782 | 34 |
| | ジャーミー | 5 | 31 | 88 | | | |
| | マドラサ | 89 | 152 | 73 | 48 | ― | 44 |
| | 修道場 | 38 | 76 | 58 | ― | ― | ― |
| | 教　会 | 30 | ― | ― | ― | ― | ― |
| | 墓 | ― | 81 | ― | 12 | ― | 67 |
| 経済施設 | 市　場 | ― | 163 | 87 | ― | ― | 10 |
| | 公衆浴場 | 117 | 157 | 51 | 273 | 73 | 2 |
| | 隊商宿 | ― | 64 | 58 | 1802 | 467 | 2 |

モスクや教育のほか、貧民救済やジハード(聖戦)を目的とするものがみられる。農業資産や都市資産(商店、倉庫、家屋など)が寄進され、レコンキスタ以降は、イスラームの宗教施設とワクフ財は、教会などのキリスト教施設のものとなった(Sanjuán 2007)。

こうした宗教目的のワクフとともに、家族を受益者とするワクフの設定も広がっていた。先のアンダルスのワクフについての研究では、宗教目的と家族目的のワクフはほぼ同量とみられている。エジプトについては、マムルーク朝時代(一二五〇―一五一七年)とこれに続くオスマン朝時代に土地台帳が編纂され、またワクフ寄進文書も残され、これらを使って量的な推計ができる。イブン・アルジーアーン(一四八〇年没)の土地記録によれば、エジプト全土の村(二一六三村)のうち、ワクフ地を含むものは八八五村(四一%)、リザク地(宗教施設や寄付者一族のための寄進地)は一四二五村(六六%)にみられる。一三七六年の土地記録ではワクフ地は三%を占めるだけで一〇〇年間にワクフ地が大幅に増加したことになる。イスハーキー(一六五〇年没)によればオスマン朝の征服時にはエジプト全土の約四割がワクフになっていたという(Sabra 2004; 2005)。五十嵐は、スルターン=バルクーク(一三九九年没)の私財の分析を行い、イブン・アルジーアーンの記録にある彼のワクフ地は計一六件、また現存する文書資料から、バルクークが入手した私財は三三件、うち二六件がワクフとされた(五十嵐 二〇一一:七五―八一頁)。ベーレンス・アブーセイフは、オスマン朝期のカイロのワクフ設定文書の検討から、マムルーク朝末までにカイロの土地と建物のほとんどはワクフとなっていたとする(Behrens-Abouseif 1994: 145)。ミシェルは、オスマン朝時代に編纂された『慈善台帳』や他の土地台帳をもとにつぎのような集計を行っている。第一に、リザク地は一五世紀後半以降にその設定件数が増加する。第二に、アシュムーナイン県の慈善台帳(一五二七年)によれば、全耕作面積のうちワクフ地は一三・四%、リザク地は一一・八%を占める(Michel 1996: 177-182)。熊倉は、イブン・アルジーアーンの土地記録(『至宝の書』)とオスマン朝の『軍務台帳』の計量的分析から、ブハイラ県、ファイユーム県について、村ごとの税収高と土地権利ごとのその比率を算出し、図示している。村によっては、すべてがワクフや私有地となっている村がある(熊倉 二〇一九:一三五―一四〇頁)。

つぎに、オスマン朝によって一六世紀後半に編纂されたダマスクス州のワクフ調査台帳をもとに検討してみよう。三つの台帳が現存するが、そのひとつ台帳六〇二(一五八二―八三年)には、一三四三件のワクフ寄進文書の要約(寄進者、寄進目的、ワクフ物件、年月日)が記されている。寄進目的がわかる一二一一件のうち、慈善(宗教)目的三五六件(二九%)、家族ワクフ六〇六件(五〇%)、兼用二四九件(二一%)となり、家族ワクフの比率が慈善ワクフよりもはるかに多い。慈善目的のワクフのなかで、最も多いのは、二聖都(メッカ、メディナ)のためのもので(二六〇文書、二一%)、第二位がウマリーヤ学院(郊外のサーリヒーヤ街区にあるダマスクス最大のマドラサ、一六九文書、一四%)、第三位がウマイヤ・モスク(六〇文書、五%)となる。これら三つで全体の四〇%を占めており、特定の施設に寄進が集中していたことがわかる。寄進されたワクフ物件数(計五八三一件)でみると、それぞれ二二四七件(三九%)、二二三五件(三八%)、一三四九件(二三%)となり、慈善ワクフの比率が増える。寄進された物件数についてみると、三九%が一物件、一四%が二物件であり、小規模な寄進が半数をしめている。物件の内容は、農業資源(土地や果樹など)が、慈善目的の場合でも家族目的の場合でも八五%近くを占め、都市資源(商店、公衆浴場、賃貸家屋、隊商宿など)は一〇%未満である。物件の所在地は、ダマスクス州全体に広がっているが、最も多いのはグータ(ダマスクス近郊の村、二七三件、二九%)、続いてバールベク地方(一一九件、一三%)、第三位がダマスクス市(サーリヒーヤなど郊外街区を含む、一〇四件、一一%)となる。宗教目的のワクフの対象施設のほとんどがダマスクス市の宗教施設であることから、ワクフは、農村の資源の収益を都市に還流する役割を果たしていたことになる。

寄進者についてみると、君主二六、アミール(軍人)一八、シャイフ三六、カーディー(裁判官)二六などである。マムルーク朝時代末までのダマスクスのマドラサ(計一五二)の建設者は軍人層が六二%を占めており、これに比べて軍人層の比率が少ない。地位や称号が記されていないものが九〇%以上を占め、広く一般の人びとが自身の所持する不動産を家族(子孫)のためにワクフとしていた。家族ワクフのうち、ひとつの村(ないし枝村)の全体または一部を寄進する例が四六%を占めている。寄進者の居住地が記録されているのは四五例しかないが、富裕な農民あるいは地主が、自身の財産が没収されたり、イスラーム法の分割相続のルールによって分散したりすることを防ぐために寄進したと考えられる。また別の土地調査台帳によれば、土地すべてがワクフないしミルク(私有財)とされる村があり、一六世紀の時点で、土地の私有化が進行していたことがわかる。女性の寄進者は、一五五件(一二%)の文書にみることができる。別のミルク台帳においても、女性の所有者は約一〇%を占めており、イスラーム法の分割相続(妻や娘など女性は相続権をもつが、権利は男性の半分)によって、不動産を継承・保持していたことがわかる(Miura 2016: 179-201)。

オスマン朝時代のイスタンブルについては、一五四六年のワクフ調査台帳が残され、林佳世子がこれを用いた計量的な研究を行っている。この台帳は、二一九の街区ごとに二五一五件のワクフ寄進を記録しており、寄進者は軍人や官僚をふくむ一般住民である。ワクフ物件は、第一に店舗などの商業施設を含むもので、四五九件(総件数の一八%)、収入額では一万アクチェを超える大規模なワクフの件数の八六%を占める。第二に、住宅は一三七〇件(五五%)を占め、このうち九九四件(四〇%)は住宅のみが財源となる。八八九戸が家族・子孫やその関係者が受益者として居住し、二〇二戸が家屋の賃貸収入の管財人に寄進者の家系を指定しており、全体の七七%が家族の資産継承を意図していたものである。第三は現金のワクフで、一一五八件(四六%)を占め、うち八六一件は現金のみがワクフ財源となっている。そのほとんどは一〇%の収益率で運用され、金額が小さいものが多く、市民の資産運用の手段となっていた。寄進者については、住宅のうちの三七%、商業施設のうちの一一%、現金のワクフの三五%が女性による寄進である。以上のように、一般市民の小規模な家族ワクフの広がりが確認されるが、一五世紀末のイスタンブルの住宅数は約一万六〇〇〇戸と見積もられ、そのほとんどは土地・建物ともに都市民の私有財であり、その一部がワクフとして一族に継承されたと考えられる(林 一九九二)。ブルサ県土地調査台帳では(一五二二年)、税収の三一%、村の二四%がワクフとなっていた(Barkan 1988)。

## 三、ワクフの目的

ワクフは、一一世紀以降に活発となり、巨大な私有財をもつ支配層はもとより、小さな財をもつ一般民もまた、家族あるいは宗教・慈善を目的とするワクフを行っていたことがわかる。その動機や目的、そしてワクフが広がった理由はなんだったのだろうか。

動機や目的あるいは社会的効果については、すでに数多の議論があり、まず個人としての動機や目的を整理してみよう。第一に善行による来世での救済である。イスラームでは、キリスト教と同様に、終末のときに神によって最後の審判が行われ、来世の住処が天国か地獄かが決せられる(コーラン 九九章、一〇一章)。この決定は、天使が個々人の生前の所業を記録した帳簿にもとづいて行われる(同 一八章四七―四九節、八六章四節など)、「善行に勤しむ者には、いろいろの罪を取り消し、その行った最善のことに、必ず報いる」(同 二九章七節)とされる。コーランにも預言者のハディース(伝承)にもワクフという単語は使われていないが、先のウマルの先例のように、寄進財を弱者のために使うことは推奨されており、またムスリムの義務にあるサダカ(喜捨)の恒久化ととらえられた。第二に、名声・名誉の獲得である。これは、政治支配者(君主、軍人)が、大規模な宗教施設や病院や給食所などの社会施設を建設する場合に当てはまる。モスクは住民の集団礼拝の場として、またマドラサはウラマー(知識人・文官)の養成のために必須の施設であり、これらを建設・寄進することは、イスラームにもとづく政治・行政を行う者としての要件であった。宗教施設は創設者の名前を冠してよぶことが一般的であり、壮麗な施設は地元の住民だけでなく、旅行者からも賞賛され、創設者の名前は広く永く行き渡ることとなった。

　第三は墓所の確保である。マドラサには創設者の墓が付設される場合が多く、ダマスクスのマドラサでは、その約三割(四四件)に創設者などの墓が付設され、そのうち七三%(三〇件)は軍人層のものである。他方、モスクのなかに墓が建設されることはない。これは、イスラーム法で、墓地にモスクを建設すること、および墓にむかってサラート(礼拝)を行うことが禁じられていたためである。また、死者は地下に埋葬し、墓所に廟などを建設することは公式には禁じられていた。しかし実際には、ダマスクスやカイロにおいて、マドラサの一角に墓室が設けられ、壮麗なドームで覆われているものが多く、墓が単体で建設されることもあった。また墓所では、ワクフ財によって、コーラン朗唱者に給与を支給し、毎日の朗唱を義務づける場合もあった。戦いや政治対立によって、あすをも知れない身の軍人にとって、生前に墓を用意し維持できるようにすることは、切実な願いであったことを示している。一二世紀以降に、墓参詣の書が盛んに著され、墓に詣で、コーランの朗唱や祈願(ドゥアー)を行うことは、死者を称えるとともに、生者にも御利益があると考えられるようになった。高名なウラマーやスーフィー(聖者)の墓は、民衆が参詣し、安産や病の治癒などの個人的な願いごとをする場となっていた(Pahlitzsch 2017; Sabra 2000; 私市 二〇〇九、大稔 二〇一八)。

　第四に、子孫への財産の継承である。ワクフに指定することで私財(とくに不動産)の相続による分割を防ぎ、また政治的理由による財産の没収も防ぐことができた。

つぎに社会的な役割についてみてみよう。第一に、ワクフ施設の効用である。モスク、マドラサ、修道場といった宗教施設は、ムスリムの日常生活に不可欠で、給与や奨学金が支給され宗教者の養成・維持の役割を果たしていた。修道場は、神秘主義(スーフィズム)の信奉者の修行や集会の場となった。病院、道路や水道や市壁などの公共施設の整備もワクフによっていた。第二は、慈善(チャリティ)である。具体的には、貧者のための給食や宿泊、捕虜や囚人の保釈金といったもので、救貧制度であり、現代で言うセーフティネットである。第三は、寄進財として、市場や隊商宿や賃貸家屋や水車小屋が建設されることによる、経済インフラの整備である。

個人的動機(利益)のうち、善行と名声と墓所はもっぱら精神的な恩恵であり、第四の財産継承は物質的(世俗的)な利益である。そして、社会的効用があるがゆえに、寄進行為が善行とされ、名声となり、奨励された。すなわち、ワクフは、個人的利益と社会的利益、精神的恩恵と物質的利益のいずれをも満たすことができるものであった。実際の寄進の動機は、寄進者によってウエイトが異なっていただろうが、四つの利益が結び合わさっていることが、ワクフの魅力であり流行した理由と考える。

## 四、寄進の比較研究

二〇一二年から、フランス、ドイツ、日本の研究機関で、寄進・寄付をめぐる国際的な比較研究が行われている。ドイツでは、ベルリン・フンボルト大学を拠点とし、「中世の諸社会における寄進――文化間比較」と題する比較研究プロジェクト(二〇一二―一六年)が行われ、『寄進百科事典』(三巻)が刊行された。比較の対象は、ラテン・キリスト教、ギリシア正教(ビザンツ)、ユダヤ教、イスラーム、インドの五つの宗教文化圏で、『寄進百科』では文化圏ごとの記述を中心にしながらも、一九の共通テーマにそって相互比較の章が研究代表者のボルゴルテによって執筆されている。ボルゴルテは、これらを踏まえ、対象を古代オリエントや中国まで拡大し、二〇一七年に『世界史としての寄進の歴史――紀元前三〇〇〇年から一五〇〇年まで』の単著を刊行した。(Borgolte 2016-2017; 2017b, 2020)

これらの比較研究が開始される前、私は、ワクフはイスラーム(法)による独自な寄進制度であると考えていたが、国内外の研究集会で他地域の寄進の研究を知るにつれて、むしろ共通点が多いと考えるようになった。このため、二〇一五年の(公財)東洋文庫でのシンポジウムでは、ワクフの定義を比較可能な一般型に変えた。「取消不能な財産の寄付:その収益を寄付者の家族および慈善・宗教的な目的に支給する。寄付者や国家から独立した経営体をつくる」。先のボルゴルテの著書では、その理念型として「一定の資本を配分する。その収益によって、ある目的が長期にわたって遂行される」と定義し、目的として①貧窮者の救助、②国家の公益実現の支援、③宗教儀礼、④教育(技芸)を挙げる(Borgolte 2020: 2)。一時的な現金の寄付とは異なり、不動産からの収益や税収を財源とすることで、恒久的に資金が調達できる点がミソである。

**地域間比較(共通点と相違点)**

まずボルゴルテの寄進の世界史を要約する。ボルゴルテの基点は、ヨーロッパ中世の宗教寄進であり、教会、修道院、病院(ホスピス)、救貧施設などが建設され、そこでは、寄進者の死後(来世)における魂の救済を目的として、典礼をはじめさまざまな機会で聖職者、修道士・修道女、病人や貧者、一般参列者によって、祈禱(メモリア)が行われた。このような寄進者の救済のための祈禱は、初期中世(メロヴィング朝フランク王国、七世紀)の司教らの寄進にみられ、カロリング朝期には、国王のピピン三世(七六八年没)やカール大帝(八一四年没)の寄進において、寄進者への日々の祈禱が文書に規定された。メモリアを目的とする寄進は、王族、貴族、聖職者へと広がり、寄進財は個人の所有権から切り離された独立の財産として、宗教施設が寄進目的にそって管理・運営することが定式化されていった(私有教会とよばれる)。メモリアは、病院や学校や大学、ギルドや農民の寄進にも広がり、祈禱を目的とする兄弟団も結成された。メモリアが寄進の原動力となり寄進が流行したことには、来世をまち「煉獄」にいる死者のための生者による祈禱が贖罪と救済(天国行き)に寄与するという観念の流布が影響していた。しかし宗教改革期に、典礼としての寄進者への祈禱は禁止された。(Borgolte 2020: 40-64, 308-506, 571-621)

つぎにボルゴルテは、メモリアが、人類史の普遍的な寄進の原動力といえるかどうかを、時代を紀元前三〇〇〇年紀にさかのぼり、地域をアジアにも拡大して検討する。宗教(神)のための永久的な寄進は、古代のメソポタミアにみられ、またエジプトでは、死者のための施設が設けられ、神による死者の審判の観念も生まれていたが、死者は生前の行為(善悪)で判断され、生者の介在はできなかった。古代ギリシア・ローマでは、神や救貧のための寄進(施設)は、寛大な行為(エヴェルジェティスム)として称賛されたが、チャリティの観念はなかった。救済のための寄進の起源は、古代のゾロアスター教やサーサーン朝時代(二二六—六五一年)にみられる。ユダヤ教では、チャリティが信者の義務とされ、キリスト教ではこれを受け継ぎつつ、最後の審判における善行や贖罪が強調され、四世紀には魂の救済のための寄進という文言が登場する。イスラームもまた生者による寄進者への祈禱を善行とした。

他方、インドや中国においては、神や先祖や救貧のための寄進が行われ善行と見なされたが、あくまで個々人の発意によるものであり、それを義務づける観念はなかった。一神教では個人の救済は神の審判によるものとされるのに対し、ヒンドゥー教では、宇宙世界(ブラフマン)と自己(アートマン)の合一を骨格とし個々人の正しい行いによって輪廻転生から解放され、仏教では個人の営為による解脱を解き、いずれも神の審判は介在しない。儒教は、現世での道徳倫理を骨格とし、先祖や家族のための廟が寄進建立されたが、個人の救済を目的とするものではなかった。(Borgolte 2017a; 2020: 96-203, 509-544)

以上のボルゴルテの寄進の地域間比較と歴史的展望は、各地域の専門研究者の研究文献をもとにしたもので、的確な叙述、妥当な結論といえる。書名のとおり、単なる寄進の歴史ではなく、寄進という普遍的なテーマを通した一五〇〇年までの世界史となっている。

他方、中国と日本については、つぎのことを補いたい。中国では、明代中期以降、宗族の祠堂が広く各地域の村に建設され、徽州では一五世紀以降に数千の村に六〇〇〇の祠堂が建設された。宗廟には、宗族の寄付によって基金が設けられ、同族者に貸し付けられ、同族者の互助組織となった(McDermott 2018)。また、地域の名士によって、善堂とよばれる慈善団体が設立され、当該地域の貧民へ食や宿泊の供与を行った(夫馬 一九九七、Smith 2009)。捐(寄付)の対象は、家族・宗族から地域社会へと同心円状に広がっていく。日本中世には、神仏や上位の身分にある俗人に対して、土地からの収益の一部を贈与する寄進行為が広くみられた。とくに神仏へ寄進された土地は、神仏のものとして俗人の所有とは区別され、寄進者とその後継者に留保される権利の安定と永続が期待された。神仏や寺社への寄進は、もとより善行とされ、神仏の加護や慰霊の祈禱を目的とする一方で、寄進を通じて土地の保護を得るなど、互酬(保護)関係を築くことにも主眼がおかれた(Takahashi 2018; Miura 2018)。このような保護関係づくりは、中世のインドの寄進にもみられる(Datta 2020)。

## ワクフの特徴と寄進の普遍性

日本語の寄進は、寺社や上位者への寄付(上進)を意味し、他方施設の建設や維持など永続性をもつ寄付行為は、foundation/endowmentという語が用いられる。本稿では、広く寄付という行為を扱いつつ、永続性と宗教性をもつ寄付を寄進と記した。ヨーロッパ、中東・イスラーム、中国、日本の寄進をめぐる状況を**表2**にまとめた。これをもとに、ワクフの歴史的社会的な評価を述べる。

ワクフの目的(動機)として、先に①善行、②名誉、③墓所、④財の保護・継承の四つをあげたが、①②③はどの地

**表2** 寄付・寄進の比較(11-16世紀)
(東洋文庫での共同研究にもとづく)

| | ヨーロッパ | 中東・イスラーム | 中国 | 日本 |
|---|---|---|---|---|
| 用語 | foundation,<br>endowment,<br>mortmain | ワクフ,ハブス | 義荘,族田<br>宗廟,祠堂<br>善堂<br>捐 | 寄進<br>荘園 |
| 宗教・法<br>(正当化) | キリスト教<br>寛厚<br>慈善 | イスラーム<br>善行<br>イスラーム法<br>法廷 | 儒教,道教,仏教 | 仏教,神道 |
| 目的<br>(受益対象) | 教会,修道院,<br>病院,礼拝所<br>救貧 | 宗教施設<br>救貧<br>家族 | 宗教施設(儒教,<br>道教,仏教)<br>宗族(リニージ)<br>救貧 | 寺社<br>上位者 |
| 寄進財 | 不動産<br>現金 | 不動産(用益権)<br>動産<br>現金 | 不動産<br>現物<br>現金 | 土地(得分,税収) |
| 財産法<br>相続 | 排他的所有権<br>長子相続,分割相続 | 個人所有<br>所有権と用益権<br>均分相続 | 重層的所有権(王土,<br>田面田底,管業)<br>家産/均分相続 | 仏物・僧物・人物<br>長子(家長)相続 |
| 特徴 | メモリア(祈禱) | 個人主義 | 同心円状(宗族から<br>地域へ) | 互酬(保護)関係 |

域の宗教寄進にも共通するが、④の要因はヨーロッパではほとんどみられない。社会的効用については、第一の宗教施設は、どの程度需要を満たしていたのか、ダマスクスを例に試算してみよう。住民人口は一六世紀の史料から八〇〇〇世帯、六万人と仮定する。**表1**をもとに、宗教施設ごとのスタッフ・給費生をモスク二名(説教師、礼拝指導者)、マドラサ二二名(教授、助手、学生)、修道場七名(シャイフ、助手、学生)と仮定すると、計約五二〇〇名に達する。経済施設については、市場が平均商店二〇軒として三二〇〇軒、従業員が各二名として六四〇〇人の商工業者に就業の場を提供していたことになる。これらの施設は、宗教者や商人などの移動を支える宿泊施設となっていた。救貧の機能については、ワクフ調査台帳で給食専用施設が一一件、貧者を目的に掲げるワクフが九一件あり、一件当一〇名を救援したとすれば約一〇〇〇名となる。

一五—一六世紀のエジプト、ダマスクス、イスタンブルの史料から、都市や農村の不動産(経済資産)の相当な割合が、ワクフと化していたと考えられる。イングランドでは、一六世紀前半に国王による修道院などの宗教寄進財の没収が行われたが、そのときの調査によれば、九〇〇の宗教施設の収入は王領地の倍と見積もられ、このほかにも個人の礼拝室が五〇〇以上あった(Bernard 2011など)。

ワクフの経済的利用が活発であった理由は、イスラーム法の所有権の独自な考え方にある。物自体の所有権と用益権を分離し、ワクフは、所有権の移転を停止し、用益権だけを使用するシステムである。用益権の分割も可能であり、賃借者や受益者が複数になることもあった。土地であれ商店であれ、実情に合わせて適切な単位で、賃貸・経営・受益が可能だったのである。宗教(公益)を掲げつつ、同時に市場経済的な合理性をもつシステムである。これに対し、ヨーロッパでは一義的排他的な所有権を、中国では「王土」を原理としつつ多様な私的所有が存在する重層的な所有を特徴とする。

ワクフの管財人は、寄進財の収益を使って新たに財を購入してワクフとすることができ、ワクフ財やワクフ施設は、管財人の経営手腕に依存し、都市を代表する宗教施設のもとには、大小の寄進財を多数集積した巨大な複合経営体が出現した。他方で、管財人によるワクフ財の私物化も生じた。私物化には、収益の着服のみならず、法的手続きをへてワクフを解除し財そのものを私財にしてしまう場合もあった。ダマスクスのマドラサは、こうした私物化のため、二〇世紀初頭の史料によれば、現存するものは約半数となっていた(三浦 一九九五、同 二〇〇六)。しかし、ワクフ財そのものが消滅したのではなく、私財となり、あらためてワクフとなる場合もあった。ワクフの特徴は、個人の発意による個人の財産の寄進であり、任意の規模で寄進や経営ができるという、個別性と自在性にあった。

ドゥディゥは、寄進の比較研究の結語として、「死手財産 mortmain」という語を用い、超越的な存在に寄進することで財の滅失が防止され、チャリティと信託の境界は曖昧であると総括した(Dedieu 2018)。金澤(二〇二一)は、チャリティの歴史を、「困っている人に何かしたい」という人の気持ちを共通軸として、中世、近世から二〇世紀までのイギリスのチャリティの変化を分析した。これにならえば、財をもつ人が、恒久的にその財を自分や一族のために使いたい、同時に他人のためにも役立てたい、という利己的かつ利他的な目的が寄進の動機であり、このような両義的な性格をもつ寄進が世界の諸地域で活発に展開するのは、一一世紀から一五世紀である。それは、旧世界において、農業資源の開発が一定の飽和に達し、その収益を商業や都市に振り向け、有効に財を回転する経済システムが必要とされていた時代であり、寄進制度はその役割を担っていたと考える。

**参考文献**


五十嵐大介(二〇一一)『中世イスラーム国家の財政と寄進——後期マムルーク朝の研究』刀水書房。

イブン・ジュバイル(二〇一六)『メッカ巡礼記』家島彦一訳注、全三巻、平凡社東洋文庫。

大稔哲也(二〇一八)『エジプト死者の街と聖墓参詣——ムスリムと非ムスリムのエジプト史』山川出版社。

金澤周作(二〇二一)『チャリティの帝国——もうひとつのイギリス近現代史』岩波新書。

私市正年(二〇〇九)『マグリブ中世社会とイスラーム聖者崇拝』山川出版社。

熊倉和歌子(二〇一九)『中世エジプトの土地制度とナイル灌漑』東京大学出版会。

後藤裕加子(二〇〇一)「書評 Birgitt Hoffmann, Waqf im mongolischen Iran: Rašīduddīns Sorge um Nachruhm und Seelenheil」『オリエント』四四—一。

長谷部史彦編(二〇〇四)『中世環地中海圏都市の救貧』慶應義塾大学出版会。

林佳世子(一九九二)「一六世紀イスタンブルの住宅ワクフ」『東洋文化研究所紀要』一一八号。

夫馬進(一九九七)『中国善会善堂史研究』同朋舎出版。

三浦徹(一九九五)「ダマスクスのマドラサとワクフ」『上智アジア学』一三号。

三浦徹(二〇〇六)「中世イスラム都市の諸相」『シリーズ都市・建築・歴史③ 中世的空間と儀礼』東京大学出版会。

柳橋博之(二〇一二)「ワクフ」『イスラーム財産法』東京大学出版会。

歴史学研究会編(二〇〇九)『世界史史料② 南アジア・イスラーム世界・アフリカ』岩波書店。

Baer, Gabriel (2005), "The Muslim Waqf and Similar Institutions in Other Civilization", Borgolte (ed.), *Stiftungen* (first presented in 1981).

Barkan, Ömer L. (1988), *Hüdavendigar Livası Tahrir Defterleri*, vol. 1, Ankara.

Behrens-Abouseif, Doris (1994), *Egypt's Adjustment to Ottoman Rule: Institutions, Waqf & Architecture in Cairo (16th & 17th Centuries)*, Leiden.

Bernard, G. W. (2011), "The Dissolution of the Monasteries", *History*, 96/324.

Borgolte, Michael (ed.) (2005), *Stiftungen in Christentum, Judentum und Islam vor der Moderne*, Berlin.

Borgolte, Michael (ed.) (2016-2017), *Enzyklopädie des Stiftungswesens in mittelalterlichen Gesellschaften*, 3 vols., Berlin.

Borgolte, Michael (2017a), "Five Thousand Years of Foundations: A Typology from Mesopotamia to the USA", *Journal of Endowment Studies*, 1-1.

Borgolte, Michael (2017b, 2020), *Weltgeschichte als Stiftungsgeschichte von 3000 v.u.Z. bis 1500 u.Z.*, Darmstadt. (*World History as the History of Foundations: 3000 BCE to 1500 CE*, translated by Zachary Chitwood, Leiden, 2020).

Chitwood, Zachary, Tilmann Lohse, Ignacio Sácnches, & Annette Schmidchen (2017), "Endowment Studies: Interdisciplinary Perspectives", *Journal of Endowment Studies*, 1-1.

Çizakça, Murat (2000), *A History of Philanthropic Foundations: The Islamic World from the Seventh Century to the Present*, Istanbul.

Datta, Sanjukta (2020), "A Tale of Two Temples: Shifting Locales, Enduring Worship in Northeastern India", Paper presented at the Symposium in Singapore.

Dedieu, Jean-Pierre (2018), "Waqf, Foundations, and Similar Institutions around the World (Eleventh-Twentieth Century)", Miura (ed.), *Comparative Study of the Waqf*.

*EI²* (2000), *The Encyclopaedia of Islam*, New Edition, vol. 11, Leiden, "WAḲF".

Ephrat, Dahna (2000), *A Learned Society in a Period of Transition: The Sunni 'Ulama' of Eleventh-Century Baghdad*, New York.

Hoexter, Miriam (2002), "The Waqf and the Public Sphere in Muslim Societies", id. et al. (ed.), *The Public Sphere in Muslim Societies*, New York.

Hoffmann, Birgitt (2000), *Waqf im monglolischen Iran: Rašīduddīns Sorge um Nachruhm und Seelenheil*, Stuttgart.

Hoffmann, Birgitt (2014), "In Pursuit of Memoria and Salvation: Rashīd al-Dīn and his Rabʿ-i Rashīdī", Judith Pfeiffer (ed.), *Politics, Patronage and the Transmission of Knowledge in 13th-15th Century Tabriz*, Leiden.

Homerin, Th. Emil (1999), "Saving Muslim Souls: The Khānqāh and the Sufi Duty in Mamluk Lands", *Mamlūk Studies Review*, 3.

al-Khaṣṣāf, Abū Bakr Aḥmad (n. d.), *Kitāb aḥkām al-awqāf*, Cairo.

McDermott, Joseph P. (2018), "The Emergence of the Ancestral Hall as a Financial Institutions in Sixteenth and Seventeenth Century China: Institutional Change in Huizhou", Miura (ed.), *Comparative Study of the Waqf*.

Michel, Nicolas (1996), "Les rizaq iḥbāsiyya, terres agricoles en mainmorte dans l'Égypte mamelouke et ottomane : Étude sur les Dafātir al-Aḥbās ottomans", *Annales Islamologiques*, 30.

Miura, Toru (2016), *Dynamism in the Urban Society of Damascus: Ṣāliḥiyya Quarter from the Twelfth to Twentieth Centuries*, Leiden.

Miura, Toru (ed.) (2018), *Comparative Study of the Waqf from the East: Dynamism of Norm and Practices in Religious and Familial Donations*, Tokyo.

Miura, Toru (2018), "Transregional Comparison of the Waqf in Pre-modern Times: Japan, China, and Syria", Miura (ed.), *Comparative Study of the Waqf*.

Pahlitzsch, Johannes (2017), "*Memoria* and Endowments in Islam: The Development of the Commemoration of the Dead until the Time of the Mamluks", *Journal of Endowment Studies*, 1-1.

Sabra, Adam (2000), *Poverty and Charity in Medieval Islam: Mamluk Egypt, 1250-1517*, Cambridge.

Sabra, Adam (2004), "The Rise of a New Class? Land Tenure in Fifteenth-Century Egypt: A Review Article", *Mamlūk Studies Review*, 8-2.

Sabra, Adam (2005), "Public Policy or Private Charity?: Ambivalent Character of Islamic Charitable Endowments", Borgolte (ed.), *Stiftungen*.

Sanjuán, Alejandro García (2007), *Till God Inherits the Earth Islamic Pious Endowments in al-Andalus (9-15th Centuries)*, Leiden.

Smith, Joanna Handlin (2009), *The Art of Doing Good: Charity in Late Ming China*, Berkeley.

Takahashi, Kazuki (2018), "Commendation of Land in Medieval Japan and its Social Functions", Miura (ed.), *Comparative Study of the Waqf*.

コラム｜*Column*

# 朝河貫一とグレッチェン・ウォレン

甚野尚志

朝河貫一(あさかわかんいち)(一八七三―一九四八年)は、イェール大学教授として法制史研究を行った歴史学者であり、日欧中世の封建制度に関する比較分析により高く評価された(主著『入来文書 *The Documents of Iriki*』)。一方、彼は、日露戦争後の日本の状況を『日本之禍機』で批判し、日本が軍国主義に向かう時期には日本やアメリカの友人たちへの書簡を通じて痛烈な批判の言論活動を続けたことでも知られる。とくに太平洋戦争開戦時に、「天皇宛大統領親書」により開戦を阻止しようとしたことは有名である。朝河はとくにアメリカの友人たちに対して、自身の日常生活、歴史研究、世界情勢の分析などの多岐にわたるテーマで多くの書簡を送っていたが、その中で最も重要な文通相手の一人が、ここで紹介するグレッチェン・ウォレン(一八六八―一九六一年)である。これまで彼女は朝河の日記や書簡からG. W. というイニシャルで知られていたが、一九四六年一一月一二日の日記にGretchen Warrenと記されていることを筆者は発見し、正確な名前を特定することができた。

グレッチェンはボストンの有名な医学者ハミルトン・オスグッドを父とし、作家マーガレット・オスグッドを母として生まれた。オックスフォード大学で学び、詩人、女優として活躍し、実業家フィスケ・ウォレンと結婚している。グレッチェンを有名にしたものとしては画家ジョン・シンガー・サージェントが描いた彼女と娘レイチェルの肖像画がある。さらに、彼女の妹マリー(モリー)・オルデン・チルダーズは、アイルランド独立運動家のロバート・アースキン・チルダーズの妻となっている。グレッチェンの一家は、マサチューセッツ州ハーヴァードのタハントに別荘を持ち、グレッチェンはその別荘に、朝河も含め多くの日本人客を招いており、そこに朝河も一九一五年に招かれ彼女と出会っている。

朝河の戦後の日記には、両者が交わした往復書簡の一部の抜粋も記されているが、そうした抜粋からは、グレッチェンが朝河宛書簡のなかで、朝河のことを「世界で最も偉大な魂と精神の持ち主の一人」(一九四八年一月一日の日記)であるとか、「この惑星で最も純粋な魂の持ち主」(一九四八年四月一一日の日記)と書いていたことがわかる。このような記述から、彼女がいかに朝河を尊敬していたかを知ることができる。また朝河は一九四六年二月三日の日記で、グレッチェンとの出会いを回想した次のような書簡を彼女に書いたことを記している。

私はあなたからの書簡を読み返しています。文通は一九一五年に始まっています。書簡を読みながら、あなたが三〇年以上、私に示してきた配慮に感動しています。私

ジョン・シンガー・サージェント《フィスケ・ウォレン夫人(グレッチェン・オスグッド)と彼女の娘レイチェル》(1903年作，ボストン美術館蔵)

がどうして、このようなあなたの接し方に値したのかわかりません。私の方ではあなたへの尊敬の念が日増しに高まり、あなたが深く私の精神に影響を与え、私の精神の本質の一部は、あなたが作ったといってもよいのです。私は、あなたから来た書簡の集成を少し前に完成させたところです。

朝河は折に触れて読み返してきたグレッチェンの書簡を、自身で写し直し(おそらくタイプで)まとめる作業を行ったことがわかる。実際、福島県立図書館にある「朝河貫一資料」のなかには、グレッチェンが出した手書き書簡とともに、朝河がタイプで打ち直した書簡が所蔵されている。しかしそれらは三〇年にわたる文通のごく一部である。おそらく彼女から来た書簡の大部分は、朝河が生前に破棄したと思われる。

一方、朝河から彼女に出した書簡については、すべてではないが、グレッチェンの死後に娘レイチェルがイェール大学バイネケ図書館に寄贈し、“Letters from Kan'ichi Asakawa to Gretchen Warren”として所蔵されている。そこには、朝河からグレッチェンに宛てられた約一〇〇通の手書き自筆書簡と、それに加え、グレッチェンがそれらをタイプで打ち直した版も入っている。それらの書簡の冒頭はすべてDear friend(あるいはそれに類似のVery dear friendなど)で始まりグレッチェンの名前は出てこない。また、書簡に同封したと思われる、朝河が友人たちと交わしたオープンレター、朝河の「天皇宛大統領親書草案」なども入っている。

いずれにせよ、この一〇〇通余りの朝河発グレッチェン宛書簡からは、朝河が第二次世界大戦の推移をどう見ていたか、いかに日本の軍国主義や、ヒトラーやスターリンの末路を見抜いていたか、また、日米開戦を阻止しようとしてどのような運動をしていたのか、さらに、戦中から戦後の時期に朝河がどのような政治的理念を持ち、どのような歴史研究を行っていたのかなど、これまで十分に知られていなかった多くの事実を見て取ることができる。朝河発グレッチェン宛の書簡集は、歴史家・朝河貫一の思想を分析するにあたり、今後とも、最も貴重な史料の一つとなることは間違いないだろう。

# 「女性の医学」
## ――西洋中世の身体とジェンダーを読み解く

久木田直江

グローバル化が進む世界を人工知能が席巻し、人間社会のシステムに新たなパラダイム・シフトをもたらすと予測されて始まった二〇二〇年代の初頭、世界は新型コロナウイルス感染症（Covid-19）のパンデミックを経験した。この未曽有の感染症は個々人の心身の健康のみならず、自然環境を含めた有機体としての人間社会の「健康」を今なお脅かしている。日常生活が機能不全に陥る中、生命維持の危うさを鋭く認識させた感染症の大流行は、利便性・快適性や健康長寿を追求してきた現代社会に潜在する脆さや不安を露わにすると共に、感染症・飢饉・天災等に晒された近代以前の人間社会と病について、洋の東西を問わず顧みる機会を与えた。

身体を舞台に繰り広げられる病という経験の解釈はそれぞれの社会や文化と密接に結びつき、そこにはさまざまな言語表現、言説、図像表現が現れる。一千年に及ぶ西洋中世はキリスト教を受容・発展させ、キリスト教的価値観を社会の隅々まで浸透させた。キリスト教は魂の健康と死後の救済を結びつけ、医学・医療の上に君臨したが、同時に中世医学は、心身のバランスとハーモニーを提唱する古代ギリシア医学を継承し、心身相関性に基づき、身体と魂の全体をケアするホリスティックな医療が行われた。しかし、医学史を概観すると、体液生理学に基づく病因論や内科学への関心は高いが、女性の身体や「女性の医学」と本稿で呼ぶこととなる、産婦人科医療の実相が十分に検証されているとは言い難い。また、中世社会の医療インフラを支えた医療者には、医学知識を学び、多様な医術を身につけた女性もいたが、女性が寄与した医療への学問的関心は低く、その役割や活動に注目が集まるのは稀だった。しかし近年、ジェンダー研究に啓発され、従来の知見や理解を塗り替える見解が示されている。本稿では、中世キリスト教文化の複雑なコンテクストを再構築し、医療・宗教・ジェンダーが絡み合う中世末の「女性の医学」の表象と文化を医学書の観点から検討する。

## 一、中世の病因論と身体論

### 心身の健康とギリシア医学の継承

キリスト教の黎明期から、教会はアダムとエヴァが神に背き、楽園を追放されて以来(「創世記」三章二三節)、人間は原罪を背負い、病苦・貧困・死すべき運命を与えられたと説いた。原罪はキリストの十字架上の犠牲や洗礼によって減じられるが、罪を重ねる人間が病から回復するには悔悛と罪の赦しが不可欠で、霊的な健康の回復と共に身体も癒されると考えられた。医学・医療がキリスト教と結びつく中で、キリストを霊的な「医師」、「薬剤師」と考える伝統が生まれる。アウグスティヌス(三五四―四三〇年)は、キリストは魂の医師であり、患者の恐怖を取り除くために自ら磔刑という苦い薬を飲んだと説き、キリストの受難は、中世を通して、人間の霊的・身体的健康を回復させる最良の薬となった。身体と魂の共生的関係を前提とするこのような心性はデカルト以前のキリスト教世界に浸透し、西洋中世の医学・医療を特徴づけた(久木田 二〇一四)。

同時に、西洋中世は二世紀のローマの医師、ガレノスを経由してギリシア医学を継承した。古代の医学には、人間を宇宙の中に位置づけ、宇宙をマクロコスモス、身体をミクロコスモスと捉えて人体の働きを説明する理論体系がある。この理論では、人間も宇宙を構成する空気、水、火、土の四つの元素から成り立ち、四大元素の構成に応じて、体液、体質、性質が決まるシステムが出来上がった。ヒポクラテス派は四大元素説を体液生理学に応用した。人間の身体は血液、粘液、黄胆汁、黒胆汁の四体液で構成されるが、血液は空気、粘液は水、黄胆汁は火、黒胆汁は土に支配される。また、空気は温・湿、水は冷・湿、火は温・乾、土は冷・乾の性質をそれぞれもつので、四体液も概ねそれに対応する。体質も四体液に対し、多血質、粘液質、胆汁質、黒胆汁質があり、生来優勢の体液が個々人の体質、気質を規定すると考えられた。ヒポクラテス派の体液病理学は、病気の原因は体液バランスの崩れにあるとし、ホリスティックな心身のハーモニーを提唱した。

## 男女の違い

古代ギリシアの四大元素説は男女の生物学的差異の説明にも理論的枠組みを与え、西洋中世のジェンダー観に影響を与えた。それによると、四大元素には上下関係があり、男性は崇高な元素、火と空気に支配され、温・乾の優れた性質を有すが、女性は下位の元素、水と土の支配下で、冷・湿の劣った性質に甘んずる。その結果、男性は快活な多血質や癇癪(かんしゃく)もちだが精力的な胆汁質、他方、女性は怠惰で執拗な粘液質や憂鬱症(ゆううつしょう)の黒胆汁質が多いとされた。

アリストテレスも男女の違いに関心を示し、生殖について物質世界を構成する形相と質料の概念を用い、男性は個物の本質的な特徴である形相と運動の始原を提供するが、女性は胎児を形成する質量を与えるにすぎないと説明した(アリストテレス 二〇二〇：八七―八九頁)。また、男女ともに精液(たね)を放出するが、魂の始原をもつ雄の精液に比べ、冷たい本性ゆえに精液を熟成できない女性は無能力の状態にあり、雌は雄の出来損ないと考えた(1)(同 一二八―一三一頁)。生殖能力における男性の優位性が証明されると、女性は男性のたねを育む受身の器となり、完全なる男性に仕える道具と化した(同 七六―八五、一〇四頁等)。

## 二、キリスト教会と女性蔑視

### 聖書の女性観

中世キリスト教社会の女性観を形成したもう一つの大きな柱は聖書に描かれるさまざまな女性像であるが、中でもエヴァに由来するイメージとパウロの言説はキリスト教徒の心性に大きな影響をもたらした。一般的に、蛇、即ち、悪魔の誘惑に屈したエヴァがアダムに禁断の木の実を食べさせ、人間の堕落が始まったと伝えられるが(「創世記」三章六節)、実は楽園追放の神話に女性蔑視の思想はない。神から自由意志を与えられた人間が創造主に背いた結果、原罪を負ったのだが、エヴァが男を唆(そそのか)したとする解釈は女性に誘惑者という烙印を押した。キリスト教会は、霊の在り方において男女は平等であるとしながらも、人間の罪はエヴァという女性に始まるという認識に縛られていた。

また、パウロが、この世の肉の欲望に従うのではなく、霊によって生きよと教えたように(「ローマの信徒への手紙」八章一―一七節)、キリスト教世界には、肉体よりも霊のほうが尊いとする肉体蔑視の思想や、女性の肉体を危険なものとする教義があった。加えてローマ帝国末期、肉体を否定する超俗的思想が高まり、揺籃(ようらん)期のキリスト教の女性観に影響を与えた。霊の首位性と劣った肉体の構図が確立する中、神学者は肉体的・精神的純潔を意味するヴァージニティ(処女性)を魂の救済と結びつけ、純潔を憧憬した(久木田 二〇一四)。

もとより、ヴァージニティは男女に共通の問題である。しかしパウロは、未婚女性は主のことに心を遣い、身体も霊魂も聖なる者になろうとするが、既婚女性は夫やこの世のことに心を遣うと説教し(「コリントの信徒への手紙一」七章三四節)、未婚女性の優位性を信徒の意識に刷り込んだ。教会は教父時代から、パウロの教えに基づき、女性の生き方に関して、独身者を頂点に、未亡人、既婚者の順で序列を作り、この考えは中世社会に浸透した。

## 女性の歪曲化

このような文化的背景において、エヴァの末裔は男性の純潔を脅かす誘惑者となり、女性の「身体」は歪曲される。男性の身体が魂を反映するのに対し、理性行使の障害となる女性の身体は肉そのものと断ぜられた。教父とても例外ではない。女性嫌悪は、自らの色欲を拭い去ろうと苦闘する教父たちの痛々しい禁欲主義の中で過熱し、テルトゥリアヌス(二二〇年頃没)に至っては、「女は悪魔への入り口」と宣言した。

スコラ学が全盛を極めた一三世紀、男性優位のヒエラルキーを構築したアリストテレスの思想はアルベルトゥス・マグヌス(一二八〇年没)、トマス・アクィナス(一二二五頃―七四年)、ボナヴェントゥラ(一二二一―七四年)等の神学者のあいだに広がった(Caciola 2003: 141)。スコラ学者は二つの性の誕生で自然界における完全な秩序が形成されたと補ったが、女性を男性の出来損ないとする思想が学問的議論の枠から外へ飛び出すと、女性の侮蔑的イメージが一人歩きした。例えば、産む性の身体は孔が開く開放系であり、悪魔の誘惑に屈し易いと考えられ、女性の身体を悪魔に重ねた、「出産する悪魔」の図像が生まれた[2]。

# 三、産む性の身体

しかし、近年著しい進歩を遂げた生殖医療が物語るように、子孫の繁栄は個々人や社会の大きな関心事であり、生殖は人間、自然、家族に関する価値観を反映してきた。キリスト教会は、楽園追放以来、性行為は不純なものになったと説いたが、人類の存続には男女の結合が不可欠であり、子を産む目的で、結婚という制約の中で遂行される限り是認した。また夫婦の性的交わりは教会法で義務づけられ、「結婚の負債」と呼ばれた。教会の教えは矛盾を含むが、幼少期を生き延びるのが困難だった中世において、子孫存続は人びとの切実な願いであった。それゆえ、産む性の身体は聖域であり、その健康は尊重された。しかし、中世の女性蔑視の枠組みの中で、女性はしばしば「子宮」という換喩(シネクドキ)に置き換えられ、「産む性」は「産む道具」にすり替えられていったのである。

## 月　経

中世医学では、妊娠、出産、授乳のメカニズムに月経が関与すると理解されていた。体液生理学は月経を「六つの非・自然」[3]のひとつで、体液バランスを整えるための排泄作用と捉え、女性の身体が大量に水分を含んで海綿状態になると、余剰体液である血液が排出されると説明した。この血液は妊娠時に胎児の栄養となり、出産後は新生児の母乳に換わり、生命を育む。反対に、月経が起きずに血液が身体に停滞すると、体調が崩れると理解された。

しかし、女性の身体の浄化作用である月経も、他人にとっては極めて有害な生理現象と受けとめられた。古代以来、学者は月経血の毒性を主張し、教父は月経をエヴァの災いと解釈した。「エゼキエル書」(一八章六節)は、義人は月経中の女性に近づかないと記し、ヒエロニムスの聖書註解は、有害な残留体液を排出する月経中の女性との性交に警告を発した。月経についての誤謬(ごびゅう)は、中世末に大陸で流布した偽アルベルトゥス・マグヌス著、『婦女の秘密』(*De secretis mulierum*, 一三世紀末)の中で更に深化する。著者の目的は生殖の理論的解説であったが、アリストテレスに準拠し、執拗に月経血の有害性を攻撃した結果、女性蔑視の思想を先鋭化させた。同書はラテン語や俗語の翻訳でドイツ語圏、オランダ語圏に広く流布し、後述するように、産婦人科学の書物の変容とも連動することとなった。

## 彷徨う子宮

生殖の器である子宮の機能について、ギリシア医学は胎児を生成・形成する器や「かまど」と解釈したが、驚くことに、子宮を、さまざまな器官のあいだを彷徨う獰猛な生き物とする説もあった。ヒポクラテス派は無月経、過労、栄養失調によって体液バランスが崩れると、子宮は湿気(水分)を求めて体内を動き回ると主張し(*Trotula*, Introduction: 22)、たとえば、子宮が腹部から身体上方へ移動すると、窒息感が生じてヒステリー発作が誘発されると説明した。「彷徨う子宮」の考え方はローマで活躍したギリシアの医師、ソラヌス(Soranus, 一二九年頃没)に一蹴されたものの、中世をとおして広く信じられ、身体内部を動き回る、節操のない生き物に喩えられた子宮は女性の下等な性質の説明に役だった。

## 妊娠・出産

産む身体をめぐる偏見や奇妙な理論は女性観をさらに歪めたものの、産婦人科は中世医学において重要な領域であった。しかし、一般的に男性医師は女性の身体に積極的に触れることをせず、代わりに助産婦が妊娠の有無を調べ、不妊や不能の診断では、男女を問わず生殖器を触診した。男性医師の関与は、経膣分娩が困難となり帝王切開術しか手段がなくなったときだった。出産には助産婦をはじめ女性たちが立ち会い、介助した。女性同士の連帯感は、マリアの母、聖アンナの産室を描いた「聖母の誕生」の図像からも伝わってくる。たとえば、デューラーの版画には赤子を取り上げる助産婦や、産湯を支度し、産婦に供する滋養豊かな食べ物を準備する女性たちが描かれている。(4) 分娩用の医療器具も揃わない時代、出産を支えるのは女性の社会的責務と認識され、女性自身が出産のインフラとなったと言えよう。

しかし、中世の人びとの心性に深く浸透していた出産のイメージは喜びだけではない。栄養状態が悪く、環境も不衛生だった中世では、妊娠中の異常、出産時の大量出血、産褥熱などの原因で命を落とす女性が後を絶たなかった。教会は、妊娠・出産はエヴァの呪いであると教え、生みの苦しみを原罪と結びつけた。妊婦は命を落とし、子を失う恐怖に怯えるばかりか、罪の意識から解放されることはなかったのである。しかし、教会の監督下、助産婦や親しい女性たちは産婦を力づけ、マリアや出産の守護聖人、アンティオキアの聖マルガリータへの祈りを共に唱え、産婦の呼吸を整えた。また、出産の苦しみをキリストの受難に重ね、磔刑を描いた腹帯も妊婦の支えとなった。[5] 女性が好んで所有した小型の時禱書の挿絵にも、キリストの誕生に加え、聖アンナの産室の様子が描かれ、安産のとりなしを願って祈りが捧げられたと察せられる。しかし何よりも、このような図像には、聖アンナや聖母マリアにあやかり、恙なく分娩が進行し、次の世代を無事に確保する願いが込められていた(L'Estrange 2008)。翻って、そこに出産の知識や技術を女性に図解・教示する目的は見出せない。女性の医学の内実を知るには、中世末の医学教育と医療活動の実態に目を向けなくてはならないだろう。

## 四、女性の医学

### リテラシーと医学知識

ジェンダー・イデオロギーが構築した中世社会には、女性の身体に対する本質的な矛盾を孕んだ宗教的・文化的認識が深く浸透していたが、看護や養育に携わる女性の役割は、聖母マリアの奇跡譚や女性聖人の物語が伝える癒しや慈悲の行いと重ねられ、肯定的な女性観を養った。たとえば、ハンガリーの聖エリザベト(一二〇七―三一年)を中心に女性たちが患者を沐浴させ、理想的な体液バランスを持つと考えられた若鶏を供すハンセン病者の治療の様子が描かれている。[6] また、焼灼法や吸玉法で男性を治療する姿が写本の挿絵に活写されたように、[7] 医家に育った女性の中には実地医療に携わり、知識や医術を口承で次世代に伝える例もある。このように、中世における治療者のイメージは圧倒的に女性のものだった(Cabré 2008)。

しかし、文字資料は女性について多くを語らない。書物とリテラシーの観点から行われたモニカ・グリーン(Monica Green)の研究では、一二世紀から一六世紀初頭にかけて、医学書を所有していた記録が残る女性は四四人にすぎず、書物のジャンルは主に、養生訓、植物誌、処方箋集であった(Green 2008: 141)。外科学や内科学は言うに及ばず、産科・婦人科学のテクストも女性読者と強い結びつきがあった訳ではない。これは、グリーンが明らかにした、中世末における「女性の医学の男性化」というパラダイムと呼応する(Green 2008)。

一二世紀以前、西洋医学の理論と実践を担ったのは専ら修道院で、学識ある男女の修道者が医療に携わっていた。幻視を記録し『スキヴィアス』を著したビンゲンのヒルデガルト(一〇九八—一一七九年)は医学書も編纂した。『病因と治療』では、人間の身体と魂を大宇宙の中の小宇宙と捉え、宇宙との調和によるホリスティックな心身の健康を説いた。また一三世紀末、ドイツのヘルフタ修道院で神秘的著作、『特別な恵みの書』(*Liber specialis gratiate*, 以下 *Liber*)を著したハッケボーンのメヒティルド(一二四一—一九八年)(Kukita Yoshikawa: 2015)も医学の素養を有し、心身の共生的関係が息づく神秘的霊性に支えられ、医学言説を用いて霊的経験を表現した。キリストの抱擁を受ける幻視では、神の心臓から湧き出る恵みが川のようにメヒティルドの身体から流れ出、(彼女を見守る)聖人たちに到達するが(*Liber*, II. 17: 151)、ここにも瀉血の際に必要な医学的知識が反映されている。中世医学では、脈管は川や運河の水路網のように機能する。メヒティルドの視た川は彼女の身体の隅々に血液を届ける脈管に喩えられ、メヒティルドの身体はキリストの心臓に起源する贖いの血を運ぶ媒体となっている。

しかしながら中世末、女性に学問的権威が与えられることはなかった。その背景にあるのは大学教育における女性の排除である。西洋ラテン世界において、アリストテレスの自然科学書やアヴィセンナの『医学典範』等が次々とラテン語に翻訳された一二世紀、医学は大学で七つの自由文芸科目を学んだ者が専門課程で修める学問となった。中世の社会や文化に顕在するリテラシーの偏りと知識層が支配する書物文化の硬直化は主に大学による学問の独占に起因する。大学で教授される理論と書物中心の医学を学ぶ機会から遠ざけられた結果、女性の医学知識は低下し、その医療活動が周縁化するのに時間はかからなかった。

## サレルノの女性医師と『トロチュラ』集成

しかし、大学教育の黎明期、イタリア南部サレルノでは、同地が誇る医学校で学び、医術に長けた女性たちが活躍した。女性医師、サレルノのトゥロータ(Trota)等は、ギリシア・アラビア医学の翻訳書をサレルノの伝統的医術と融合させ、女性の身体と健康に関する医学書が誕生した。これが『トロチュラ』(*Trotula*, 一二世紀)と呼ばれる医学集成で、『女性の病気について』(*Liber de sinthomatibus mulierum*)、『女性のための治療について』(*De curis mulierum*)、『女性の美容法について』(*De ornatu mulierum*)の三部から成る。著者はサレルノのトゥロータと伝承されたが、現在では、手技による実践的治療法を含む、第二部『女性のための治療について』のみがトゥロータの著作と考えられている。『トロチュラ』は主に助産婦に向けてラテン語で著され、婦人病の治療、妊娠を望む女性への助言、分娩、授乳、新生児の世話等、幅広い医療に役立てられた。より実践的な第二部と比較して、第一部『女性の病気について』は、一一世紀にコンスタンティヌス・アフリカヌスが翻訳した、体液理論に基づくガレノスの婦人科学に依拠し、妊娠の制御、出産時の助産・介助などが解説されている。第三部の美容法では性交・妊娠に備えた身体の衛生的管理が記されている。

また、当時の「女性の医学」の内実が透視できる記述にも目を向けたい。第一部『女性の病気について』の序には、男性医師の診察を躊躇(ためら)う女性のために、書物で婦人病を解説するという一文が添えられている。これは「羞恥のトポス」と呼ばれる修辞的表現で、古代以来、産婦人科診療に内在する女性の羞恥心を認めると共に、同性が診療に携わる正当性の説明・補強となった(*Trotula*: 65)。しかし、この羞恥心は女性に性的純潔、恥じらいを期待し、女性器の病を公の場からひた隠す文化的妄念の裏返しとも言える(Green 2008: 199)。『トロチュラ』も羞恥の呪縛から完全に逃れることはできなかったのであろう。

## 産む性の昇華——贖われる身体

しかし、女性の身体と生殖をめぐる特異な文化の中で著作したサレルノの医師たちが、月経を実をつける「花々」と呼び、女性の生理現象を肯定的に捉えたことは刮目に値する(*Trotula*: 66)。月経を「花」に喩えるアナロジーは、ヨーロッパ各地の俗語で女性が用いていたが(Green 2005: 52-53)、キリストの神性と等しく人間性に注目し、受肉した神への共感的信仰によって霊的充溢を得た中世の女性神秘家にとっても、月経は蔑むべきものではなかった。ビンゲンのヒルデガルトは、人間の性や生殖を神の権威のもとで肯定し、月経につきまとう、恥・嫌悪・侮蔑などの負の感情から女性を救い出す(*Scivias*, I. 2.20: 83; McAvoy 2021)。『病因と治療』では、月経血の流れが草花の開花する生命力に喩えられ、女性は青々と生気漲る月経血から「花」を絞り出し、子宮の実りである新しい枝(子孫)を生み出していく、と解釈を与えた(*Causae et curae*, 2: 105)。自然界の営みに倣ったこのイメージは、自然科学と神学を接合・調和させたヒルデガルトの医学を要約している。こうして、エヴァの娘という呪縛から解き放たれ、罪を贖われた女性たちは、「花々が繁茂する」ように生殖の担い手となるのである。

ハッケボーンのメヒティルドの幻視では、聖母マリアの身体を舞台に、キリストの受肉が植物の繁茂の言説をとおして連想される。受肉は神が人間の存在すべてを引き受け、贖うことを意味したが、聖母誕生の祝日に、ミサの応誦「エッサイの根」が聖堂に響くと、メヒティルドの心の目にはマリアが地面から生え立ち、大きく枝を広げた美しい木となる姿が視える。その木は輝く鏡のように透明で、金色の葉がやさしい音を奏で、木の先端に咲く花々は全世界を覆い、芳しい香りを放っていた(*Liber*, I. 29: 100; Kukita Yoshikawa 2014)。

**図** シモーネ・デイ・クロチフィッシ「聖母の夢」, 1355-60年頃, 国立フェラーラ美術館.

この幻視の背景には、「エッサイの株からひとつの芽が萌えいで、その根からひとつの若枝が育つ」(「イザヤ書」一一章一節)という預言があり、聖書解釈学で、アダムに始まる男系の枝はダビデの父、エッサイを経てキリストへ伸びると説明された。一般的な図像では、横たわるエッサイの脇腹から木が生え出、その木にキリストという実が成る構図となっている。[8] 救い主誕生の予型を描くこの図像には、キリストがマリアの胎から現れ出る描写も暗示もない。しかしメヒティルドの幻視では、救い主は処女から誕生する(「イザヤ書」七章一四節)、とイザヤが預言したように、キリストの受肉が花咲き実がつく聖母の子宮に結びつけられ、産む身体を贖っている。メヒティルドの類ない知性と霊性において、エッサイの枝の聖書釈義に内在する男性優位の言説は塗り替えられ、女性の身体をとおして救済史が完成するのである。

植物の成長とキリストの受肉が接合する言説は、子宮という根茎(接ぎ木の台木)に生命の木であるキリストが接ぎ木される図像表現と共鳴する。一四世紀のボローニャの画家、シモーネ・デイ・クロチフィッシ(Simone dei Crocifissi)の手によるテンペラ画「聖母の夢」には、身体を横たえ眠りについたマリアの腹部(子宮)から生命の木が出現し、花咲く木の幹にキリストの磔刑が重ねられている[図]。この図では聖母の身体は文字通り根茎として描かれ、そこから生命の木が成長する。樹木の成長、花々の開花、結実に霊感を得た「繁茂」の図像は、受肉の媒体であるマリアの無垢で肥沃な胎を讃え、女性の身体の昇華を表現している。

女性の健康を念頭に著作された『トロチュラ』から見えるのは、霊的経験や神学的洞察を医学言説と交差・接合させたヒルデガルトやメヒティルド等のエリート修道女の幻視に相通じる、女性の身体性の肯定であり、女性の身体を舞台とする生命の営みへの尊敬である。『トロチュラ』の女性読者にとって、妊娠・出産は世継ぎの生産という社会的機能に留まらず、女性が主体となり、贖われた身体で演じられるイベントと認識されたのではないだろうか。

### 『トロチュラ』の伝播と俗語翻訳——読者の変化

『トロチュラ』は集成や抜粋テクスト等で、ラテン語及び俗語でヨーロッパ各地に伝播し、婦人病の治療のみならず、中世末の社会や文化に影響を与えた。同書は主に女性読者に向けて著作されたが、次第に修道院や大学で男性の知識人が参照したり、開業医の手引き書として利用されていく。[9]『トロチュラ』の俗語翻訳はラテン語の読み書きに不自由する女性のもとにも届いたが、現存する二一の俗語写本の大半は、男性の内科医、外科医、薬剤師や生殖に関する知識を欲した富裕層の俗人男性が所有していた。

最も早い時期に現れた俗語訳は一三世紀にアングロ・ノルマン語で書かれた韻文テクストで、『婦女の秘密』(*Les Secrés de femmes*)と題された。このテクストはヒポクラテスの権威を借り、不妊について解説し、その原因は両性に平等にあるとした。また、男性の同性愛を断ずる一方、睦まじい夫婦を理想と謳い、『トロチュラ』を母性と妊娠に関する説教テクストに変貌させている(Green 2016: 176-187)。さらに、妊娠の成功を念頭に翻案された同書のタイトルには、女性蔑視で悪名高い、先の偽アルベルトゥス著『婦女の秘密』に先んじて、「秘密」という言葉が用いられている。これは一三世紀、自然哲学者や医師のあいだで謎に包まれた生殖のメカニズムへの関心が高まったことを反映している。すでにギルベルトゥス・アングリクス(一一八〇頃—一二五〇年頃)が『医学概論』(*Compendium medicinae*)に産婦人科学の章を加えたように、生殖知識の深化と拡大は一二世紀に始まる医学刷新の成果と見なされていたが(Green

2008: 71, 91)、自然哲学者がこの流れに加わると、産婦人科文献の焦点は生殖に狭められ、『婦女の秘密』と題されるようになった。翻って、このような変化は産婦人科学の書物から女性の病に関する実践的な治療法が著しく省かれることを意味したのである。

一二・一三世紀のイングランドでも、ノルマン王国による支配という共通項をもつイタリア南部との頻繁な交流をとおして多数のラテン語医学書と共に『トロチュラ』が到来し、広範囲に流通した(Green 2016: 174)。最古の中英語テクストは、一三世紀に古フランス語の散文翻訳から英訳された、『出産の知識』(*The Knowing of Woman's Kind in Childing*, 以下 *Knowing*)[10]で、助産婦や一般女性の手引書として利用された。同書には、ソラヌスのギリシア語著作をムスキオ(Muscio, 六世紀頃)がラテン語に翻訳した、『婦人科学』(*Gynaecia*)の要約が加筆され、分娩を補助する実践的知識を充実させている。

しかし、『出産の知識』は婦人科診療におけるジェンダー間の軋轢(あつれき)を見逃さない。翻訳者は男性による婦人科知識の誤用・悪用を懸念し、好色な読み方に意見するに留まらず、男性読者は「子宮」に敬意を払うようにと踏み込む。そこでは、聖母マリアや女性聖人が言及され、俗人女性の身体も天国の聖女と同様、一切の邪悪さはないと喝破し、女性全体を聖なる共同体に組み入れ、さらに、女性であるがゆえの苦痛、病、羞恥の感情さえも聖性のオーラで包み、昇華させている(*Knowing* : 42)。

同様の認識は、『トロチュラ』の抜粋を含み、一五世紀のイングランドで最も流布した『婦人の病』(*The Sickness of Women*, 以下 *Sickness*)[11]にも見られる。この著者も女性の羞恥心に気を配り、女性を欲望の対象とする男性を戒め、己がいかにこの世に誕生したか、厳しく問う(*Sickness*, fol. 107r: 485)。『婦人の病』には二つのヴァージョンがあり、一五世紀中葉の第二ヴァージョンには、ムスキオが『婦人科学』で図解した正常胎位と胎位異常の図が度々加えられ、胎児の取り出し方を助産婦等の女性に教示する内容となっている。[12]また、現存する四つの写本のうち、ロンドン、大英図書館、MS Sloane 249には、妊婦の霊的健康を願うミサ典礼文と、出産の苦痛を和らげると信じられた聖スザンナ(「ダニエル書」一三章)への祈りも添えられ、妊婦が主な読者だったと考えられている(Green 2003)。しかし、ケンブリッジ、トリニティ・カレッジ図書館、MS R.14.52のように、富裕商人が注文した写本も現存し、後継ぎの安定的確保を願う裕福なブルジョワのあいだで妊娠・出産・生殖への関心が高まった証左となっている。前者の写本が示唆するように、俗語翻訳には女性読者をターゲットにしたものもあった。しかし、このような写本は狭い軌道でしか流通せず、大多数の写本は聖職者、医師、外科医、俗人エリート等の男性読者に所有されていた。彼らの関心が、女性の生殖機能が期待通りの成果を上げることだったのは言うまでもない。

## 「女性の医学の男性化」

中世末、女性の身体に関する屈折した視点が混在する中で、「女性の医学の男性化」が進行した。女性の医学に対する男性の視点は、のぞき見趣味とは断じないまでも、「産む性」を機能させるための医学となり、家督相続の観点から俗人男性が熱心に関心を注ぐ領域となった。これは同時に、女性の病苦を軽減する目的で行われた、婦人科治療の伝統的役割の大きな後退を意味する。繰り返すが、医学の中心が大学で教授される書物を介した理論に移行する中、医学教育から排除された女性医療者は男性医師と同等の権威を得ることはなかった。助産婦はギリシア・アラビア医学の翻訳書に基づく最新の知識を得ることなく、同業者のあいだで口承で伝えられた知識や、手技による正常分娩の介助、処置を専らとした。その結果、中世末に女性が独占できた領域は「正常分娩」のみとなったのである。これは、女性の医学における女性医療者の周縁化を意味し、女性が自己管理能力を失ったことさえも示唆する。識字能力と学識をもった助産婦が復活するのは一五世紀後半を待たなければならない。

# おわりに

中世の身体医文化には歪んだ女性排除の構図があったが、女性の医療活動は産室を越えて広がっていた。公文書の記述に女性の姿がほとんど見当たらなくとも、たとえば、ベルギー南西部の中世都市トゥルネーにあったノートルダム施療院に関する文書の挿絵には、にこやかに微笑んで病者に薬を与える二人の修道女が描かれている。[13] 中世の医療施設では、慢性的な医師不足を補い、修道女、誓願を立てずに敬虔な生活を営んだベギン、有徳な婦人が中心となって、食餌療法、衛生管理、薬草処方、沐浴療法等を行った。また、看護婦は病人が息をひきとると、遺体を清め、麻布に納め、埋葬の準備をした。実際、日常において、病者の身体に直接触れて奉仕したのも主に女性であり、このような身体のケアは精神よりも肉体に近い存在とされた女性にふさわしい仕事とみなされた。ここにも古代・中世のジェンダー観が深く刻み込まれている。

しかし、中世末には識字能力の広がりや、ペストの襲来を経て高まった健康への関心に伴い、医学知識や養生訓が一般男女の知るところとなり、医療における女性の役割にも変化が見られるようになった。特に、富裕階層のあいだでは俗語や初歩的なラテン語の読み書き能力をもつ女性が現れ、書物文化の片隅に加わった。一五世紀、イングランド南東部、ノーフォークのジェントリ、パストン家の人びとが残した『パストン家書簡集』には、男性家族の不在時、家族の健康を守るために女性たちが各方面と書簡を交わし、処方箋の確保に努めた記録がある(Watt 2015)。また、裕福な階層の女性たちは俗語で宗教書を読み、書物を交換するグループを形成していた。読書という共通の絆で結ばれた女性のコミュニティーで医学知識が共有された可能性も高い。さらに、この女性たちは肉体の贖いと魂の救済をテーマに著作したメヒティルド等の神秘主義文学に俗語で親しんでいた。果たしてこのようなテクストとの出会いは、女性の身体性にまつわる伝統的な負の言説や感情について、読者にいかなる影響を与えたのであろう。中世の身体医文化における女性の位置づけや活動についての問いは、社会や意識の変化を見据え、医学・宗教・ジェンダーのあいだのさまざまな対話をとおして深めなければならないだろう。[14] 女性の姿は中世の医療シーンに遍在し、女性の歴史は医学の歴史とすぐれて重なり、今日へと続いているのだから。

**注**

（1）ヒポクラテスやガレノスは、男女の種が結合し、弱い種から女子が誕生すると考えた。
（2）ジョット、「最後の審判」、フレスコ画、一三〇三―〇五年頃、パドヴァ、スクロヴェーニ礼拝堂。
（3）古代の医学者は、生きていく上で避けることのできない要素を、大気、飲食、運動、睡眠と覚醒、排泄と停留、情念に分類し、それらを「六つの非・自然」と呼んだ。
（4）アルブレヒト・デューラー、『聖母伝』五、木版、一五〇三年頃、メルボルン、国立ヴィクトリア美術館。
（5）ロンドン、ウェルカム医学史研究所図書館、MS 632, 一五世紀末。
（6）「ハンセン病者を看護するハンガリーの聖エリザベト」祭壇画、一五〇〇年頃、ラウフェン（バーゼル近郊）、聖堂参事会教会、個人蔵。
（7）「吸玉放血の処置をする女医」、ロンドン、大英図書館、MS Sloane 6, 一五世紀初期（イングランド）、fol. 177v.
（8）聖母が木の上方で幼子を抱いたり、聖母の立ち姿を幹に重ねる図像もある。
（9）グラスゴー大学図書館、MS Hunter 341（一二七〇頃―一三二〇年）は時禱書サイズの写本で、その形状から読者は女性であったと考えられるが、これは極めて例外的である。
（10）『女性の病気について』の古フランス語訳（散文）が底本。
（11）同書は『女性のための治療について』を参考に著作されたギルベルトゥス・アングリクスの『医学概論』の中英語翻訳の抜粋を含む。

（12） 胎位図はロンドン、大英図書館、MS Sloane 249, 一五世紀中葉、fol. 197v 参照。

（13） 「病人を看護する修道女」施療院設立勅許状、一二三八年、IV 1/01, fol. 7r, トゥルネー大聖堂文書館。久木田（二〇一四）、口絵図版一四。

（14） Kalas（2020）はひとつの例となろう。

## 参考文献


【一次資料】

アリストテレス（二〇二〇）『動物の発生について』〈アリストテレス全集〉11、今井正浩・濱岡剛訳、岩波書店。

Hildegard of Bingen（1980）, *Causae et curae*, Paul Kaiser（ed.）, Leipzig, 1903; repr. Basel, Basler Hildegard-Gesellschaft.

Hildegard of Bingen（1990）, *Scivias*, Columba Hart and Jane Bishop（trans.）, New York, Paulist Press.

*The Knowing of Woman's Kind in Childing: A Middle English Version of Material Derived from the Trotula and Other Sources*（2001）, Alexandra Barratt（ed.）, Turnhout, Brepols.

Mechthild of Hackeborn（1875-1877）, *Liber specialis gratiae* in *Revelationes Gertrudianae ac Mechtildianae*, Dom Ludwig Paquelin（ed.）, 2 vols., Paris, Oudin, II.（ハッケボルンのメヒティルト「特別な恩寵の書」第二巻、梅原久美子訳、『女性の神秘家』〈中世思想原典集成〉15、平凡社、二〇〇二年）

*The Sickness of Women*, Monica H. Green and Linne R. Mooney（eds.）（2006）, *Sex, Aging, and Death in a Medieval Medical Compendium: Trinity College Cambridge MS R.14.52, its Texts, Language, and Scribe*, M. Teresa Tavormina（ed.）, Medieval and Renaissance Texts and Studies 292, 2 vols., Tempe, AZ, ACMRS（Arizona Center for Medieval and Renaissance Studies）, II.

*The Trotula: An English Translation of the Medieval Compendium of Women's Medicine*（2001）, Monica H. Green（ed. and trans.）, Philadelphia, PA, University of Pennsylvania Press.

【二次資料】

久木田直江（二〇一四）『医療と身体の図像学――宗教とジェンダーで読み解く西洋中世医学の文化史』知泉書館。

Cabré, Montserrat (2008), “Women or Healers? Household Practices and the Categories of Health Care in Late Medieval Iberia”, *Bulletin of the History of Medicine*, 82-1.

Caciola, Nancy (2003), *Discerning Spirits: Divine and Demonic Possession in the Middle Ages*, Ithaca, NY, Cornell University Press.

Green, Monica H. (2003), “*Masses in Remembrance of 'Seynt Susanne'*: A Fifteenth-Century Spiritual Regimen”, *Notes & Queries*, 50-4.

Green, Monica H. (2005), “Flowers, Poisons and Men: Menstruation in Medieval Western Europe”, Andrew Shail (ed.), *Menstruation: History and Culture from Antiquity to Modernity*, Basingstoke, Palgrave.

Green, Monica H. (2008), *Making Women's Medicine Masculine: The Rise of Male Authority in Pre-Modern Gynaecology*, Oxford, Oxford University Press.

Green, Monica H. (2016), “Making Motherhood in Medieval England: The Evidence from Medicine”, Conrad Leyser and Lesley Smith (eds.), *Motherhood, Religion, and Society in Medieval Europe, 400-1400: Essays Presented to Henrietta Leyser*, London, Routledge.

Kalas Laura (2020), *Margery Kempe's Spiritual Medicine: Suffering, Transformation and the Life-Course*, Cambridge, Brewer.

Kukita Yoshikawa, Naoë (2014), “The Virgin in the *Hortus Conclusus*: Healing the Body and Healing the Soul”, *Medieval Feminist Forum: A Journal of Gender and Sexuality*, 50-1.

Kukita Yoshikawa, Naoë (ed.) (2015), *Medicine, Religion and Gender in Medieval Culture*, Cambridge, Brewer.

L'Estrange, Elizabeth (2008), *Holy Motherhood: Gender, Dynasty, and Visual Culture in the Later Middle Ages*, Manchester, Manchester University Press.

McAvoy, Liz Herbert (2021), *The Enclosed Garden and the Medieval Religious Imaginary*, Cambridge, Brewer.

Watt, Diane (2015), “Mary the Physician: Women, Religion and Medicine in the Middle Ages”, Naoë Kukita Yoshikawa (ed.), *Medicine, Religion and Gender in Medieval Culture*, Cambridge, Brewer.

焦点 *Focus*

# イスラーム支配下のコプト教会

辻　明日香

## 一、はじめに

### コプト教会とは何か

エジプトのコプト教会は、一般に膾炙（かいしゃ）している理解とは異なり、四五一年のカルケドン公会議にて異端とされた教会ではない(1)。たしかにカルケドン公会議にてアレクサンドリア総主教ディオスコロスは異端とされた。そののち、この総主教座をめぐりカルケドン派とディオスコロスを慕う反カルケドン派が激しく争い、六世紀にカルケドン派と反カルケドン派双方のアレクサンドリア総主教座が成立した（戸田 二〇一七：二六―三〇頁）。七世紀半ばのアラブ・イスラーム軍によるエジプト征服後、より現地の人々の支持を得ていた反カルケドン派のアレクサンドリア総主教が中心となって、今日に連なるアイデンティティを形成していったのが、現在のコプト教会である。

冒頭においてこのように述べたのは、コプト教会はイスラーム政権とともに歴史を歩んだ教会であることをまず確認するためである。本稿はアラブ、そしてムスリムという「他者」との関係において、コプト教会がそのアイデンティティを確立していく過程を提示する。まずは古代末期から初期イスラーム期、次にファーティマ朝期、最後にアイユーブ朝からマムルーク朝期という三つの変革期を中心に、各時代におけるコプト教会とその人々の状況と生存戦略を検討していくこととする。

## 古代末期コプト教会のあゆみ

エジプトにキリスト教をもたらしたとされるのは使徒ペテロの伝道旅行に同行した(とされる)聖マルコであるが、確かに教会の活動が認められるのはアレクサンドリア(総)主教デメトリオス(在位一八九―二三一年)の治世以降である。キリスト教は三世紀から四世紀にかけ、ナイル川を通してエジプト全土に広まった(戸田 二〇一七：二六―二八頁)。

後述するように、コプト教会は自らを「殉教者(たち)の教会」と位置づける。この「殉教者」とはローマ帝国のディオクレティアヌス帝期の殉教者たちを指し、コプト暦(自称としては殉教者暦)はディオクレティアヌス帝が即位した西暦二八四年から始まる。コンスタンティヌス大帝のキリスト教公認やテオドシウス帝の神殿封鎖令、カリスマ的な歴代アレクサンドリア(総)主教たちの活躍や修道院制の発達を経て、エジプトの景観はキリスト教化していった。その代表例としてイシス神信仰の中心地の一つであったアレクサンドリア近郊のセラペウムの破壊と、同じくアレクサンドリア近郊の聖メナスの墓所(現アブー・ミーナー)の興隆があげられる。[2]

ビザンツ(東ローマ)帝国支配下、各地の行政区はそのまま主教区となった。三二五年には五〇の主教座があったことが確認されている。コプト教会における主教 episkopos / usquf の職務は主教区の教会を管理して信徒を指導し、司祭と助祭を監督することである。主教は原則として主教座に在住し、職務にあたった。他のキリスト教地域とは異なり、ビザンツ期のエジプトには府主教はおらず、総主教の権力は絶大であった(Wipszycka 2010: 331-332)。また、主教―司祭―助祭という教会の位階制とは別に、各地の修道院は地域住人との密接な関わりを持ち、徴税と救貧双方の機能を有する強大な勢力として存在していた。

五世紀前半の教義論争において、アレクサンドリア(総)主教はコンスタンティノープル(総)主教などと対立し、最終的にはカルケドン公会議の闘争に破れた。その後アレクサンドリア(総)主教位をめぐりカルケドン派と反カルケドン派が勢力争いを繰り広げ、五三五年ごろに双方のアレクサンドリア総主教座が成立することとなった。七世紀に反カルケドン派の総主教ベンヤミン(在位六二二—六六一年)がアラブ・イスラーム軍の支配を受容すると、反カルケドン派がエジプトにおいて主流となっていった(戸田 二〇一七:三〇頁。カルケドン派の総主教座もその後長らく存続する)。なお、ビザンツ帝国下で反カルケドン派として迫害されていたシリアやエジプトのキリスト教徒はアラブ軍の到来を喜んだとする説もあるが、この言説に潜むナショナリズムに注意したい(Wipszycka 1992)。

## 二、古代末期の継続と崩壊——初期イスラーム時代からアッバース朝期

### 征服期のエジプトとコプト社会の継続性

アラブ支配下のエジプトにおいては当初、旧支配者時代の租税機構はそのまま継承された。アラブの支配者たちは村落共同体ごとに租税を貨幣あるいは現物で徴収し、その見返りとして村落共同体の内的自治に干渉することはなかった(佐藤 二〇〇二:一四六頁)。キリスト教徒やユダヤ教徒は啓典の民としてズィンマ(庇護)を与えられたが、この庇護は預言者ムハンマドにより与えられたものと考えるため、支配者はそれを剥奪することはできなかった。彼らはミッレトという、同じ宗教を信奉する人間集団として組織され、自治権を与えられた。すなわち、為政者がムスリムになってもコプト教会信徒(以下コプト)は人頭税(ジズヤ)を支払う限り、自分たちの総主教に従い、日常生活を規定する教会法に従って生活することができたのである。

征服時当初、エジプトにおいてアラブ・ムスリムは圧倒的少数派であった。近年の発掘成果により、少なくともエ

ジプト南部(上エジプト)の人々の生活はアラブ支配の影響をほとんど受けなかったことが明らかになっている。例えばルクソール近郊にある、ジェイムー Jeme 村の住民は、八〇〇年頃にこの村を放棄するまで古代エジプト語の最終形態であるコプト語を話し、キリスト教を信仰していた。六〇〇年頃から八〇〇年頃まで、エジプトの支配者はビザンツからサーサーン朝、アラブ・イスラーム軍、ウマイヤ朝、そしてアッバース朝と交替したのにもかかわらず、この村の人々はほぼ変化することのない、場合によっては古代エジプト期に遡るような生活を続けていたのである(Wilfong 2002: xi-xx)。

同様に、中部エジプトのバウィート Bawit は八世紀頃までアラブの支配を受けることなく、ビザンツ期この地域の中心的存在であったアパ・アポロ修道院が地域の徴税といった機能を担っていた。この地域の徴税機能がアラビア語を話す役人(アラブとも、ムスリムとも限らない)にとってかわられるのが八世紀から九世紀にかけて、ムスリムのカーディー(裁判官)の手に委ねられるようになるのは一〇世紀のこととなる(Sijpesteijn 2019: 554-555)。

### 改宗の進展と「殉教者」の教会の創出

とはいえ人々の生活に対するコプト教会の影響力は時代とともに低下していった。その要因としては、前述したような、地域の中心的役割を負っていた修道院の求心力低下が挙げられる。ウマイヤ朝中期の税務行政の強化と税制改革は教会にも農民にも大きな負担となり、農民反乱が頻発した(森本 一九七五:一七一―一七八頁)。これら反乱は一般に膾炙した「コプトの反乱」というよりはエジプト北部(下エジプト)の地域住民の反乱としての側面が大きいが、この時期、コプト教会の正史である『アレクサンドリア総主教座の歴史』にはイスラーム教への改宗に関する言及が目立ち始める。地元民のイスラームへの改宗理由としては支配者の宗教に従う、税の回避手段として(ムスリムは人頭税を支払わなくてよい)、社会的上昇手段としてなどが想定されるが、この時期は税回避目的が強かったと思われる。

八世紀、コプト教会は「殉教者の教会」としてのアイデンティティを確立していった。征服期からアッバース朝初期にかけ、コプト教会では多数の殉教録が執筆、そして編纂されている。アリエッタ・パパコンスタンティヌーの研究によると、その多くは七三〇年から七八五年にかけて執筆されている。これはこの時期に税制改革などの圧迫により改宗が起きていたことに呼応しているであろう(Papaconstantinou 2011: 334-335)。同時期、パレスチナなどではイスラーム朝に入ってから殉教した人々を讃える殉教録が執筆されているが、コプト教会ではこういったものは稀であり、ディオクレティアヌス期の殉教者(とされる人々)に関するものが圧倒的に多い。あえてキリスト教初期の殉教者に言及することで、自分たちの教会の歴史を過去に遡って再定義し、殉教者を中心とする(すなわち、改宗の波に抗う)教会であることを確認しようとしたのである。

### 九世紀の危機

ジェイムーの町が九世紀初頭に放棄された理由は明らかではない。おそらく反乱といった地域の社会情勢に巻き込まれたものと考えられているが、同時期に、税制改革やアラブの植民といった政策以上の、大きな社会変動が起きていたことも関係しているであろう。フスタート遺跡の発掘調査をもとに、長谷川奏は九世紀頃エジプトがそれまでのローマやコンスタンティノープルを中心とする地中海交易圏から、シリアやイラクを中心とした交易圏へ組み替えられていったことを明らかにしている(長谷川 二〇一七:二七八―二八二、三五六頁)。このような変化は人々が日常的に使用する食器などにも現れており、人々はいよいよビザンツの支配から離れたこと、それまでの地中海交易圏に立脚したキリスト教徒としての生活を維持できないことを実感したものと思われる。

近年、西アジアにおける改宗の進展期を九から一〇世紀に求める説は否定されつつあるが(e. g. Carlson 2018)、エジプトについてはそれを完全に否定しきれない。この時期のエジプトに一定規模の改宗者がいたことは、当時著された『アレクサンドリア総主教座の歴史』が改宗者の運命について大仰に警告していることからも窺われる(PO10.5: 379)。改宗要因としては、八五〇年にアッバース朝カリフ、ムタワッキルによりズィンミー(庇護民)の服装などを差別化する法令が公布されたことや、重税を課されたことも挙げられる(HPEC II. 1: 6/113r, 38-39/120v)。

コプト教会自体が弱体化していたことは、七四三年以降一〇七八年までコプト教会の主教たちが参集した記録が見られないこと、九世紀前半を最後に一一世紀頃まで教会文学がほぼ途絶えることからも示唆される。コプト教会は「殉教者の教会」というアイデンティティを形成し、また農民反乱とは距離を置き政府に対する忠誠を示したものの、九世紀の社会変動を乗り切る生存戦略をもたなかったと言えよう。

このようなコプト社会瓦解の背景には、社会のアラブ化も指摘できる。これはエジプトの日常言語が古代エジプト語の末裔であるコプト語から、支配者の言語であるアラビア語にとってかわられた過程を指す。改宗者はモスクなどで『クルアーン』(『コーラン』)を学ぶ必要があり、『クルアーン』はアラビア語で書かれているので、改宗者が増えると、アラビア語話者も増えていくこととなった。また、七〇五年にはエジプトの公用語がギリシア語とコプト語からアラビア語へと切り替えられている。八世紀半ばまではギリシア語、アラビア語、コプト語の三言語併用体制が続き、エジプトの地方部ではその後もコプト語が私文書に使用されていたが(P. Cair. Arab 167, e. g. Sijpesteijn 2013)、次第にアラビア語に交替していった。このようにして社会における優勢言語がコプト語ではなくアラビア語になっていくと、コプトの生活はその根幹部分から揺らぎ始めた。すなわち、言語だけでなく風俗と習慣におけるアラブ化が始まったのである。

## 三、復興期――ファーティマ朝

## アラビア語の採用

一一世紀半ばに著された『カラムーン修道院のサムエルによる黙示録』[3]には、以下のような記述がある。

〔最近のキリスト教徒は〕アラブに羨望を抱き、彼らと共に飲食し、風俗を模倣し、日曜日に教会へ行かない。彼ら〔キリスト教徒〕は子供たちにアラブの名前をつけ、天使や預言者、使徒、聖人の名前を放棄する。〔中略〕彼らはコプト語という美しい言語を放棄するのである。〔中略〕〔しかし彼らは〕彼らの子供たちに、小さい頃から遊牧民の言葉〔al-aʿrāb、アラビア語。アラブを侮蔑した表現〕で話して聞かせ、そのことに誇りを抱くのである。遂には司祭や修道士も祭壇の前でアラビア語で話し、そのことを誇りに思う。〔中略〕教会〔ミサ〕の〔聖書の〕奉読においても、何が読まれているのか、何と言っているのか、彼ら〔キリスト教徒〕は理解しない。なぜなら彼らは彼らの言語を忘れてしまったからである。(Ziadeh 1915-1917: 379/22r, 辻 二〇〇八：一五一、Papaconstantinou 2020: 168-169)

ここで語られていることはおそらくコプト教会の聖職者で(そしておそらく自らもアラビア語を司る)人物の目から見た、アラブへの同化現象の弊害である。風俗習慣におけるアラブへの同化現象は、信徒が教会を敬遠することにつながり、コプト語が忘れられることで信徒はおろか聖職者までもが典礼の内容を理解できなくなり、伝統の喪失につながることが懸念されているのである。

こうしたコプト教会の危機に対して、教会の上層部も手をこまねいていたわけではなかった。一〇四八年に総主教フリストドゥロス二世がアレクサンドリアからカイロへ総主教座を移転させたことをきっかけに、コプト語からアラビア語への翻訳が本格的にはじまり、総主教ギブリール二世(在位一一三一―四五年)は典礼語にアラビア語を採用した。これにてコプト教会の文学言語はアラビア語となり、アラビア語コプト文学は一三世紀に最盛期を迎えることとなる(Rubenson 1996)。

この時期のコプト教会では教理問答集の編纂が盛んに行われている。例えば『解明の書』はコプト語を理解できない一般信徒のために、キリスト教の教義と儀式を平易なアラビア語で説明した書であり、アラビア語がもつニュアンスからは本来の意味がわかりにくい、「三位一体」や「神の子」といった言葉について説明している(Swanson 2010: 73-74)。このような措置をもって、教会は司牧上の危機を乗り越えようとしたのであろう。

ファーティマ朝がキリスト教徒やユダヤ教徒を官庁に積極的に登用したり、商業を保護したりしたこともあり、この時期コプト教会はある程度復活を遂げていた印象を受ける。一〇八六年に開催された主教会議にはエジプト全土から四七名の主教が集まっており(Munier 1943: 27-29)、これは七世紀以降に参集した主教の数としては最大のものとなる(病欠の主教二名を合わせると、このときエジプトには四九の主教座があったと推測できるが、一四世紀半ばにはその数は二〇以下になる)。

ただし、教会が様々な問題を抱えていたことは、一一世紀から一二世紀にかけて教会法が三度も制定されていることから窺われる。例えば一〇七八年に制定されたキュリロス二世の教会法には聖職売買の禁止、典礼の省略化禁止、日曜に売買することの禁止について述べており、いずれも当時教会が直面していた問題とそれを乗り越えようとする教会の試みを示唆している。また、ムスリムとキリスト教徒、ユダヤ教徒との関係がイスラーム史上最も良好であったとみなされがちなファーティマ朝期エジプトであるが、マリアン・シェノーダーは、ファーティマ朝期に著されたアラビア語コプト文学に殉教や迫害というモチーフが頻出することに注目し、アラブ化といった社会変容を前にしたコプトの不安を指摘している(Shenouda 2010)。

### 政権との関係

コプト教会の総主教は伝統的に修道士が選ばれていたが、実務能力も重視されていた。とりわけこの時代、総主教は徴税官僚としての出仕経験がある者が多く選出された。また総主教の徴税手腕は政権との良好な関係の維持に重要だった。総主教の主たる義務は「政権への服従」であり、『アレクサンドリア総主教座の歴史』は政権と総主教との良好な関係を強調しようとしていた(詳しくは辻 二〇一八:二九四―二九六頁)。

しかし、前述したキュリロス二世の教会法はファーティマ朝のアルメニア人宰相バドル・アッディーン・アルジャマーリーが教会の内紛に介入したことをきっかけに制定されたものであり、原則として不可侵であるはずの宗教共同体への介入もこの時期増加していく。また、総主教が聖書にあるように山を動かし(「マタイによる福音書」一七章二〇節)カリフを感服させたとする、ファーティマ朝期に遡るムカッタム山の伝説とは裏腹に、これ以降総主教の地位は低下し、政権から金銭を要求され、その資金を調達するために奔走し(それゆえ聖職売買を実施し)信徒から非難されるといった例が目立ちはじめる。

このように教会と政権との関係は良好とは言い難いものの、政権はコプトを官僚として積極的に登用し続けたため、教会と信徒との関係にねじれが生じることとなった。信徒の一部は簿記術を身につけ支配層に取り立てられることで出世し、財産を蓄えた。政権の上層部にパトロンを有するこれら有力信徒たちはその財力とコネクションで教会や修道院を修復・再建し、その上で教会人事に介入し始めた。例えばキュリロス三世後(一二三五年没)の総主教位をめぐっては、数々の官僚や文筆家を輩出したアッサール家を筆頭とするカイロの有力信徒が推すギブリール(彼はかつてアッサール家の書記であった)と、宰相の地位ある者などフスタートの有力信徒が推すアタナシオスが激しく対立し、総主教の空位期を招くこととなった(詳しくは辻 二〇一八:二九八―二九九頁)。

一一世紀から一四世紀にかけ執筆されたアラビア語コプト文学や制定された教会法は、その後のコプト教会の礎となった。アラビア語の採用はコプト教会の生存戦略として成功であったと言えるであろう(コプト語からアラビア語へ翻訳される過程における文化の変容については今後の研究が待たれる)。しかし、教会組織に目をむけると、これ以降記録された主教座の数は減少しており、これはキリスト教徒人口の縮小を示唆する。また、マムルーク朝期には総主教は概ね影響力のない、影の薄い存在になっていた。そして総主教に代わって政権と教会との間を取り持つ有力信徒らが改宗していくと、教会は再び窮地にさらされることとなる。

## 四、アイユーブ朝からマムルーク朝へ

### イスラーム化の進展

一二世紀、サラーフ・アッディーン（サラディン）がイェルサレムを奪回し十字軍が撤退しはじめた頃、パレスチナを含む大シリア地方やエジプトでは都市景観のイスラーム化が進展しはじめた。これは主にモスクやマドラサ（学院）、ハーンカー（修道場）の建設に伴うものであり、王やスルターンなどのパトロネージのもと推進された。同時にこれは、イスラーム神秘主義者であるスーフィーの教団化や改宗活動、そして異教徒の礼拝の場の破壊と並行して行われた(4)（e. g. Luz 2002; Talmon-Heller 2007）。

広義にはスーフィー、狭義にはムスリム聖者の活動により、この時期一般の人々のイスラーム理解が深まり、また地元キリスト教徒のイスラームへの改宗が進展したとされる。その過程においてはスーフィーによる地元の人々の信仰の場や崇敬対象の奪取が起き、それを防ごうとするキリスト教の聖職者との間で争いが見られた。例えば、キリスト教にまつわる史跡はイスラームやムスリム聖者にまつわるものとして塗り替えられていった。これはアナトリアの事例が詳しく研究されているが（e. g. Krstić 2011）、エジプトにおいても同様のことが起きていたと考えられる。

### コプト聖人の活躍と聖人伝の編纂

一三世紀から一五世紀にかけコプト社会にて活躍し、聖人として列聖された隠修士や修道士の行いは、前記スーフ

ィーらの改宗活動への対抗策として捉えることができる。その聖人伝が現代まで伝わるコプト聖人は七名以上確認され、彼ら／彼女は当時コプトが直面した迫害に立ち向かい、また様々な奇蹟を起こしたことで生前から崇敬者を集めた。これら聖人は実在する人物であること、その聖人伝は死後まもなく執筆され、当時の歴史的事件や人物に関する情報を含んでいることが特徴である(詳しくは辻 二〇一六参照)。

例えば一三世紀後半に下エジプトを放浪し各地で奇蹟を起こしたとされる、ユハンナー・アッラッバーンというコプト聖人がいる(一三〇七年没)。彼の生涯と奇蹟を讃えた『ユハンナー・アッラッバーン伝』には、彼が活動したとされる下エジプトの町や村の名前が詳細に記録されている。(5) この『ユハンナー伝』執筆の背景には、下エジプトのタンターを中心とする、アフマド・バダウィー(一二七六年没、エジプト最大のムスリム聖者)とその弟子たちへの対抗意識を指摘できる。一三世紀以降、下エジプトの村々では、スーフィーと、コプト聖人がそれぞれ崇敬者の獲得を競っていたのかもしれない。すなわち、『ユハンナー伝』の著者が下エジプト各地の地名を列挙したのは、ユハンナーに対する崇敬、ひいてはこれら地名がいまだ教会と結びつけられることを、聖人伝を読む(あるいは聴く)信者たちとともに確認する意図があったのではないかと考えられる。

マムルーク朝は外来の支配者として政権の正当性を獲得するため、信仰の熱心な保護者であった。一三世紀後半から、マムルーク朝政府は非ムスリムを官庁から追放したり、彼らを差別化したりする法令を公布し始めた。その中でもとりわけ影響が大きかったと思われるものが、一三〇一年に施行されたズィンミー取締令である。この法令はキリスト教徒は青色、ユダヤ教徒は黄色のターバンを着用するよう命じており、このときマムルーク朝全域において教会やシナゴーグが閉鎖されている。

この法令に抗議したとされるのが、コプト聖人「裸の」バルスーマー(一三一七年没)である。彼は教会封鎖の際にフスタートの教会の梁の上から去ることを拒否し逮捕されたとされる。釈放後カイロ郊外の修道院に移った後もスルターンに教会封鎖やターバンの色に関する措置の撤回を求め続け、その他数々の奇蹟により聖人として讃えられた。なお、一四世紀後半になると、先述した青色や黄色のターバンはキリスト教徒やユダヤ教徒である証として誇りをもって受け入れられるようになっていたようであり、一四世紀後半の聖人伝では再改宗を望む元キリスト教徒が青色のターバンを再び着用する描写が見られる。

## 一四世紀の大量改宗

この時期エジプトにおいて、ズィンミーを改宗に追いやるような社会的圧力が存在したということに関しては、学者たちの意見が一致している(el-Leithy 2006: 29-30)。近年、タメル・エル=ライスィーは改宗したコプトのムスリム社会への同化について論じ、従来指摘されていた改宗したコプトに対する偽改宗の疑惑は多くの場合中傷にすぎず、実際には改宗者の多くはムスリム社会に順応していったことを明らかにした。

ムスリムが記した年代記や人名録に記載された改宗した元コプトのほとんどは官僚経験者である。彼らは官庁やアミール(将軍)の家から追放され生業を失うことを恐れ、あるいはスルターンらに強要され、改宗したとされる。これら官僚は先述した教会を支える有力信徒の大部分を占めるため、改宗は彼らの支援に頼る教会や一般信徒に打撃を与え、さらなる信徒流出につながったものと思われる。ただし、官庁やアミールの家に仕えるすべてのキリスト教徒が改宗したとみなすことにはためらいがある。例えば、第八八代総主教ギブリール五世(在位一四〇九―一四二七年)は官僚出身である。

コプト教会の主だった成員である、農民に目を向けると、例えば一四世紀後半の下エジプトにはキリスト教徒に対する迫害の波が押し寄せたことが窺われる。一四世紀後半に活躍したコプト教会の聖人、ルワイス(一四〇四年没)は下エジプトの出身であったが、父親が改宗圧力に屈し棄教したことに衝撃を受け、故郷を棄てたとされる。また、この時期には『ユハンナー伝』に登場する町や村でキリスト教徒に対する暴動が発生し、教会が破壊されている（*Sulūk*, II, 900-901, 927）。先行研究においては一四世紀半ばに起きたとされるコプトの大量改宗が強調される傾向にある。キリスト教徒は下エジプトから消えたかの印象を受けるが、一五世紀に著されたマクリーズィーの『地誌』は下エジプトの教会やその祭り、聖遺物に言及したり、家の中に隠された秘密の教会について記したりしているので（*Khiṭaṭ*, IV, 1085-1086）、ここではむしろ一四世紀後半以降におけるキリスト教信仰の存続に目を向けるべきかもしれない。

さらに、改宗したコプト官僚の一部は教会とのつながりを維持していたことも知られている。これはムスリムの年代記や人名録にて糾弾されていることであるが、例えば一四世紀後半の上エジプトに生きた修道士、ムルクス・アル＝アントゥーニー（一三八六年没）の聖人伝には、改宗したはずのコプト官僚が修道院に避難してきたり、財政的に援助したりする姿が描かれている。ムルクスも教会も彼らを非難していないことは聖人伝の記述から明らかであり、また聖人伝の記述や当時の記録からは改宗したもののキリスト教への再改宗を望む人々を教会がひそかに受け入れていたことがわかる。これは教会の生存戦略とも捉えることができるが、一四世紀後半の教会にはまだこのような文学を生み出したり、上エジプトの修道院で写本を制作したり、主教たちが儀式のために集まったりする余力があったようである（Youssef 2010）。九世紀とは対照的に、一四世紀の教会に関してはその存続に改宗が決定的な打撃になったとは断言できないのである。

## 五、おわりに

アイユーブ朝やマムルーク朝のスンナ派政策、スーフィーやムスリム聖者の活躍に伴う都市景観のイスラーム化、教会や修道院の襲撃や破壊、ズィンミーを差別化する法令の公布といった改宗圧力により、コプトはその信仰を維持し難くなった。その結果、官庁に仕える有力信徒を筆頭に、一部のコプトは改宗していった。

このような社会のイスラーム化のプロセスは、古代末期におけるエジプトのキリスト教化とパラレルな関係を見出すことができる。ただし古代エジプトの神々はその神殿や神官とともに姿を消したが、コプト教会はイスラーム化の波に抗い今日まで生き残ることができた。これはイスラーム初期に自らを「殉教者の教会」と定義し、信仰上の苦難に打ち勝つ教会のイメージ付けをし、ファーティマ朝期にはそれまでの教会文学をアラビア語に翻訳し典礼言語にもアラビア語を採用することで、コプト語の喪失に伴う典礼の形骸化や信徒の教会離れを防いだゆえとみなすことができる。また、スーフィーやムスリム聖者による改宗活動に対しては、彼らに対抗し、さらには政府による措置に抗うコプト教会の隠修士や修道士らを讃えることにより、改宗を拒む信徒を鼓舞しようとした。

このように、コプト教会は政権や周囲のムスリムとの関係において自らのアイデンティティを確立し、時代の流れに沿って教会のあり方を変えていった。その生存戦略は成功したとは必ずしも言えないが、その存続の意味や戦略に目を向けることにも一定の意義があると言えよう。コプト教会の人々は決してムスリム社会の片隅にひっそりと暮らす少数派ではなく、西アジアにおけるイスラーム史の展開の中に位置づけるべき人々なのである。

## 注

(1) コプト教会の教義は合性論 miaphysite である。コプト・カトリック教会などとの区別という意味において今日の教会は「コプト正教会」と記すべきであるが、前近代の教会については慣例に従い「コプト教会」とする。

(2) 五世紀頃までにはエジプトの人口のほとんどはキリスト教徒になっていたようであるが、五世紀に生きた教父シェヌーテは神殿の神官たちと争ったと伝えられ、アスワンのイシス神殿は六世紀後半に最終的に破壊されていることを考えると、エジプトのキリスト教化は抵抗なしに進行したとはみなしがたく、エジプトにおいて古代エジプトの信仰とキリスト教信仰が重なりあう時期があったと考えるべきであろう。

（3）カラムーン修道院長サムエル（六九五年没）の名をかたった黙示録。著作年と著作言語に関しては議論が続いているが、著作年代は一一世紀であるということはほぼ確定した。著作言語がアラビア語であるという説が有力であるが、コプト語からアラビア語に翻訳されたという説も根強い。

（4）サラーフ・アッディーンがスンナ派イスラームを統治のイデオロギーとし、スンナ派の教育機関としてマドラサ建設を推進したことは有名である。ニムロド・ルツはイェルサレムの郊外を例に、ザーウィヤといった宗教関連施設が次々と建設された結果、その周辺からキリスト教徒勢力が排除されていく過程を社会の「イスラーム化」として描いている（Luz 2002: 135, 150）。

（5）この聖人伝において奇蹟を伝えるユハンナーの弟子たちの中には、下エジプト出身者が複数見られる。それゆえ、一四世紀初頭の下エジプトの事情に通じた者が、この聖人伝の編纂に関わっていたとみなすことができる。この聖人伝は一三世紀後半から一四世紀初頭においてキリスト教徒が在住していた下エジプトの集落を知るための重要な史料となる。アフマド・バダウィーは一二三六年頃にタンターへ移住し、この地を拠点に下エジプトのガルビーヤ地方の村々に弟子を派遣したとされる。

## 参考文献


佐藤次高編（二〇〇二）『西アジア史一　アラブ』山川出版社。

戸田聡（二〇一七）「コプト教会・古代」三代川寛子編『東方キリスト教諸教会——研究案内と基礎データ』明石書店。

辻明日香（二〇〇八）「黙示録からみたイスラム支配下のコプト」『歴史学研究』八四六。

辻明日香（二〇一六）『コプト聖人伝にみる十四世紀エジプト社会』山川出版社。

辻明日香（二〇一八）「イスラーム支配下のキリスト教社会——コプト教会の総主教と有力信徒」柴田大輔・中町信孝編『イスラームは特殊か——西アジアの宗教と政治の系譜』勁草書房。

長谷川奏（二〇一七）『初期イスラーム文化形成論——エジプトにおける技術伝統の終焉と創造』中央公論美術社。

森本公誠（一九七五）『初期イスラム時代　エジプト税制史の研究』岩波書店。

HPEC: Antoine Khater and O. H. E. KHS-Burmester (ed. and trans.), *History of the Patriarchs of the Egyptian Church*, Vol. 1-3, Cairo, Société d'archéologie copte, 1943-1974.

*Khiṭaṭ*: al-Maqrīzī (d. 1442), *Kitāb al-Mawāʿiẓ wal-Iʿtibār fī Dhikr al-Khiṭaṭ wal-Āthār,* Ayman Fuʾād Sayyid (ed.), 6 vols., London, Al-Furqan Islamic Heritage Foundation, 2002-2004.

P. Cair. Arab 167: https://www.apd.gwi.uni-muenchen.de/apd/show2.jsp?papname=Grohmann_APEL_167 最終閲覧日二〇二一年一〇月七日。

PO: Basil Thomas Alfred Evetts (ed. and trans.), *History of the Patriarchs of the Coptic Church of Alexandria*, *Patrologia orientalis* III: t. 10, fasc. 5 (no. 50), Paris, Firmin-Didot, [ca. 1915].

*Sulūk*: al-Maqrīzī (d. 1442), *Kitāb al-Sulūk li-Maʿrifat Duwal al-Mulūk*, Vol. 1-2, Muḥammad Muṣṭafā Ziyāda (ed.), Cairo, Lajnat al-Taʾlīf wal-Tarjama wal-Nashr, 1939-1958.

Carlson, Thomas (2018), "When Did the Middle East Become Muslim? Trends in the Study of Islam's 'Age of Conversions'", *History Compass*, 16-10.

el-Leithy, Tamer (2005), "Coptic Culture and Conversion in Medieval Cairo, 1293-1524 A. D.", Ph.D. diss., Princeton University.

Krstić, Tijana (2011), *Contested Conversions to Islam: Narratives of Religious Change in the Early Modern Ottoman Empire*, Stanford, CA, Stanford University Press.

Luz, Nimrod (2002), "Aspects of Islamization of Space and Society in Mamlūk Jerusalem and its Hinterland", *Mamlūk Studies Review*, 6.

Munier, H. (1943), *Recueil des listes épiscopales de l'Église copte*, Cairo, Société d'archéologie copte.

Papaconstantinou, Arietta (2011), "Hagiography in Coptic", Stephanos Efthymiadis (ed.), *Ashgate Research Companion to Byzantine Hagiography, Vol. 1: Periods and Places*, Surrey, Ashgate Variorum.

Papaconstantinou, Arietta (2020), "A Monk Deploring the Assimilation of the Christians to the Hagarenes: Attributed to a monk called Apollo (fourth/late tenth or fifth/eleventh century)", Nimrod Hurvitz et al. (eds.), *Conversion to Islam in the Premodern Age: A Sourcebook*, Oakland, CA, University of California Press.

Rubenson, Samuel (1996), "Translating the Tradition: Some Remarks on the Arabization of the Patristic Heritage in Egypt", *Medieval Encounters*, 2-1.

Shenoda, Maryann (2010), "Lamenting Islam, Imagining Persecution: Copto-Arabic Opposition to Islamization and Arabization in Fatimid

Egypt (969-1171CE)", Ph.D. diss., Harvard University.

Sijpesteijn, Petra M. (2013), *Shaping a Muslim State: The World of a Mid-Eighth-Century Egyptian Official*, Oxford, Oxford University Press.

Sijpesteijn, Petra M. (2019), "Policing, Punishing and Prisons in the Early Islamic Egyptian Countryside (640-850 CE)", Alain Delattre et al. (eds.), *Authority and Control in the Countryside: From Antiquity to Islam in the Mediterranean and Near East (6th-10th Century)*, Leiden, Brill.

Swanson, Mark (2010), *The Coptic Papacy in Islamic Egypt (641-1517)*, Cairo, American University in Cairo Press.

Talmon-Heller, Daniella (2007), *Islamic Piety in Medieval Syria: Mosques, Cemeteries and Sermons under the Zangids and Ayyūbids (1146-1260)*, Leiden, Brill.

Wilfong, Terry (2002), *Women of Jeme: Lives in a Coptic Town in Late Antique Egypt*, Ann Arbor, University of Michigan Press.

Wipszycka, Ewa (1992), "Le nationalisme a-t-il existé dans l'Egypte byzantine?", *Journal of Juristic Papyrology*, 22.

Wipszycka, Ewa (2010), "The Institutional Church", Roger S. Bagnall (ed.), *Egypt in the Byzantine World: 300-700*, Cambridge, Cambridge University Press.

Youssef, Youhanna Nessim (2010), "Athanasius of Qus and His Time", Gawdat Gabra and Hany N. Takla (eds.), *Christianity and Monasticism in Upper Egypt*, Vol. 2, Cairo, The American University in Cairo Press.

Ziadeh, J. (1915-1917), "L'apocalypse de Samuel, supérieur de Deir-el-Qalamun", *Revue de l'Orient chrétien*, 20.

コラム | *Column*

# 子を喪ったイスラーム教徒にいかなる慰めがあり得たのか

大稔哲也

人生のさまざまな悲苦のうち、我が子や愛する家族を喪ったことによる悲苦は、その最たるものであろう。前近代の西アジア・ムスリム社会においても、たび重なる疫病や飢饉、戦乱などに際して多くの子供や家族の命が失われ、生き残った者の悲嘆は筆舌に尽くしがたいものであった。とりわけ、一三四七年以降、西アジアにおける黒死病の流行は猖獗(しょうけつ)を極め、疫病に対して弱い立場にあった子供たちが多く犠牲となるとともに、子供を喪う親も続出した。マンビジーによる『災禍に遭った人々の慰め』(他者の著作とする見解もある)は「(一三七四年の黒死病で)最も多く亡くなったのは子供であり、我々の友人達はその子供をすべて喪い、一人も生き残らなかった」と記していた。九人の子を亡くした親の例も史料に見える。この前提として、親子や家族の間に強い愛情の絆が存在し得たことは、当時の史料からも看取することができる。そのように絶望の淵にあった遺族に対して、いかなる慰めがあり得たのであろうか。とりわけ、かかる状況下にあって、(宗教としての)イスラームはいかにしてこのような辛苦を抱えた人々の心情を汲み取り、支えたのであろうか。

西アジアのムスリム社会では「中世」を中心として、このような遺族を慰めるために『子(や愛する者)を喪った遺族を慰める書』というジャンルの書物が縷々著されてきた。その総数は研究者によって意見が異なるものの、約二〇―六〇点とされる。また、主流のスンナ派だけなく、シーア派の著者によっても書かれていた。一四世紀以前から書き継がれてきたジャンルであるが、黒死病流行以降はさらに点数が増え、執筆動機や惨状の描写も具体性を増していった。著者の中には、実際に子を喪った著名学者も多い。例えば、碩学スユーティー(一五〇五年没)はその兄弟と子供の大半を亡くしたといい、イブン・アビー・ハジャラ(一三七四/七五年没)は一三六三年に息子ムハンマドを黒死病で喪ったことを執筆動機としていた。イブン・ナースィル・アッ=ディーン(一四三八年没)も善き友らの子供の死を動機に挙げていた。

これらの著作は、『クルアーン』や『ハディース』(聖伝承)を頻繁に引用し、預言者ムハンマドや教友以降の先人の事例も加えて、「忍耐」(サブル)を詳しく説き、慰め(タスリヤ、サルワ)へと導いていた。クルアーンとハディースは大半の説明の源泉となっており、クルアーンの言葉の力とムハンマドら先人の範例が拠り所とされていた。また、忍耐は最も重視されており、分類されて詳述されたほか、それに特化した書物も編まれていた。もともとイスラームの教えは、それ以前の諸宗教・習慣と一線を画すかのように、死に接して取り乱す態度を忌避する傾向を明確に打ち出していた。それゆえ、哭き女の慣習は禁じられ、ムフタスィブ(市場・風紀監察官)の取り締まり対象ですらあった。その一方で、人間的な感情そのものが否定されたのではなく、さめざめと泣くことは貴ばれ、聖者の徳目にも数えられていた。そして、忍耐と慰めのどちらへ重心を傾けるかは、著者によって異なっていた。

また、この問題は、周囲の様々な問題系とも不可分であった。例えば、子供の埋葬場所、墓の形態、子供は天国に入るのか、あるいはどのように墓参されるべきかなどである。墓地というトポスは、特定の死者に対して祈願を捧げる埋葬地であっただけでなく、全ムスリムにとっての集団的な祈願の場ともなっていた。さらに、人々の集合的な記憶の集積地であり、それが墓や墓廟に具現化された空間でもあった。そこは歴史上の著名人の墓で満ちており、聖者廟は夥しい数の参詣者を集めていた。エジプトでは行楽や居住の場にすらなっていた。イブン・アビー・ハジャラは聖者・教友であるウクバの伝記を著してその傍に息子を埋葬し、聖者に対する神の恩寵にあやかろうとしていた。この背景には、当時のムスリム社会における預言者崇敬と聖者崇敬の高まりを指摘できる。さらには、民衆の宗教的な知識と熱情を支えたワーイズ(宗教諫言師)などの語りとも密接に関連していたことであろう。

これら全ての背景として、「イスラームの内面化」も指摘できよう。当時のムスリム社会は、キリスト教徒やユダヤ教徒から大量の改宗者を迎え入れていたものの、そこに落ち着かない人々の心の揺れ(中途半端な改宗や元の宗教への復帰など)もしばしば記録されていた。そのような中にあって、一方にスーフィズムや聖者崇敬・預言者崇敬の高揚があり、他方にはムスリム社会をあるべき初源の姿へ戻そうとする学識者を中心としたうねりが見られた。かかる状況を筆者は「イスラームの内面化」から説明してきた(拙著『エジプト死者の街と聖墓参詣』)。改宗時から一―数世代が経過し、ムスリムとして生まれた者たちが、改めてイスラームへの信仰を自己の内面の問題として受容していく過程が広く見られたのである。

では、悲しみの極致にあった子を喪った親は、いかに慰められ得たのであろうか。そこにおいては、子と遺族が天国入りを確約されることが重視されただけでなく、実際に多くの子を喪った預言者ムハンマドや先人の事例に対する共感的な受容が有効に機能していたと考えられる。同じく喪失体験を共有する存在の重要性は、死をめぐる今日の諸学の議論ともかけ離れていないように思われる。ムハンマド自身が七人の子のうち娘ファーティマ以外の全員を喪っていたという事実は、類似の不幸に遭った人々にとって決定的な意味を持っていたのではなかろうか。そして、彼の死への抑制的かつ人間的な対応(忍耐)と、子供を喪った親への共感的配慮は人々の心を深く捉えたに相違いない。それは当時、西アジアに共在した他の一神教から同じ形では得られないものでもあった。

集点 Focus

# 中世のユダヤ人

## ――ともに生きるとは

佐々木博光

### 一、迫害か共存か――第三の道

中世ユダヤ人史研究の泰斗ハンス・イェルク・ギロメンは、二〇〇八年にトリーアのアリー・マイモン研究所で行った講演で、研究所創立者のアルフレート・ハーファーカンプの「共同市民制」に関する論稿を批判的に取りあげた。この概念にハーファーカンプは、市民権に基づく、このため原理的な同権に基づくキリスト教徒とユダヤ人の共生をみる。これは、ヘルバート・フィッシャーのドイツ名をもつユダヤ人の歴史家アリー・マイモン(一九〇三―一八八年)――『ゲルマーニア・ユダイカ』第三巻の編者。功績を称えトリーア大学のユダヤ史研究所は彼の名を冠する――の議論に依拠しつつ、それを再解釈するものであった。一四世紀初頭には、都市がユダヤ人を保護する代わりに高額の租税給付を要求する協約が陸続した。ハーファーカンプは、ここに両者の共生をみる。彼はそのおかげで、英仏のような中央集権化された領域に比べ、ドイツ諸都市ではユダヤ人追放が後れて行われることになったとまで云う(ハーファーカンプ 二〇一八：二六四―三一〇頁)。共生論の論者がよく引証するこのハーファーカンプの論は、フィッシャーの論を反転させたものであった。すなわちフィッシャーが、協約によって文書で確認され、有償になり、期限が付けられたことを両者の関係の後退とみたのに対して、ハーファーカンプはそれをむしろ前進とみたのである(Gilomen 2009: 9f)。これに対するギロメンの批判は一点だが鋭い。すなわちドイツ諸都市でキリスト教徒とユダヤ人の共生は、中世後期にペスト・ポグロム(一三四八/四九年)の破壊によって、その後誕生した共同体も追放によって終焉を迎えたことをみれば、このような史的発展を共生論によって説明するのは無理があるというものである(Gilomen 2009: 57)。

たしかにヨーロッパ・ユダヤ人の歴史が、差別や迫害の文脈で語られがちであったのは事実である。いっぽうで迫害と迫害のあいだに長い共存の時代が続いたことも確かであり、キリスト教徒とユダヤ人の共存・共生に力点を置く研究も、近年は増えつつある。差別や迫害に偏った研究動向に対する反動として、共存の側面が注目されるのは自然の成りゆきかもしれないが、それはまた別の重要な側面を逸する危険も伴う。先述のギロメンが指摘するのは、まさにこの点である。このような弊を避けるために、ここでは迫害か共存かという二者択一を捨て、別の手法を選ぶことにしたい。一見平和的に映る共存の時代も、迫害で頂点に達するような、絶えざる緊張関係のなかの共生であることを忘れてはならない。このような問題関心に導かれ、ここでの考察は以下の手順をふむ。第二節で、キリスト教徒とユダヤ人の共生が緊張関係に移行する画期を探る。つぎに第三節で、緊張関係の存在とその亢進を多面的に論じる。第四節ではこのような緊張関係を背景とした中世のユダヤ人史を、とくにドイツをモデルケースとして解説する。最後に第五節で、後のユダヤ人史への展望を開き、共存のための条件を探りたい。

## 二、西欧中世ユダヤ人史の画期

中世ユダヤ人史の研究者は、一三世紀を境にユダヤ人の境遇が劇変したという点で意見の一致をみる。それ以前の中世前期には、彼らの活動は各種の商業特権によって保護されており、享受する法的な地位も良好であった。彼らは都市に永住権を有し、一等地に「ユダヤ人街」を形成し、そこに集住するのがつねであった。しかし中世後期には、かつての商業特権は剝奪され、もはや期限付きの定住権しか認められず、期限が来ると更新料を払わなければならなくなる。最後は更新も履行されず、彼らは都市を退去せざるを得なくなる。ユダヤ人追放である。

このようなユダヤ人の地位の降下については、これまで二種類の説明がなされている。一つは経済史の研究者から、いま一つは宗教史の研究者から出ている。歴史派国民経済学のヴィルヘルム・ロッシャー(一八一七―九四年)は、発展段階の低い社会では、商業やそれに携わる商人は蔑視される傾向にあり、商業はえてして異邦人居留民に委ねられるという。西欧中世ではユダヤ人がその役割を担った。その後社会の発展が進むと、商業に対する賤視も和らぎ、ロッシャーの表現を借りるならば「国民的商人」の台頭があり、彼らはユダヤ人商人と競合関係に入る。やがて彼らによって商業を追われたユダヤ人商人は、金融業者に転身する。キリスト教会は信者が利子取引に携わるのを固く禁じたので、金融業はユダヤ人の寡占状態となり、恣意的な利率の操作もはびこるようになる。そしてそれが、ユダヤ人の地位が悪化する元凶になったという(Roscher 1878)。

ユダヤ人が高利貸し業に転身したことが、ユダヤ人の地位を貶める原因であったという経済学者の説明以外では、宗教史の観点に立つジェレミー・コーエンの説明がある。ユダヤ人の地位が劇変する一三世紀の特筆すべき出来事として、彼は托鉢修道会の誕生を挙げる。南仏のカタリ派異端の回心に尽力した聖ドミニクス(一一七〇?―一二二一年)が開いたドミニコ会は、おなじく托鉢修道会であるフランシスコ会とともに、異端の審問・回心・征討で中心的な役割を担った。本来ユダヤ人は異教徒であって異端ではないが、彼らがトーラー(律法)の解説書として利用する『タルムード』は、反キリスト教的な内容であふれ、それが異端を生む温床になっていると非難された。一二四二年には、教皇グレゴリウス九世の指示を受けた仏王ルイ九世によって、パリで『タルムード』の大がかりな焚書が実施された。ユダヤ教の聖典はキリスト教徒の聖典(『旧約聖書』)でもある。このため『旧約聖書』のユダヤ人は許すが『タルムード』のユダヤ人は認めない、がモットーとなった(Cohen 1982)。

どちらの説明に理があるのかは、俄かに判断しがたい。ユダヤ人の地位が一三世紀を境に後退したのは間違いないとしても、この点をあまり強調しすぎるのは問題がある。というのも、地位の低下はすでに一〇九六年、聖地の奪回に向かうために参集した十字軍兵士が、ライン川流域司教都市(ケルン、マインツ、トリーア)のほか、ヴォルムス、シュパイアーのユダヤ人共同体をつぎつぎに襲撃した例にみられるように、一一世紀末には始まっていたからである。また儀礼殺人容疑による迫害が最初に生じたのも、一一四四年イングランドのノリッジにおいてであった。儀礼殺人とは、ユダヤ人が過越祭などの彼らの儀式に、キリスト教徒のこどもの血を使うというキリスト教世界の古くからの言い伝えである。過越祭の時期(キリスト教徒の復活祭の時期)にキリスト教徒のこどもの失踪や殺害が発覚すると、地域のユダヤ人共同体に嫌疑がかかるのは必定であった(シャー 二〇〇七)。こうした早期の例があるとはいえ、ユダヤ人に対する迫害の頻度が増すのは、やはり一三世紀以降のことである。

以上を整理すると、遅くとも一〇九六年以降は、両者の共生は緊張関係のなかに置かれた。そして一三世紀以降、緊張の度合いは一段と増すことになる。このような緊張状態の底流を、以下で説教や受難劇といったメディアを通じて確認したい。

## 三、緊張のなかの共生

### 説教

盛期中世には説教を専門とする説教師の職が現れる。一三世紀に出現した托鉢修道会の付属学校が、説教師の養成所として機能した。とくにフランシスコ会は優れた説教師を輩出することで知られた。説教の内容を知るために、説教師が原稿として使った範例説教と、数は少ないが聴衆が説教を書きとめた筆録説教の二種類がある(大黒 二〇〇六：一〇〇―一三七頁)。先行研究は、説教史料が反ユダヤ的な言説の宝庫であったことを確認している。ここでは、スペインのドミニコ会士ビセンテ・フェレール(一三五〇―一四一九年)をモデルケースとして取りあげる。彼はユダヤ人社会にもその名を知られた説教師であった。フェレールが活動した時代は、カトリック教会の大分裂(シスマ)の時期(一三七八―一四一七年)に当たる。彼はアヴィニョン教皇を支持し、反高利説教の先頭に立った。一四〇四年にはスイスのローザンヌに説教に赴いている。予定を拡大し、三月九日にフリブールに入り、当地のフランシスコ会修道院に逗留し、三月二一日までフリブールとその周辺で合計一六の説教を行った。彼は、歓喜の主日(四旬節の中日、三月九日)の日曜日にフリブールで説教を開始した。木曜までにここの市内で五回、金・土にムルテンで二回、翌週の日・月にパイェルヌで二回、火・水にアヴァンシュで二回、最後に木・金(三月二〇／二一日)にエスタヴァイエ＝ル＝ラックで五回説教を行った。総じてホストを務めたフランシスコ会士のフリードリヒ・フォン・アンベルクが、フェレールに随行し説教を筆写した。これらの説教の筆記録は、こんにちフリブールのフランシスコ会図書館に保管されている(Tremp 1995: 92)。

ビセンテ・フェレールの説教は、現地社会への影響絶大であった。この点はカトリン・ウッツ・トレンプの研究に詳しい。フェレールの説教の反ユダヤ的な性格の検討に入るまえに、彼の説教が現地社会に残した痕跡を示す事例をふたつ紹介したい。フェレールが一四〇四年三月一四日(金)と一五日(土)にムルテンで行った説教は、ユダヤ人高利貸しだけでなく、あるいはそれ以上にキリスト教徒高利貸しを断罪する反高利取引がテーマであった。この説教の残影が鮮烈に残っていたと思われる金貸しの遺言がある。一四〇九／一〇年、ハイテンヴィルの仕立屋ヘンスリは、死の直前にしたためた遺言で、ビセンテ・フェレールの到着前に、彼が高利――年利一〇%――で金を貸したすべての相手に、その時期以降一プフントにつき一二デナリウスを割り引くように相続人に指示した(Tremp 1995: 100-101)。

またフェレールは反キリスト説教で、反キリストが神の国の到来を妨害するために行う所業を解説する。反キリストの第二の仕事は、俗人指導者が在俗聖職者の問題に介入し、彼らの情婦のせいで聖職者を罰することである。フェレールによると、在俗聖職者の品行がどれだけ乱れていても、彼らは在俗聖職者に一切干渉してはならない。いっぽう俗人指導者は情婦には介入し、彼女らを罰し、投獄し、もしくは地所から追放すべきという(Bretle 1924: 187)。彼は一四〇四年にベルンで反キリスト説教のこの一節を取りあげたに違いない。ベルンの年代記作者コンラート・ユスティンガーによると、ベルンで一年後の一四〇五年に「坊主の情婦」が時計塔に閉じ込められる事件が起こった。しかし「坊主」自身には誰も手を出せなかった。なぜなら彼らは、「俗人が彼らを罰することも追放することもあってはならない」と反論したから(Tremp 1995: 96f.)。いずれもフェレールの説教が残した影響の大きさを物語る事例である。

つぎに彼の説教の反ユダヤ的な言説を紹介する。先にあげた反キリスト説教で、フェレールはさらに続ける。反キリストの最後の仕事は「ユダヤ人をもち上げる」(≪Iudeos exaltabit≫)ことだという。長くなるが、その箇所を引用してみよう。

〔反キリストの〕第四の仕事は、反キリストがユダヤ人をもち上げるということだ。すなわち、キリスト教信仰を冒瀆するために、多くの場所でユダヤ人がキリスト教徒よりももち上げられ、優遇される。それは大きな罪であって、反キリストがたくさんいるということを確信させる。だから心しなさい、〔中略〕ユダヤ人に寵愛と同意を与えることがないように。おなじく彼らはキリスト教徒の食用肉に触れてはならないし、キリスト教徒とおなじ食料品市場を使ってはならない。おなじく彼らは、すくなくとも公の場所で、キリスト教徒の使用のために売られる、ほかの何物にも触れてはならない。彼らは一部だけ、彼らに番が回ってきたときに、生活必需品を買うことができる。おなじく彼らは、自分たちのこどものためにキリスト教徒の栄養を取ってはならない。例えば、非難されるこのような人は、洗礼の秘蹟でユダヤ人に乳を与える人である。おなじく彼らは自分の家でキリスト教徒の召使いを雇ってはならない。最悪でも召使いがそこで一夜を過ごすようなことがあってはならない。しかしそれ以外の下働き、例えば石工や大工などを、昼間雇うことはできる。ユダヤ人は自分たちの地所で働く人や農夫を連続して雇うことができる。おなじく彼らは、衣服においてキリスト教徒とはっきり分けられなければならない。だから男子は、隠れた割礼の痕を標示するために、赤い布で作った輪を胸につけなければならない。例えばこれをつけていなければ、彼らはとくにキリスト教徒の婦人に混じり、多くの悪事を働くからだ。ユダヤ人の女子も、標示をつけなければならない。頭に、すなわち上から額に垂らすように。(Brettle 1924: 187)

このユダヤ人攻撃のもっとも顕著な特徴は、積み上げられる接触忌避の数々である(Tremp 1995: 98)。これらは、中世後期の諸都市の条例に現れる反ユダヤ立法の総決算のようにも映る。

ベルンではフェレールの来訪と時期を接して、一四〇四/〇五年にユダヤ人の追放が起こった。しかしすでに一四〇八年には再度ユダヤ人が受け入れられた。というのは、一四〇五年に火災が発生し、四月に五二軒、五月には六〇〇軒もの家屋が焼失し、復興の必要から、ユダヤ人は都市住民向けの貸付業務を期待されたからである。この都市火災は、ユダヤ人を敵視する勢力からは、彼らユダヤ人を市民として受け入れた措置のせいだとされた。たとえば年代記作者のコンラート・ユスティンガーは、この災禍に、これらキリスト教の敵を受け入れ、彼らの罪深い業務のために都市の付印のある保護状すら与えることに対する神の罰をみる(Gilomen 2000: 99)。一連の動きに、フェレールの説教の影がみえるのではなかろうか。

ベルンでユダヤ人に対する再度の、そして最終的な追放が一四二七年に行われる。高利に対する激しい論戦が引き金になった。五月一〇日、市長と市参事会は、神とその母、全ての聖人の名誉のために、暴利を貪るユダヤ人やロンバルト人を、今後はベルン邦、その諸都市、その諸領域に、もはや受け入れないことを決議した。ユダヤ人だけでなく、キリスト教徒のイタリア人高利貸しも同時に追放されているのが、注目に値する。ベルンで高利の拒否が追放の核心であったことは明白である(Gilomen 2000: 104ff.)。ユダヤ人高利貸しを斬り、返す刀でキリスト教徒高利貸しを斬る、先に触れたフェレールの反高利説教の残影を感じさせる一件である。

巡回説教師の反ユダヤ的な説教が地域社会に及ぼす影響の一端が垣間見れた。ユダヤ人は地域社会の一員として、たしかにキリスト教徒と共生関係にあった。しかしそれは、今流の表現を使うならば、激しいヘイトスピーチにさらされての共生であった。しかもそれを抑止する可能性のある権力はつねに不安定で、その対応も流動的であった。遅くとも中世後期には、ヘイトスピーチは激しさの度を増し、それはしばしばヘイトクライムの呼び水になった。これが、共生の現実である。われわれはそのことを忘れるべきではない。

## 受難劇

復活祭期間やその前後に催される受難劇は、反ユダヤ感情の高揚に一役買ったといわれる。一四世紀後半、一五世紀の警察規定や市参事会条例は、劇の上演中にユダヤ人をキリスト教徒の攻撃から保護することに配慮した。フライブルク・イム・ブライスガウではすでに一三三八年に、市当局がユダヤ人を愚弄するすべてのシーンの上演を禁じている。一四六九年のフランクフルト・アム・マインの警察布告は、劇のあいだユダヤ人に自宅にとどまるよう指示した。四旬節期間、とくに受難週は、典礼や礼拝の催し――説教とともに受難劇もそれに加えられる――によって、地元のユダヤ人にとって、とくに危険な時期であった。ここではエーディト・ヴェンツェルの研究に依拠しながら、フランクフルト受難劇の伝統をモデルケースとして紹介する(Wenzel 1992: 47; 土肥 二〇一〇:六七―七一頁)。

フランクフルトには、一四世紀前半の監督用台本と一四九三年の劇写本の二種類の受難劇関係史料が残っている。一五〇年を隔てる二つの台本の異同は、この間のユダヤ人の境遇に起きた変化を垣間見せてくれる。初期のフランクフルト受難劇は、一三一五年以降四五年以前の作と同定される。プロローグで、アウグスティヌスが登場し、『旧約聖書』の七人の預言者ダビデ、ソロモン、ザカリアス、ダニエル、ホセア、エレミヤ、イザヤを順に舞台に呼び、彼らの預言をもって、ユダヤ人のまえで、イエスがメシアであることを証明するよう要請する。ユダヤ人たちは預言者の説得を頑なに聞き入れようとしない。ヴェンツェルによれば、このフランクフルトの台本は、開幕シーンでユダヤ人をネガティヴな姿で描く点で、一四世紀には先例がないという。またユダヤ人の配役の名前には、当時よくみられたユダヤ人の名前が使われており、さらに衣服や言語がよく知られた地元のユダヤ人を連想させた。このような措置によって、ユダヤ人に対する反感が増幅されたことは、想像に難くない。

イエスの生涯と受難という本題に入ると、ユダヤ人の登場シーンはほとんどない。ユダの背信も、ごく簡潔に三つの発言だけで済まされる。これは、このシーンを大幅に脚色し、ユダヤ人をユダとの交渉によって強欲な高利貸しと描く、後世の受難劇と対照的である。続くキリスト受難のシーンでも、ユダヤ人は目立たない役割しか演じていない。これも、ユダヤ人がそそのかした拷問を、テクストにまんべんなく拡散する後世の受難劇とは対照的である。

開幕のシーン以外では、最終場面においてユダヤ人は中心的な役割を担う。最終場面は、キリスト教(エクレシア)とユダヤ教(シナゴーガ)の討論とユダヤ人の改宗で終わる。他の台本では、シナゴーガがエクレシアの論証に屈することが多いが、フランクフルトの台本では、シナゴーガは度し難いまま終わる。彼女はエクレシアの論証に打ち負かされるのではなく、従者の改宗によってやむなく屈する。このシーンとともに、舞台上でキリスト教の勝利が具象化される。全体として、フランクフルトの初期の受難劇では、ユダヤ人の先鋭化された脚色は、まだ開幕シーンと最終シーンに限定されている。イエスの生涯と受難の演出は、後世広く上演されるような、耐え忍ぶメシアと残忍なユダヤ人のコントラストに、まだ基づいていない。最終場面は反ユダヤ的な目的をもたず、伝統的な護教論において、キリスト教信仰の結束を強化しようというものであった。

つぎに一四九三年版の考察に移るが、こちらは完全な形で残っているわけではない。一四世紀前半の版の最終シーンに当たる部分が欠落している。しかしそこまでの場面については、対応するものがあり、この間の劇の変化を十分に窺わせる。『旧約聖書』の預言者たちが登場する序幕は、大幅に拡大され、さらに注目すべき変更が加えられる。預言者たちの改宗の説得に、現在のユダヤ人の指導者たちが反論するという構図は変わらない。しかしユダヤ人サイドの言い分に、昔の版になかった新たな要素が加わる。彼らは預言者ダニエル、ザカリアス、イザヤの言葉から学ぶことはなく、むしろ同時代のユダヤ人の手本にならって金融業を営むという。シナゴーガは「担保を取って小口の融資を行う」ことを説く。ラビのヤーコプは、「この銭袋にどのくらいのお宝が詰まっていることか」と誇ってみせる。イエスの敵というユダヤ人に対する神学的な告発に、前後を顧みず利殖に励む守銭奴という非難が新たに加わる。ユダヤ人のエリートは、彼らの台詞によって、貪欲の化身に仕立て上げられる。ラビのリーバーマンは、舞台上で、エレミヤの畏怖の念を起こさせようとする言葉に、貸金業による富裕化という己の上首尾な職業実践を語ることで応じた。それは観客にも馴染み深いユダヤ人像だったに違いない。大名貸しをする力のある金貸しではなく、担保として「どんな家庭用品」も受け入れることを厭わない小口融資専門の質屋業者である。台詞にある「衣服」や「リンネルのタオル」といった担保物件は、フランクフルトの担保物件リストから、歴史的な現実にマッチしていたことが検証されている。度重なる追放や棄捐令(きえんれい)の痛手で、一部の例外を除けば、ユダヤ人金融業者の大名貸しは全く機能不全に陥った。彼らは担保を取った小口融資に業務転換した。中世後期のユダヤ人金融業は、概ね都市住民相手の質屋業であった。都市民にとっては、ユダヤ人金融業の脅威が身近になったことを意味した。舞台上のユダヤ人は、このようなネガティヴなイメージを投射するのにうってつけに仕立て上げられた。これは初期の劇の序曲にはなかった展開である。したがって一四九三年のフランクフルト受難劇のユダヤ人に対する経済的な告発は、一五世紀に生じた社会生活の新たな展開に呼応したものであった。

初期の台本ではリードに続いて洗礼者ヨハネの物語があるが、それは一四九三年の版では省かれる。ローマ皇帝のまえにユダヤ人が登場するシーン、ユダヤ人の注進のシーンが続き、そこでユダは自分の主人を裏切ることを明言する。初日は、シナゴーグの指揮下でユダヤ人がイエスを逮捕するところで終わる。この箇所のユダヤ人シーンの大部分が、初期の台本にはない。そこでは、ユダヤ人の注進だけが簡単に演じられていた。いっぽう一四九三年の版では、このシーンが占める比重はことのほか大きい。このシーンで、イエスの逮捕があり、その死が最終的に決まった。実際の福音書には大祭司とパリサイ人の注進に関する手短な報告があるだけだが、それは受難劇では改変され、イエスの生涯と教えに対するユダヤ人の卑劣な陰謀という筋に生まれ変わった。こうしてこのシーンに即して観客が改めて認識するのは、大祭司やパリサイ人の小集団ではなく、集団としてのユダヤ人が、キリストの死に責任を負わなければならないということであった。ここでは、俗語劇におけるシーンの加工が、キリストに対するユダヤ人の敵対的な姿勢を、聖書のテクストよりも強く際立たせている。

二日目の演目は本来の苦難の物語(キリストの受難と埋葬)に集中し、従来のシナリオよりもさらに強く、罪もなく苦しむキリストと罪深いユダヤ人の対照を際立たせる。ユダヤ人は幕の大部分を占める尋問に相当関与し、イエスの鞭打ちを先導し、最後は磔刑の準備も手伝う。鞭打ちおよび磔刑の準備は、初期の劇にはない、新たに加わった要素である。このシーンとともに、劇は一三世紀以来の造形芸術が伝える範にならう(Wenzel 1992: 35-91)。この時期およびそれ以降の図像は、イエスの拷問者に、いわゆるユダヤ人帽という先の尖った帽子を被せ、それによって彼らがユダヤ人であることを明示する(Blumenkranz 1965: 17ff.)。磔刑の準備でも、中心的な役を演じるのはユダヤ人である。十字架への釘付けという拷問が、冷酷無比な正確さで、さもそれを誇示するかのように演じられ、そして冷静に解説された(Wenzel 1992: 93f.)。

初期のフランクフルト受難劇は、すでに反ユダヤ的な性格を秘めていた。しかし、いまやその反ユダヤ的な性格は決定的に拡張をみた。ユダヤ人は変わりようがない頑迷な不信心者としてばかりでなく、同時に貪欲な高利貸しとも描かれる。預言者側のあれこれの改宗の試みに、ユダヤ人はぎっしり詰まった銭袋を誇示することで応じる(Wenzel 1992: 98)。また新たに鞭打ちと磔刑のシーンが加わり、ユダヤ人のかかわりが誇張されることで、受難劇は反ユダヤ的な性格をいっそう強めた。ブルーメンクランツは、ユダヤ人帽を被った男性が、十字架に釘打ちをする図像を紹介している(Blumenkranz 1965: 51)。

以上の視覚に訴えるメディアにも、反ユダヤ的な性格は早くから表れており、中世後期になると、それは激しさを増す。キリスト教徒とユダヤ人の共生は、早くから緊張のなかに置かれていた。その緊張は一三世紀以降一段と激しさを増すことも確認された。次節では、このような緊張を背景として展開された中世ユダヤ人史を、ドイツをモデルケースとして概説する。

## 四、中世ユダヤ人史

キリスト教徒が多数派を形成し、ユダヤ教徒がマイノリティの地位に甘んじるというヨーロッパの宗教地図が確立したのは、古代ローマ帝国の時代である。ローマ帝国時代に出来上がった宗教地図は、西ローマ帝国滅亡後、異教徒の王たちが進んでカトリックに改宗したためにますます確固たるものになった。西ヨーロッパ世界でユダヤ教徒のマイノリティとしての地位がこうして確定した。しかし中世初期には、ユダヤ教徒の境遇は決して悪くなかった。一〇九六年に広範な迫害が起こったことはすでに触れたが、初期中世にはむしろそれは例外的であった。ユダヤ人を保護することは、国王の徳目に数えられた。ドイツでも、ユダヤ人の法的な地位が高かったことが確認できる。シュパイアー司教リューディガーが、一〇八四年にユダヤ人を受け入れるさいに、彼らに各種の商業特権を備えた最善の法を与えると約束した。一〇九〇年二月一九日、ハインリヒ四世が司教の勧めでシュパイアーのユダヤ人に発布した証書から、この法の交付が現実のものであったのがわかる。同じ頃、皇帝はヴォルムスのユダヤ人にも同様の特権を付与している(Avneri 1968: XXIf.)。

これに対して、中世後期になるとユダヤ人の地位は悪化の一途をたどった。国王はユダヤ人を保護する見返りとして、ユダヤ人から各種租税を独占的に徴収する権限を与えられていた。ユダヤ人の地位が悪化するにつれて、保護という側面は後退し、単なる課税対象という側面がいよいよ浮上する。一二三六年のフリードリヒ二世の証書で、彼らは「国庫の下僕」,Kammerknecht と呼ばれている(Avneri 1968: XXIII)。この呼び名は急速に普及し、様々な局面で使われるようになる。ユダヤ人の地位の悪化を示唆する兆候であった。

一三世紀末から帝国では広域に及ぶユダヤ人迫害が続発する。一二九八年にはアルザス、西南ドイツからスイスにかけての一帯で、リントフライシュという名の王と名乗ったことに起因する。半世紀と経たない一三三六年に、やはりおなじ地域にアームレーダーの王のポグロム波が起こり、それが一三三八年まで続いた。やはり首謀者たちが王を名乗り、上腕(アーム)に革(レーダー)のベルトを巻いていたことに由来する。さらに一三四八/四九年には、サヴォア、スイスからドイツに及ぶより広範な地域に、ペスト・ポグロム波が荒れ狂った(Toch 1998: 60ff.)。ユダヤ人社会には殉教録を残す習慣があった。ニュルンベルクにはユダヤ人の殉教録が現存する。それによると、一二九八年の迫害で七二八人の、一三四九年の迫害で五六二人の、ニュルンベルク・ユダヤ人の死亡が記録されている(Maimon 1995: 598, 604)。

ここからはドイツ都市、とりわけニュルンベルクをモデルケースとして解説を続ける。迫害を辛くも逃れ、難民化したユダヤ人たちはその後どうなったのか。彼らはたいてい都市に舞い戻った。元いた都市であることもあれば、それ以外の都市であることもあった。ニュルンベルクでは一三四九年一二月五日に迫害が勃発した。早くも一二月一八日にはユダヤ人難民の第一陣の帰還が始まっている。帰還までのインターヴァルは都市によってまちまちである。一三四九年二月一四日に迫害を経験したシュトラースブルクでは、新たな受け入れは二〇年が経過した一三六八年になってようやく始まった。

ユダヤ人の金融業は、領主層や都市を相手にした大口取引、いわゆる大名貸しが一般的であった。これはペスト・ポグロムを経験した後も変化がなかった。ニュルンベルク・ユダヤ人の金融業を考察したイスラエルの歴史家ミヒャエル・トッホによれば、国王ヴェンツェルが一三八五年と九〇年に発布した、ユダヤ人に負債を負う都市と諸侯の債務を各々帳消しにする棄捐令が転機となった。ユダヤ人の金融業者が被った損害は甚大であった。ユダヤ人金融業はこれ以降業務形態を見直す。以後は都市庶民向けの有担保小口融資が一般的になる(Toch 1981)。中世後期のユダヤ人金融業は、質屋業がメインになる。これは決してニュルンベルクに限ったことではない。業務形態の変化に伴い、ユダヤ人金融業の弊害が、より身近に意識されるようになる。中世後期の都市条例で、ユダヤ人とキリスト教徒の接触・交流を規制する動きが活発になる。ユダヤ人に対する差別感情が高まり、差別的な立法も増える。

ユダヤ人の高利取引に対する批判によって、またその他の事情によって、新たにユダヤ人追放の機運が高まった。ある程度支配が集権化されていた国々では、追放は国単位で行われた(イングランド、一二九〇年。フランス、一三〇六、二二、九四年。スペイン、一四九二年)が、中央権力の弱いドイツでは、それは都市毎に起こった。主だった帝国都市のユダヤ人追放は、シュトラースブルク(一三九〇年)、フライブルク(一四〇一、二四年)、ベルン(一四〇四/〇五、二七年)、シュパイアー(一四〇五、三五年)、ケルン(一四二四年)、チューリヒ(一四二三、三六年)、アウクスブルク(一四三八年)、マインツ(一四三八、六二年)、コンスタンツ(一四四八年)、ニュルンベルク(一四九八/九九年)、レーゲンスブルク(一五一九年)となっている(Ziwes 1999: 183-187)。

ニュルンベルクでは高利批判が追放の契機となった。ニュルンベルクを管轄するバンベルク司教区公会議が、一四五一年四月三〇日枢機卿ニコラウス・クザーヌス(一四〇一―六四年)を首班として、利子取得の禁止を公布した。しかし、それはユダヤ人と市の抵抗にあって実施には至らなかった。その後の市内の高利をめぐる論争は、徐々にユダヤ人だけを標的とするようになる。一四七三年に市参事会でユダヤ人に対する最初の追放動議が起こった。しかしこのときは皇帝フリードリヒ三世の介入によって、一四八〇年に計画は最終的に頓挫した。皇帝は、『黄金印勅書』(一三五六年)の条項に基づき、帝国都市のユダヤ人が皇帝に直属することを市に思い起こさせた。

ニュルンベルク・ユダヤ人の追放は、一四九八年に決定された。今度は上からの介入もなかった。市参事会は皇帝マクシミリアン一世の了解を得るために、事前に彼に四〇〇〇フローリンを支払っていた。一〇月三一日に市庁舎に集められた一六名のユダヤ人に、追放の決定が告げられる。退去の日まで、ユダヤ人はかつての持ち家にとどまるために、家賃を払わねばならなくなる。一四九九年三月二日、最後のユダヤ人が都市を去った。ニュルンベルク・ユダヤ人の消息について、最大部分に当たる一〇家族、約六〇名は、フランケン地方の小都市に一時滞在後、最終的にフランクフルトに落ち着いた。フランクフルトは追放を行わず、ゲットーによる隔離政策を選択した。ニュルンベルクのユダヤ人は、一四六二年に着工した誕生間もないフランクフルトのゲットーに吸収された。他の家族はそれぞれブランデンブルク女伯アンナのノイシュタット、中部フランケンのヒュッテンバッハ、トルコ、東スラヴ地域に移住した(Maimon 1995: 1021ff.)。こうして中世のニュルンベルク・ユダヤ人の歴史は終焉を迎えた。

## 五、結　語

一四世紀末から一六世紀初頭にかけて、帝国諸都市の多くがユダヤ人追放を実施する。それについて考察したマルクス・ヴェーニンガーは、彼の著書に『もはやユダヤ人なんか要らない』という挑発的な表題を選んだ。「高利貸付ができる人がほかにいれば、もはやユダヤ人は要らない」というのが、ヴェーニンガーのテーゼである。ユダヤ人の必要は、彼らの貸付に対する需要から一律に説明される。貸付の必要がなくなると、ユダヤ人は追放される運命にあった(Wenninger 1981)。ギロメンは、スイス諸都市のユダヤ人追放の考察から、追放の原因を一般化することとの困難を強調する。彼によると、これまでもユダヤ人追放は何度もあったが、彼らはそのたびに戻ってきた。その彼らが今回は戻ってこなかった。むしろ一般化できることがあるとすれば、彼らの帰還を阻んだ要因ではないかという(Gilomen 2000: 93-96)。

いずれにしてもこの追放によって、各都市の中世のユダヤ人共同体は消滅した。それは文字通り共生の終焉であった。つまり、これは共存の破綻例である。そこから共存の条件を探るとすれば、それは失敗から学ぶということにほかならない。もちろんそれに対する考察も、歴史的になされなければならない。そもそも失敗を失敗と認識したのか、そこから何かを学ぼうとする意思が本当にあったのかが、まず問われなければならない。追放後の都市社会は、実物のユダヤ人ではなく、ユダヤ人の記憶と共生することになった。そもそも彼らは、どんな記憶と共生したのであろうか。ここに「ユダヤ人なき反ユダヤ主義」と形容される研究領域が開ける。こうして蓄積された記憶と伝承は、再び始まるユダヤ人との共生に、どんな影を落としたのであろうか(佐々木 二〇一二)。共生は、いまなおアクチュアルな課題であり続けている。

**参考文献**

大黒俊二(二〇〇六)『嘘と貪欲――西欧中世の商業・商人観』名古屋大学出版会。
佐々木博光(二〇一二)「近代ドイツの歴史教科書にみる中世のユダヤ人迫害」『人文学論集(大阪府立大学)』第三〇集。
シャー、ロニー・ポチャ(二〇〇七)『トレント 一四七五年――ユダヤ人儀礼殺人の裁判記録』佐々木博光訳、昭和堂。

土肥由美（二〇一〇）「受難劇 vs. 聖体祭劇——「イエス・キリストの受難」を巡る表現と受容に関する一考察」『西洋中世研究』第二号。
ハーファーカンプ、アルフレート（二〇一八）『中世共同体論 ヨーロッパ社会の都市・共同体・ユダヤ人』大貫俊夫・江川由布子・北嶋裕編訳、柏書房。
Blumenkranz, Bernhard (1965), *Juden und Judentum in der mittelalterlichen Kunst*, Stuttgart, W. Kohlhammer Verlag.
Brettle, Sigismund (1924), *San Vicente Ferrer und sein literarischer Nachlaß*, Münster, Aschendorffsche Verlagsbuchhandlung.
Cohen, Jeremy (1982), *The Friars and the Jews: The Evolution of Medieval Anti-Judaism*, Ithaca and London, Cornell University Press.
*Germania Judaica*, Bd. II: *Von 1238 bis zur Mitte des 14. Jahrhunderts*, hrsg. v. Avneri, Zvi, 2 Halbbd., Tübingen, J. C. B. Mohr (Paul Siebeck), 1968; Bd. III: *1350-1519*, hrsg. v. Maimon, Arye, 2. Halbbd., Tübingen, J. C. B. Mohr (Paul Siebeck), 1995.
Gilomen, Hans-Jörg (2000), „Aufnahme und Vertreibung von Juden in Schweizer Städten im Spätmittelalter“, Ders. usw. (Hg.), *Migration in die Städte: Ausschluss-Assimilierung-Integration-Multikulturalität*, Zürich, Chronos.
Gilomen, Hans-Jörg (2009), „Juden in den spätmittelalterlichen Städten des Reichs: Normen-Fakten-Hypothesen“, *Kleine Schriften des Arye Maimon-Instituts*, 1.
Roscher, Wilhelm (1878), „Die Juden im Mittelalter, betrachtet vom Standpunkte der allgemeinen Handelspolitik (1875)“, Ders. (Hg.), *Ansichten der Volkswirtschaft aus dem geschichtlichen Standpunkte*, 2, 3. Aufl., Leipzig/Heidelberg, C. F. Winter.
Toch, Michael (1981), „Der jüdische Geldhandel in der Wirtschaft des deutschen Spätmittelalters“, *Blätter für deutsche Landesgeschichte*, 117.
Toch, Michael (1998), *Die Juden im Mittelalterlichen Reich*, München, R. Oldenbourg Verlag.
Tremp, Kathrin Utz (1995), „Ein Dominikaner im Franziskanerkloster: Der Wanderprediger Vinzenz Ferrer und die Freiburger Waldenser (1404): Zu Codex 62 der Franziskanerbibliothek“, Ruedi Imbach und Ernst Tremp (Hg.), *Zur geistigen Welt der Franziskaner im 14. und 15. Jahrhundert: Die Bibliothek des Franziskanerklosters in Freiburg/Schweiz*, Freiburg/Schweiz, de Gruyter.
Wenninger, Markus J. (1981), *Man bedarf keiner Juden mehr: Ursachen und Hintergründe ihrer Vertreibung aus den deutschen Reichsstädten im 15. Jahrhundert*, Wien/Köln/Graz, Böhlau.
Wenzel, Edith (1992), *„Do worden die Judden alle geschant“: Rolle und Funktion der Juden in spätmittelalterlichen Spielen*, München, Wilhelm

Fink Verlag.

Ziwes, Franz-Josef (1999), „Territoriale Judenvertreibungen im Südwesten und Süden Deutschlands im 14. und 15. Jahrhundert", Alfred Haverkamp usw. (Hg.), *Judenvertreibungen in Mittelalter und früher Neuzeit*, Hannover, Verlag Hahnsche Buchhandlung.

【執筆者一覧】


**鶴島博和**(つるしま ひろかず)
1952 年生．熊本大学名誉教授．西洋中世史．

**藤井真生**(ふじい まさお)
1973 年生．静岡大学人文社会科学部教授．中世チェコ史．

**五十嵐大介**(いがらし だいすけ)
1973 年生．早稲田大学文学学術院教授．中世アラブ・イスラーム史・マムルーク朝史．

**小 澤　実**(おざわ みのる)
1973 年生．立教大学文学部教授．西洋中世史・北欧史・史学史．

**黒田祐我**(くろだ ゆうが)
1980 年生．神奈川大学外国語学部教授．中世スペイン史・西地中海交流史．

**三 浦　徹**(みうら とおる)
1953 年生．お茶の水女子大学名誉教授．アラブ・イスラーム史．

**久木田直江**(くきた なおえ)
1957 年生．静岡大学人文社会科学部教授．中世英文学・医学史・ジェンダー史．

**辻 明日香**(つじ あすか)
1979 年生．川村学園女子大学文学部准教授．エジプト史・西アジア史．

**佐々木博光**(ささき ひろみつ)
1962 年生．大阪公立大学大学院現代システム科学研究科准教授．ドイツ史・ユダヤ人史．

**井谷鋼造**(いたに こうぞう)
1955 年生．京都大学名誉教授．西南アジア史．

**図師宣忠**(ずし のぶただ)
1975 年生．近畿大学文芸学部准教授．フランス中世史．

**高橋英海**(たかはし ひでみ)
1965 年生．東京大学大学院総合文化研究科教授．シリア語文献学．

**甚野尚志**(じんの たかし)
1958 年生．早稲田大学文学学術院教授．西洋中世史・教会史・文化史．

**大稔哲也**(おおとし てつや)
1960 年生．早稲田大学文学学術院教授．中東歴史人類学．

【責任編集】

**大黒俊二**(おおぐろ しゅんじ)
1953年生．大阪市立大学名誉教授．イタリア中世史．『声と文字』〈ヨーロッパの中世〉(岩波書店，2010年)．

**林 佳世子**(はやし かよこ)
1958年生．東京外国語大学学長．西アジア社会史・オスマン朝史．『オスマン帝国500年の平和』〈興亡の世界史〉(講談社学術文庫，2016年)．

岩波講座 世界歴史 9　第11回配本(全24巻)

ヨーロッパと西アジアの変容 11～15世紀

2022年8月30日 第1刷発行

発行者 坂本政謙

発行所 株式会社 岩波書店 〒101-8002 東京都千代田区一ツ橋2-5-5
電話案内 03-5210-4000 https://www.iwanami.co.jp/

印刷・法令印刷 カバー・半七印刷 製本・牧製本


ISBN 978-4-00-011419-6

岩波講座
# 世界歴史

A5 判上製・平均 320 頁（黒丸数字は既刊，＊は次回配本）

## 全㉔巻の構成

❶ 世界史とは何か

アフリカ　西ヨーロッパ　東ヨーロッパ　西アジア・中東　中央・北アジア　東アジア　東南・南アジア　南北アメリカ　オセアニア

前5000
前1000
前500
紀元0
3世紀
6世紀
7世紀
8世紀
9世紀
0世紀
1世紀
2世紀
3世紀
4世紀
5世紀
6世紀
7世紀
8世紀
9世紀
900's
910's
920's
930's
940's
950's
960's
970's
980's
990's
現在

② 古代西アジアとギリシア
❸ ローマ帝国と西アジア
❹ 南アジアと東南アジア
❺ 中華世界の盛衰
❻ 中華世界の再編とユーラシア東部
❼ 東アジアの展開
❽ 西アジアとヨーロッパの形成
❾ ヨーロッパと西アジアの変容
⑩ モンゴル帝国と海域世界
⑪ 構造化される世界
⓬ 東アジアと東南アジアの近世
⑬ 西アジア・南アジアの帝国
⑬
⑬
⓮ 南北アメリカ大陸
⑮ 主権国家と革命
⑮
⑯ 国民国家と帝国
⑯
⓱ 近代アジアの動態
⑱ アフリカ諸地域
⑲ 太平洋海域世界
⑳* ㉑ 二つの大戦と帝国主義 Ⅰ Ⅱ
㉒ ㉓ 冷戦と脱植民地化 Ⅰ Ⅱ
㉔ 二一世紀の国際秩序

※本図は各巻の内容を厳密に反映したものではなく，便宜的に図示したものです．